KB111585

후궁의 초대

초판 1쇄 인쇄일 2020년 10월 05일
초판 1쇄 발행일 2020년 10월 23일

지은이 | 린아(潾娥)
펴낸이 | 김기선

편집부 | 김아름, 박신혜, 신현정, 현혜원, 김수린, 한혜정
표지디자인 | 디자인그룹 헌드레드
내지디자인 | 한주희

펴낸곳 | 와이엠북스(YMBOOKS)
출판등록 | 2012년 7월 17일 (제2014-17호)
주소 | 서울시 도봉구 노해로 379, 1005호(창동, 대성빌딩)
전화 | 02)906-7768 / 팩스 | 02)906-7769
E-mail | ymbooks@nate.com

ISBN 979-11-322-5801-8 (04810)
ISBN 979-11-322-5799-8 (set)

© 린아(潾娥) 2020 Printed in Korea

값 11,000원

※파본은 구입처에서 교환하여 드립니다.
※저자와 협의하여 인지를 붙이지 않습니다.
※이 책은 저작권법에 따라 보호를 받는 저작물이므로 무단 전재와 복제를 금하며,
이 책 내용의 전부 또는 일부를 사용하려면 반드시 저작권자와 와이엠북스의 동의를 받아야 합니다.

후궁의 초대

린아 (潾娥) 장편소설

2

YM
BOOKS

차 례

Chapter 7.
함께

힐라리아가 긴 한숨을 내쉬며 에벤에셀의 어깨에 고개를 기댔다. 에벤에셀이 힐라리아를 추슬러 안은 채로 그녀의 붉어진 뺨을 쓰다듬었다. 더운 공기에 익어 헐떡이는 힐라리아의 모습이 퍽 만족스럽다. 게다가 무르익은 열기가 힐라리아의 흰 피부 곳곳에 남아 있었다. 에벤에셀이 선연한 흔적들을 가늘게 뜬 눈으로 살폈다.

"쉬이. 벌써 지치면 안 되지."

"무슨 소리예요."

힐라리아가 한숨을 내쉬듯 속삭이곤 눈을 감았다. 이대로 잠들고 싶은 마음이 굴뚝같았지만, 힐라리아가 고려하지 못한 게 하나 있었다. 에벤에셀이 그녀보다 훨씬 월등한 체력을 가지고 있다는 것. 사실 아무것도 모르고 본능에 끌려 덤빈 힐라리아로서는 축 늘어진 자신의 몸이 당혹스러웠다. 힐라리아가 바들거리는 손으로 침대 위를 짚었다. 에벤에셀이 그녀의 등에 달라붙은 채로 함께 움직였다.

"잘 거야. 저리 가."

"벗겼으면 책임져야지, 힐."

에벤에셀이 달콤한 어조로 뇌까리자 힐라리아가 이불을 끌어모아 애써 못 들은 척 고개를 묻었다.

"욕구불만이라며. 나는 당신에게 부족한 남편이고 싶지 않은데 말이야."

"충분했어요. 그러니까 나 좀 놔둬."

힐라리아가 웅얼거렸다. 세상에 이런 행위가 있을 거라고는 생각지도 못했다. 힐라리아가 아무것도 모르고 덤빈 스스로를 원망했다. 그런데, 후회는 할 수 없는 게…….

'좋았어.'

또 하고 싶으냐고? 체력만 된다면 언제든지. 그녀를 채우는 감각도 좋았고 쾌락에 머리가 하얗게 바래는 것도 좋았다. 영혼까지 뒤흔들리는 것 같달까. 하지만 그건 그거고 지금은 몸이 후들후들 떨리는 게 딱 죽을 맛이었다.

"이대로 잘 거야."

에벤에셀이 힐라리아에게 바짝 들러붙어 손가락에 키스하며 속삭였다.

"그동안 나를 못살게 굴었으면 어느 정도 어울려줘야지, 힐라리아."

에벤에셀이 힐라리아를 감싸고 있는 이불을 끌어 내렸다.

"아……. 양심도 없어."

힐라리아가 웅얼거리며 에벤에셀의 어깨에 이를 박아 넣었다. 에벤에셀은 그것마저도 기꺼운지 한숨처럼 웃음을 흘렸다.

"하아. 귀여운 짓만 골라 하는군."

에벤에셀이 혀로 입술을 훑으며 힐라리아를 향해 고개를 숙였다. 은은한 장미향이 묻어나는 입술에 깊게 키스하며 에벤에셀이 힐라리아의 몸을 끌어당겼다.

***

알케스터 자작……. 황태후가 손에 들린 인장 반지를 꾹 쥐었다. 손안을 구르는 반지의 서늘한 촉감에 목이 턱 막히는 것만 같았다. 황태후가 무감한 표정으로 반지를 테이블 위에 의도적으로 떨어뜨렸다. 케케묵어 잊고 있었던 기억들이 수면 위로 비집고 튀어나오려 하고 있었다.

'분명 아무도 몰라야 하는데.'

황태후가 입술을 짓씹었다. 알케스터 자작이 자신의 결백을 주장하며 자살한 이후로 황태후와 알케스터 자작 사이에 추문은 흔적도 없이 사라졌다. 힐라리아는 그것을 수면 위로 끌어 올린 것이다.

황태후, 로벨리아가 가문의 명에 따라 오랫동안 연인 관계였던 알케스터 자작을 정리하고 황제의 황비가 되었다. 황제에겐 이미 사랑하는 황후가 있었지만, 후계와 권력의 이해관계에 의한 어쩔 수 없는 선택이었다. 로벨리아가 황궁에서 할 수 있는 일은 거의 없었다. 그녀는 유명무실한 허수아비처럼 행복한 가정을 지켜보는 것밖에 하지 못했다.

한데, 아이를 가졌다. 결혼한 지 고작 8개월 후에. 사람들은 공교로운 타이밍에 태어난 아이를 두고 입방아를 찧어댔다. 그들 중 대부분은 아이가 알케스터 자작의 핏줄이라고 생각했을 것이다. 하지만 황제는 네이선을 황자로 인정했고, 사건은 알케스터 자작의 죽음으로 마무리되었다. 항상 침착함을 유지하던 황태후의 표정에 빗금이 그였다.

"마리아."

"예, 황태후 마마."

"힐라리아 황비가 건드려서는 안 되는 것을 건드리는군. 올리비아에게만 맡겨둘 게 아니야."

황태후가 연푸른 눈을 서늘하게 빛냈다.

"네이선이 돌아왔으니……. 내 아버지도 돌아와야 하지 않겠니?"

네이선이 유배지에서 돌아왔으니 숨죽이고 있던 그들도 기지개를 펼 시기였다. 지금을 위해서 그동안 가만히 있었던 것 아니겠는가. 로벨리아의 손짓에 마리아가 가까이 다가왔다.

황태후가 나고 자란 시벨로프 가문은 귀족들 사이에서 명망이 높은 오래된 귀족 가문이었다. 시벨로프가 정계로 돌아왔다는 소문만으로도 네이선의 손을 들어줄 귀족들이 많을 것이다. 새로운 세력을 규합하는 건 일도 아니다.

"시벨로프 상단의 문을 열라고 전해. 그동안 제너시스 후작가가 많은 것을 누렸지 않니. 그만 시벨로프에게 정상의 자리를 돌려줄 때야."

그동안 시벨로프가 가만히 있기만 했었던 건 아니었다. 시벨로프는 새로운 사업으로 돌아올 것이다. 예를 들어, 여태껏 공개된 적 없었던 방수 직물 같은 상품과 함께. 힐라리아 황비와 제너시스 영애가 의상실과 계약을 체결했다는 소문은 황태후도 들어 알고 있었다. 그들의 디자인이 참신한 건 인정한다. 하지만, 그만한 디자이너 하나 못 찾겠는가. 이제는 기능성에서 승부를 봐야 할 때였다. 그리고 시벨로프에는 그만한 저력이 있었다.

"예, 황태후 마마."

힐라리아가 손에 넣으려는 것들을 하나씩 빼앗아 올 것이다. 의류 사업은 첫 시작일 뿐이었다. 힐라리아가 제 손에 남은 게 하나도 없다는 것을 알아차릴 때쯤에는 이미 늦었을 것이고 그녀는 황태후의 손을 잡지 않고 위험한 것을 끝내 후회하게 되겠지. 로벨리아가 인장 반지를 손에 도로 쥐었다. 차갑고 날카로운 감각이 그녀를 일깨워주었다.

'내가 너무 유순히 굴었지, 힐라리아.'

기네비어의 촌뜨기 따위는 절대로 넘을 수 없는 벽이 있다는 걸 알려주마.

***

힐라리아가 손 하나 까딱하기 싫다는 듯이 눈을 질끈 감았다. 그녀는 현재 이불로 몸을 돌돌 만 채 에벤에셀의 품에 죽은 듯이 안겨 있었다. 에벤에셀이 힐라리아의 머리카락을 만지작거렸다.

"내일 경마에 참가할 수 있겠어? 포기해도 그대의 소원은 들어주지."

에벤에셀이 힐라리아의 어깨에 입을 맞추곤 속삭였다. 그 여유로움에 힐라리아가 눈을 치켜떴다.

'으, 얄미워.'

오늘이 지나면 내일부터는 반드시 운동을 게을리하지 않을 것이다. 언젠가 저 콧대 높은 코를 납작하게 만들어줘야지. 힐라리아가 이를 갈았다.

"절대로 참가하고 말 거야."

힐라리아가 오기 어린 한 마디를 내뱉었다. 그러곤 몸을 굴려 에벤에셀에게서 벗어났다. 자꾸만 지분거리는 게 불안했다. 조금만 움직였을 뿐인데, 삐거덕거리던 몸이 비명을 질러댔다.

"쉬이. 착한 내 힐. 이리 와."

에벤에셀이 그의 품에서 벗어난 힐라리아를 도로 끌어당겼다. 힐라리아는 온 힘을 다해 벗어났는데 그는 고작 한 손으로 힐라리아를 움직이고 있었다.

"나 안 착해."

힐라리아가 입술을 삐죽이며 말했다. 결국 하는 도중에 울어버려서 촉촉한 힐라리아의 붉은 눈가에 에벤에셀이 입술을 내렸다.

"착하지……."

나지막한 목소리에 힐라리아가 눈을 감았다. 평소엔 또래보다 조숙해 보이는 힐라리아가 지금은 제 또래처럼 보였다. 어린 양을 부리는 봄 처녀처럼. 에벤에셀이 머리카락을 늘어뜨린 힐라리아의 등을 쓸어내리며 아직 숨이 고르지 못한 힐라리아를 달랬다.

"하고 싶은 거 다 해도 좋아. 내일 아침이 밝으면 너는 내 품을 벗어날 테니. 그러니, 지금은 이렇게 자는 거야."

힐라리아가 긴 숨을 내쉬고는 피곤한 눈을 감았다. 에벤에셀에게 안긴 채로 목욕까지 한 덕에 더 나른했다. 별수 없나. 게다가 의외로 에벤에셀의 품은 안온하고 따뜻했다. 힐라리아가 그대로 잠에 빠졌다.

＊＊＊

힐라리아가 일어나는 것을 기다린 케이티와 첼로스테가 승마복을 들고 에벤에셀의 침실로 들어왔다. 에벤에셀은 아침 일찍 일어나 침실을 떠난 후였다.

"일어나셨어요?"

케이티가 힐라리아의 손바닥 위에 마석을 잔뜩 올려주었다.

"드세요."

안쓰러운 얼굴로 케이티가 말했다.

"왜 그런 얼굴이야?"

"우리 마마님……. 사실 우리 마마님이 어리다는 걸 이럴 때 느낀다니까."

"케이티?"

"흠, 흠. 마마님 체력 보충엔 이게 최고잖아요. 그래서 챙겨왔어요."

힐라리아가 사탕처럼 마석을 입 안 가득 넣고 굴리고 있을 무렵, 첼로스테가 아침 준비를 끝냈다.

"식사하세요, 황비 마마."

힐라리아가 가볍게 스트레칭을 하고는 테이블 앞에 앉았다. 아침이라 소화가 잘 되는 음식들로 구성되어 있었다. 기름을 쫙 빼서 담백하게 구운 연어와 레몬을 곁들여 먹으며 힐라리아가 첼로스테를 힐끗 보았다.

"어제 종일 안 보이던데 바빴나 봐?"

"아, 네."

첼로스테가 여상히 대답하고는 힐라리아의 시중을 들었다. 이젠 익숙하게 힐라리아가 좋아하는 음식들을 그녀의 접시에 덜어주었다.

"오늘은 승마복을 입으실 거라 화장을 간단히 하시는 건 어떨까요?"

힐라리아가 첼로스테를 지그시 바라보다 생긋 웃으며 고개를 끄덕였다.

"무엇이든 안 어울리겠어, 내가?"

"그럼요."

케이티가 건성으로 맞받아치고는 온갖 야채를 넣어서 간 건강 주스를 힐라리아 앞에 내려놓았다.

"이것도 드세요."

힐라리아가 평소라면 반은 남겼을 건강 주스를 인상을 찌푸린 채로 쳐다보았다. 하지만, 오늘부터는 체력이다. 힐라리아가 비장한 표정으로 잔을 움켜쥐었다. 두고 봐라, 에벤에셀. 힐라리아가 이를 악물고는 잔을 기울였다.

***

힐라리아가 에벤에셀의 침실에서 일어났다는 소문이 파다하게 퍼졌다. 황태후의 탄신연을 맞이해 개방되어 있던 별궁에 머물던 손님들의 귀에도 소식이 들어갔다. 그들 중에는 반에이크도 있었다. 실로테가 반에이크의 얼굴을 주시하며 애쥬라에게 손짓했다.

"그럼 황비께서는 지금 어디 계시니, 애쥬라."

"막 일어나셨다고 해요. 곧 준비하시고 경마장으로 향하실 거예요."

"호오."

실로테가 미소 짓다가 반에이크의 떨리는 입술을 발견했다.

"왜 그런 표정이세요?"

부러 반에이크와 식사를 하기 위해 찾아온 실로테가 눈썹을 씰룩였다. 요새 반에이크의 행보가 수상쩍어 아침부터 부랴부랴 왔다. 실로테는 지금이 좋았다. 그녀는 힐라리아를 돕고, 반에이크는 황제를 돕고. 실로테의 평화에 반에이크가 돌을 던지는 걸 가만히 두고 볼 수만은 없었다.

"반에이크 공."

실로테가 서늘하게 반에이크를 불렀다.

"그런 표정을 하면 다 들키겠는데."

"그럴 일 없을 겁니다."

반에이크가 손바닥으로 얼굴을 쓸었다.

"이미 황제는 알고 있을지도 모릅니다. 어쩌면 힐라리아도……."

"알고 계시겠지요. 영민하신 분이니. 하지만, 저도 알고 있습니다."

반에이크가 차가운 시선을 실로테에게 던졌다.

"저는 그분에게 아무런 의미도 되지 못한다는 것을. 그러니 일깨워주지 않아도 괜찮습니다, 실로테 황비."

"……그래도 반에이크 공이 이렇게 인간처럼 보이는 것도 처음이군요."

실로테가 식사를 이어가며 말했다. 조그만 목소리는 확실히 반에이크에게도 닿았다. 본디 실로테와 반에이크의 사이는 좋지 않았다. 본부인과 정부 사이에 난 자식들이 사이좋기는 사실 힘든 일이었다. 실로테의 친모는 반에이크를 내쫓지 못해 안달이었고 실로테는 친모의 영향을 짙게 받았다.

그리고 나서는 클라리넷 가문이 반역에 휘말렸다. 반에이크는 살아남는 데 급급했고 실로테는 그 와중에 사랑을 했다. 두 사람 사이에 친밀한 관계가 맺어질 일이 없었던 것이다. 요새처럼 대화를 많이 나누는 일도 없었다. 실로테의 말에 반에이크가 실소를 흘렸다.

"걱정하지 마세요, 황비. 황비를 위태롭게 만들진 않을 테니."

"물론 그러시겠죠. 잘난 사람이니까."

실로테가 이죽거리고는 식사를 이어갔다. 어제는 웬일인지 황태후도, 올리비아도 조용히 넘어갔다. 오늘 무슨 일이 벌어질지 실로테로서는 상상도 할 수가 없었다. 실로테가 빠르게 식사를 마치고는 입가를 닦았다.

"얼른 일어나세요, 반에이크 공."

"왜 이리 서두르시는지?"

"힐라리아 황비를 혼자 두는 게 불안해서요."

왜 베아트리체가 힐라리아를 졸졸 쫓아다니면서 챙기는지 알겠다. 힐라리아는 의외의 구석에서 허당이었다. 피해도 될 것을 항상 정면 승부한달까.

"……힐라리아 황비가 마음에 드시나 봅니다."

"반에이크 공의 충고를 따랐죠. 줄을 잘 잡아야 한다고 했잖아요? 힐라리아 황비는 절대 끊어지지 않을 것 같거든요."

실로테가 반에이크를 도전적으로 노려보았다.

"나는 처음에 클라리넷의 인질로 황성에 들어왔을 때, 이왕이면 황후가 되자고 생각했어요. 원하지 않는 결혼이었지만, 반드시 행복해지겠다고 다짐했죠. 그땐 다 할 수 있을 것 같았는데. 남편의 사랑도 얻고 아이도 낳고. 한데 부질없는 꿈이었던 거죠. 반에이크 공의 말대로 애초에 황제께선 단 한 순간도 내게 여지를 준 적이 없고, 난 인질로서의 역할만 충실하면 됐던 거였는데. 그게 클라리넷을 구명하는 조건이었으니……."

입맛을 잃은 반에이크도 식기를 내려놓았다.

"뒤늦게라도 깨달아서 다행이었죠. 그리고 내가 황후가 되는 것보다 힐라리아 황비가 황후가 되는 게 더 알맞아 보이더군요. 사랑받는 황후가 될 거예요. 능력 있는 사람이니까. 그래서 마음에 들어요."

실로테의 투명한 금안이 빛을 받아 반짝였다.

"나를 대신해서 황후의 꿈을 이루어줄 사람이라. 나는 힐라리아 황비를 황후로 만들 거예요. 어떻게 해서든. 마지막 경고예요, 반에이크 공. 방해가 되지 말아요."

실로테가 몸을 일으켰다. 응접실을 벗어나 밖으로 나가버리는 실로테의 뒤통수를 시선으로 쫓으며 반에이크가 한숨을 푹 내쉬었다. 애초에 아무것도 할 생각이 없었는데. 그저 먼발치에서 보는 것만으로도 만족할 생각이었는데.

'자꾸 이러면 오기가 생기잖아.'

조용히 있는 사람 가만히 내버려두면 될 것을 이렇게 여기저기서 자극을 해대니……. 어디서든 도드라지는 힐라리아의 모습이 머릿속을 가득 채웠다. 선홍색의 머리카락과 가을 하늘 같은 눈. 선명한 색채의 대비가 촌스럽긴커녕 우아하게 어우러지는 힐라리아. 영민하고 소신이 곧게 서 있는 사람. 마음이 복잡했다. 반에이크가 가슴 주머니에서 작은 쪽지를 빼냈다.

〈시빌로프의 라리나로부터.〉

이른 아침에 급하게 도착한 것이다. 반에이크의 눈이 봉투 위를 훑었다.

'내가 원하는 것.'

***

힐라리아와 제이나가 마주 본 상태로 씩 웃었다. 에벤에셀은 지난주, 약속대로 두 사람에게 말을 선물했다. 힐라리아에게는 그녀를 닮은 붉은 갈기를 가진 말을, 제이나는 흰 말이었다. 힐라리아는 자신의 말에게 에벤이라는 이름을 붙였고 제이나는 그녀의 말에게 프리라는 이름을 붙였다. 두 사람은 말을 받은 날부터 시간이 날 때마다 말과 교감을 하며 길을 들였다.

"자신 있어요?"

"네. 힐라리아는 이길 자신 없어도 다른 이들은 이길 자신, 있어요."

제이나가 고개를 끄덕였다. 힐라리아가 생긋 웃었다. 그녀는 정령술사다. 자연과 가장 가깝다고 회자되는 능력을 가진 사람. 당연히 말과의 친화도도 높고 말을 다루는 능력도 타인보다 뛰어날 수밖에 없었다. 게다가 기네비어에서 자랐으니. 힐라리아가 에벤의 콧등을 간지럽혔다.

처음 말에게 에벤이라는 이름을 붙이겠다고 했을 때 첼로스테가 기함했었다. 황제의 이름을 따다 붙이다니. 하지만, 그 소식을 전해들은 에벤에셀은 오히려 웃음을 터뜨렸다. 놀리려고 한 일이었는데 에벤에셀은 어떤 타격도 받지 않은 듯했다. 그래서 말의 이름은 에벤이 되었다. 에벤이 심술궂게 힐라리아의 옷자락을 씹었다.

"쉿. 그러다가 혼나는 수가 있어."

힐라리아가 음산하게 중얼거리고는 옷을 빼앗았다. 가끔 이렇게 엇나가는 에벤을 달래고 협박하는 일에 고작 일주일 만에 이골이 나버렸다. 사람과 말의 모습을 지켜보던 제이나가 작게 웃었다.

"힐라리아와 에벤은 정말 친한 친구 같아요."

"에벤은 이름 주인 닮아서 심술 맞은걸요."

힐라리아가 입술을 삐죽이며 대답하고는 옷을 가다듬었다. 힐라리아는 흰 승마복을, 제이나는 연푸른색의 승마복을 입었다. 기사들 사이에서 두 사람은 독보적으로 튀고 있었다. 힐라리아와 제이나를 위한 대기실은 따로 마련되어 있어 망정이지, 온 사람의 시선에 튀겨질뻔했다.

밖에서도 이번 경마에 참가한 황제의 황비들에 대한 이야기로 시끄러웠다. 아무것도 모르는 귀족들은 힐라리아와 제이나를 이번 경마 대회의 꽃처럼 여기고 있었다.

'황실의 체면을 세우기 위해 참가했다지?'

'그렇다는군. 두 사람 다 결승선만 통과하면 다행이지.'

그런 식으로 떠들어댔다.

"각자 원하는 게 있으니 쟁취해야죠. 제이나, 준비됐죠?"

"네. 힐라리아는요?"

힐라리아가 붉은 입술을 끌어 올리며 씨익 웃었다.

***

느른하게 앉아 있던 베아트리체가 작은 망원경을 손에 든 채로 하품했다.

"베베! 똑바로 앉지 못하겠니?"

후작 부인이 낮게 윽박질렀다. 베아트리체가 언제 친해진 것인지 모를 실로테 황비와 나란히 앉아 있었는데 실로테의 꼿꼿한 자세를 보니 늘어진 베아트리체가 눈에 띄었다.

"어머니, 어제 새벽까지 일했다구요. 힐라리아가 시킨 일이 얼마나 많은 줄 아세요?"

베아트리체가 투덜거리며 말했다.

"의상실 오픈을 앞두고 있잖아요, 하암."

"베아트리체?"

후작 부인의 나지막한 부름에 결국 베아트리체가 허리를 똑바로 세우고 앉았다. 그 모습을 보던 실로테가 작게 웃었다.

"웃을 일이 아니에요, 실로테. 나 진짜 피곤한데……. 오늘 드레스 정말 잘 어울리는군요."

실로테가 좋아하는 푸른색 계열로 만든 드레스는 베아트리체가 디자인한 것이었다.

"나도 마음에 들어요. 이런 레이스는 생전 보지도 듣지도 못했어요."

베아트리체가 디자인한 레이스는 마치 작은 새들이 드레스를 수놓은 것처럼 보이게 했다. 여름 경마장에 딱 어울리는 드레스였다.

그렇게 두 사람이 이야기를 나누고 있을 무렵 선수들이 입장했다. 오늘 경마에 참가한 이들은 총 열 명. 그중에 둘이 힐라리아와 제이나였다. 출발선에 나란히 서는 두 사람을 보곤 베아트리체와 실로테가 난간 가까이 몸을 붙인 채로 망원경을 얼굴에 가져다 댔다.

"와, 웃고 있어."

힐라리아에게 감화라도 된 것인지 이제는 제이나도 퍽 대범하게 웃고 있었다. 베아트리체가 키득키득 웃으며 말했다.

"힐라리아가 어떤 소원을 빌까요?"

"글쎄요."

"그 애 머릿속은 통 알 수가 없어서. 오늘 아무 일이 없어야 할 텐데 말이에요."

실로테가 고개를 끄덕였다. 힐라리아와 가까워지면서 느낀 게 있다면, 그녀는 원하는 걸 얻기 위해선 무슨 짓이라도 할 사람이라는 것이다. 더 혼자둘 수 없는 이유였다.

"뭐라도 언질 받은 건 없죠?"

실로테의 물음에 베아트리체가 한숨을 내쉬곤 고개를 저었다.

"아무 말도 없었어요. 일을 저지르더라도 남에게 알리는 애는 아니라."

실로테와 베아트리체가 걱정스러운 시선을 주고받던 그때. 탕! 출발 신호가 떨어졌다. 힐라리아가 몸을 낮춘 채로 앞으로 빠르게 쏘아져 나갔다.

"와아아아아아!"

관중석에 앉아 있던 귀족들이 두 눈을 의심하며 벌떡 일어났고 경마를 보기 위해 온 평민들이 환호성을 내질렀다. 붉은 머리를 높게 틀어 올리고 금색 술이 달린 흰 모자를 쓴 힐라리아가 단연 선두에 서 있었다. 다른 이들도 분명 안간힘을 다해 달리고 있는 게 보였지만, 힐라리아를 따라잡을 순없었다. 그녀는 마치 자유로운 바람 같았다.

"이게, 이게 가능한 일이군요."

실로테가 웅얼거렸다.

"어릴 때부터 힐라리아가 말을 가장 잘 탔어요. 기네비어에서도 으뜸인데 여기서 쯤이야."

베아트리체가 우쭐거리며 대답했다. 힐라리아의 속도를 따라가기가 벅차 망원경을 내려놓았다. 그럼에도 불꽃처럼 타오르는 힐라리아는 멀리서도 보였다. 그리고 그렇게 힐라리아를 주시하고 있는 건 그들뿐만이 아니었다.

"힐라리아를 위한 축제였군."

에벤에셀이 설핏 웃으며 말했다. 분명 몸도 불편할 텐데…….

"즐거워 보이십니다."

자랑스럽다는 듯이 말하는 스베인과 달리, 반에이크는 아무 말 없이 경마장만 주시하고 있었다.

"반에이크 공. 오늘따라 말이 없는데, 무슨 일 있나?"

황제의 시선이 마치 반에이크를 찌르는 것 같았다. 그가 고개를 저었다.

"아무 일도 없었습니다. 잠자리가 바뀌니 잠을 설쳐서 그렇습니다."

"호오. 예민한 남자시라는 걸 미처 몰랐군요."

스베인이 장난기 어린 말로 대꾸하고는 에벤에셀과 반에이크에게 시원한 음료를 건넸다. 그러는 사이에 선수들은 결승선을 향해 달리고 있었다.

'왜, 아무 일도 안 일어나는 거야!'

한편, 가장 높은 단상에 앉은 에벤에셀의 아래쪽으로 황태후와 나란히 앉은 올리비아는 힐라리아를 뚫어져라 보며 당황하고 있었다. 힐라리아가 바닥에 꼬꾸라져 뒹구는 모습을 기대하고 있었는데! 올리비아가 뒤쪽으로 손짓해 플뢰레트를 불렀다.

"지시한 대로 처리한 게 맞아?"

"예, 황비 마마."

"그런데 왜 저 계집이 멀쩡해?"

"그게……."

플뢰레트가 할 말이 없다는 듯이 말끝을 흐렸다. 지금쯤 힐라리아는 말에서 떨어져 큰 부상을 입었어야 옳았다. 경기 중반쯤에 힐라리아의 말에게 침을 쏠 마부는 미리 매수했다. 무언가 단단히 잘못된 것 같았다.

'이게 뭐야!'

올리비아가 입술을 꽉 깨물었다. 그러는 사이 결국 힐라리아와 제이나는 결승선을 차례로 통과했다. 힐라리아는 압도적인 우승을 거두었고 제이나는 3등에 그쳤지만, 기사들 사이에서 훌륭한 성과였다. 이 자리에 로마노프 백작 부부도 참석해 있었기에 그들에게도 막내딸의 능력을 입증할 수 있는 좋은 기회가 되었다.

　사람들의 환호성이 경마장을 뒤덮었다. 모두의 예상을 깨고 몸집이 기사들의 반절도 안 되는 힐라리아가 우승을 차지한 것이다. 힐라리아가 환히 웃는 얼굴로 말에서 내려섰다. 결승선 쪽에는 에벤에셀이 앉아 있었다.

*　*　*

　결승선을 향해 달려오는 힐라리아의 모습이 마치 에벤에셀을 향해 달려오는 것 같아 조급증이 일었다. 환히 웃는 힐라리아를 당장 품에 안고 싶었다. 하지만, 힐라리아에게는 그런 낭만은 없나 보다. 에벤에셀이 앉은 단상 앞에 선 힐라리아가 모두에게 들릴만한 목소리로 말했다.

　"황제 폐하, 약속을 지켜주세요."

　에벤에셀이 어쩔 수 없다는 듯 입술을 휘며 자리에서 일어났다. 난간을 팔로 짚은 에벤에셀이 대답했다.

　"무엇을 바라십니까, 황비."

　힐라리아가 난간에 가까이 다가섰다. 그녀에게선 흙냄새와 바람 냄새, 야생 장미의 싱그러운 냄새가 났다. 에벤에셀이 어쩐지 마음이 동하는 것 같아 눈가를 일그러뜨렸다.

　"제국에는 능력은 있으나 뜻을 펼치지 못하는 이들이 많다 들었습니다. 평민이라는 이유로, 여자라는 이유로. 저는 그들을 위해 청원합니다."

　역시 힐라리아는 남달랐다. 힐라리아를 모르는 사람들은 힐라리아가 다른 황비들처럼 평범하게 사랑이나 보석, 아이를 조를 거라고 생각했다. 하지만, 힐라리아는 또 다른 폭풍을 황성으로 몰고 오는 발언을 했다. 귀족들이 단상 쪽을 향해 귀를 기울였다. 무엇이든 힐라리아가 만들어내는 시류에 가장 큰 영향을 받을 건 그들이었으니.

　"계속하세요."

"새로운 기사단을 만들어주세요, 폐하. 지금 제국에는 총 5개의 기사단이 있다고 알고 있습니다. 여섯 번째 기사단을 만들어 제이나 황비를 기사단장으로 삼으소서. 여성들과 평민들에게도 고루 기회를 나눠주세요. 분명 황실을 위한 기둥이 될 겁니다."

힐라리아의 발언에 귀족들이 벌떡 일어났다.

"그게 무슨! 황비 마마, 그건 너무 파격이십니다!"

"가능할 리가 없지 않습니까! 황성의 법도를……."

"법도?"

힐라리아가 승냥이처럼 푸른 눈을 빛내며 말을 꺼낸 귀족을 돌아보았다. 젊은 귀족 남성이었다. 맨질한 얼굴을 노려보며 힐라리아가 헛웃음을 지었다.

"여자와 평민이 기사가 될 수 없다는 법이 어디 있단 말이오? 윈프리드의 대법전을 뒤져봐도 그런 법은 없었던 것 같은데. 그대가 황제 폐하의 위에서 있단 말인가? 그 잘난 입으로 법도를 만들어내는 것을 보면."

"그, 그것이 아니오라……."

힐라리아에게 물어뜯긴 남자가 에벤에셀의 눈치를 보며 자리에 털썩 앉았다. 마치 맹수에게 물어뜯긴 듯 뒷목이 서늘했다. 에벤에셀이 짙은 미소를 지었다.

"우승자의 소원이니 당연히 들어드려야죠. 이제 짐의 신하들이 일을 해야 할 시간이군요. 새로운 기사단을 창설하기 위한 예산안과 새로운 제도를 편성하세요. 기사들을 모집한다는 공문을 내리고 다른 기사단들과 똑같은 봉급을 지급하겠습니다."

"하지만, 폐하! 분명 다른 귀족 기사들의 반발이 있을 겁니다!"

"지금 그대의 불만이 더 큰 것 같은데."

반기를 들었던 귀족이 어깨를 움츠리곤 물러섰다. 지금 잘못 말을 꺼냈다가는 위험했다. 동요하고 있는 건 기존 기득권을 차지하고 있던 남자 귀족들만이 아니었다. 힐라리아의 청원은 평민들과 여성들에게는 꿈과 희망을 심어줬으니까. 창백한 얼굴로 힐라리아에게 다가온 제이나가 그녀의 소매를 붙들었다.

"제, 제가요?"

"그럼? 제이나, 여러 가지를 따져보았을 때 제이나가 제격이에요."

이 순간을 위해서 로마노프와 제이나에게 무수히 많은 떡밥을 던져놓지 않았던가. 로마노프 백작은 영지를 구한 힐라리아의 말을 거역하지 못할 것이고 이미 검을 잡은 제이나 또한 그랬다. 힐라리아가 떨고 있는 제이나의 손을 맞잡았다.

'빨리 마무리되면 좋겠는데.'

힐라리아의 등을 타고 식은땀이 흘렀다. 너무 오래 참았다.

"이후의 일은 다음 주에 의논하도록 하겠습니다. 오늘은 어마마마의 탄신연이지 않습니까? 기쁜 날 얼굴 찌푸리지 마시고."

에벤에셀이 화사한 미소를 머금었다.

"새로운 기사단에게는 독수리를 내리겠습니다. 높이 비상해주세요."

제국의 기사단은 각자 표방하고 있는 짐승이 있었다. 1 기사단은 용, 2 기사단은 사자, 그런 식으로. 제이나와 힐라리아 기사단의 상징은 독수리가 되었다. 에벤에셀의 확답을 들은 힐라리아가 앞으로 꼬꾸라지며 벽을 짚었다.

"힐라리아 황비!"

제이나가 그녀를 부축하며 비명을 질렀다. 힐라리아가 창공을 닮은 새파란 눈으로 올리비아가 있는 쪽을 돌아보았다. 원하는 대로 해줄 순 없지. 올리비아의 계략을 이용할 수는 있어도.

독이 묻은 바늘을 맞은 것은 말이 아니라 힐라리아였다. 바늘의 방향을 바꾼 것도 힐라리아의 정령이었다. 독침을 맞고서도 아랑곳하지 않고 우승을 차지하다니. 이 일은 아주 오랫동안 사람들의 입에 오르내릴 것이다. 머릿속에 힐라리아라는 존재를 각인시키겠지.

힐라리아가 노린 것은 그것이었다. 에벤에셀의 예쁨이나 받으며 후궁에 주둔하고 있는 사람이 아니라는 걸 효과적으로 알리기 위해서. 이까짓 독은 이틀 정도 앓고 일어나면 멀쩡해질 것이다. 힐라리아에게는 정령의 정화력이 있으니까. 그러니 해볼만한 장사였다.

게다가 말이 아닌 힐라리아가 다쳤으니 이 일은 절대로 그냥 묻을 수 없게 되었다. 기네비어의 낯을 보아서라도 반드시 범인을 색출해야만 하게 된 것이다. 지금 이 순간 기뻐해야 할 사람은 올리비아나 에라스모 백작이 아닌 힐라리아였다.

황태후 또한 이것으로 주춤거리게 만들 수 있겠지. 황태후가 올리비아를 지키고자 한다면 무엇인가를 포기해야 할 테고 만약 포기하지 않는다면 주축 세력 중 일부를 잃게 되는 것이다. 모든 방면을 따져보아도 이건 힐라리아의 이득이었다.

"황비."

에벤에셀이 낮은 목소리로 힐라리아를 불렀다. 식은땀이 송골송골 맺힌 힐라리아의 턱을 움켜쥔 에벤에셀이 낮은 목소리로 뇌까렸다.

"알고서도 당한 겁니까?"

피할 수 있었음에도 당한 것이 맞다. 그녀의 주변을 호위하고 있는 정령들이 괜히 있는 것은 아니니까. 게다가 이미 올리비아의 계략도, 마부를 매수하는 이야기도 전부 전해 들었었다. 그럼에도 모른 척한 것이다.

힐라리아의 웃음에서 모든 것을 읽은 에벤에셀의 눈이 침잠했다. 목적을 위해서 수단과 방법을 가리지 않는다는 건 알고 있었다. 그런데 그 속에 힐라리아, 그녀의 목숨도 있을 줄이야.

"못된 버릇이 있군요. 그 버릇, 고치는 게 좋을 거야."

에벤에셀이 이를 갈며 난간 밖으로 뛰어내려 완전히 힘을 잃고 쓰러지는 힐라리아를 안아 들었다.

"화나셨습니까?"

대답 없는 에벤에셀의 턱이 단단하게 굳어졌다. 힐라리아가 옅게 웃으며 잦아드는 목소리로 속삭였다.

"아무 일도 없을 거라는 걸 폐하도, 저도 알고 있지 않습니까."

여전히 돌아오는 대답은 없었다.

"폐하. 저를 보세요."

힐라리아가 힘없는 손으로 에벤에셀의 턱을 쓸었다. 빠르게 걸음을 옮기던 에벤에셀의 시선이 그제야 힐라리아를 향했다.

"내가 죽을 것 같으면 당신이 날 살려, 에벤에셀."

"힐라리아."

"내가 다치거나 죽으면 전부 당신 책임인 거야."

힐라리아가 못되게 속삭이곤 생긋 웃었다. 에벤에셀이 헛웃음을 지었다. 이런 순간에도 힐라리아만큼은 이길 수가 없었다.

***

문 앞을 서성이며 에벤에셀이 이를 악물었다.

'내가 다치거나 죽으면 전부 당신 책임인 거야.'

힐라리아의 음성이 귀를 맴돌았다.

"왜 그러십니까? 폐하, 황비께서는 안정을 되찾으셨다고……."

"조용히."

에벤에셀이 스베인에게 날카롭게 말하고는 서성이던 걸 멈췄다. 흔들림까지 얼어붙은 그의 서늘한 눈이 힐라리아가 있는 침실의 문을 노려보았다. 에벤에셀에게 힐라리아의 경고는 사형선고와 같았다. 오늘 식은땀을 흘리며 무너지는 힐라리아의 표정을 보는 것만으로도 충분했다. 그 순간 에벤에셀의 심장도 함께 무너졌으니.

한데, 이런 일이 한두 번이 아닐 거라는 묘하게 불안한 확신이 들었다. 그녀의 한 마디, 한 마디는 중력보다 더한 힘으로 에벤에셀을 끌어당겼다.

'제발.'

에벤에셀의 못된 고양이는 위태로운 줄다리기를 하고 있었다. 그런데 정작 불안하고 두려워하는 건 주변 사람들이었다. 왜 제너시스 영애가 힐라리아를 어린애 취급하는지, 실로테 황비가 힐라리아를 혼자 둬선 안 된다고 말했는지, 그녀의 시녀들이 안달하는 이유가 무엇인지. 전부 알 것 같았다. 힐라리아는 스스로가 귀한 줄 모른다. 에벤에셀은 예상보다 더 위험한 사랑에 발을 들이고야 말았다.

"힐라리아 황비 주변에 시녀들을 더 붙여. 분명 스틸로즈 궁이라고 하면 오겠다고 자청하는 이들이 많을 거야. 지원자들 중에서 첼로스테와 케이티가 골라서 고용하도록 해. 먹는 것뿐만 아니라 입는 것까지 철저히 관리하도록."

그리고 또, 무얼 더 해야 할까.

"정원에 상주 중인 일리라는 남자를 항상 대동하도록 하고……."

"폐하……."

스베인이 놀란 얼굴로 에벤에셀을 불렀다. 에벤에셀과 힐라리아가 생각보다 깊은 관계를 맺고 있다는 건 인지하고 있었지만, 에벤에셀의 감정이 이 정도였나? 스베인의 부름에 중얼거리던 에벤에셀이 고개를 돌렸다.

"왜 부르는 거지?"

"……황비께서는 괜찮으십니다. 너무 걱정하지 않으셔도."

에벤에셀이 날카롭게 미소 지었다.

"그대가 장담할 수 있나? 영원히 힐라리아가 괜찮을 거라고. 항상 이겨낼 거라고 자신할 수 있느냐고 물었다."

"그건……."

"이번뿐일까? 힐라리아가 자신을 던져 원하는 바를 얻어내는 것이, 이게 끝이라고 생각하나? 대체 무슨 근거로."

엄한 데 화풀이하고 있다는 건 안다. 하지만, 에벤에셀은 평생 힐라리아를 이기지 못할 것이고 이번에도 그녀의 뜻대로 해주는 수밖에 없었다. 그렇다면 에벤에셀이 할 수 있는 일은 하나뿐이다. 힐라리아의 말대로 어떤 상황에서든 그녀를 지켜내는 것. 에벤에셀이 크게 숨을 들이켰다.

"짐은 힐라리아를 잃을 수 없어. 이미 생각보다 많은 걸 내놨거든."

"무엇을 그리 내놓으셨습니까?"

"어쩌면 이 윈프리드도, 그리고 짐의 목숨마저도. 그러니 지켜야지."

"……분부하신 대로 하겠습니다."

"그리고 반에이크."

멍하니 복도 난간에 기대 앉아 있던 반에이크가 고개를 들었다. 무슨 생각을 하는지 잔뜩 굳은 눈에는 어두운 분노가 가득 차 있었다.

"힐라리아의 뜻대로 이번 일을 그냥 덮지 않겠다. 그대가 주도해서 독침의 출처를 밝혀내고 죄인들을 짐의 앞에 꿇리라."

"……예, 폐하."

"모든 정황증거를 놓치지 말고 완벽한 올가미를 준비해 포획하도록."

"그리하겠습니다."

에벤에셀이 반에이크를 고요히 보다가 손짓했다. 반에이크가 유령처럼 몸을 일으켜 등을 돌렸다. 쓰러지던 힐라리아. 힐라리아를 안아 올리던 에벤에셀. 식은땀을 흘리며 정신을 잃어버린 힐라리아. 빠르게 걸음을 옮기며 의사를 찾던 에벤에셀. 독에 중독되었다는 힐라리아…….

거기까지 생각을 이어가던 반에이크의 잇새로 피가 흘렀다. 그것을 손등으로 거칠게 닦아낸 반에이크가 빠르게 걸음을 옮겼다. 반에이크가 에벤에셀의 자리에 그를 대입해보고 있을 시간에 힐라리아에게는 시시각각 음모가 닥쳐오고 있었다. 힐라리아는 그 앞에 자신의 목숨을 내어놓았다.

'원하는 걸 쥐여드려야 멈추시렵니까?'

말려도 듣지 않으리라는 건 에벤에셀이 알듯이 반에이크도 안다.

'혼자 두기엔 불안해서요.'

실로테의 말이 무슨 뜻인지 깨달아버렸다. 아주, 빌어먹게도. 반에이크가 마음의 결단을 내렸다. 그의 손에 들려 있던 쪽지가 사정없이 구겨졌다.

***

올리비아가 손톱을 물어뜯으며 방 안을 서성였다.

힐라리아가 쓰러진 이후로 경마는 중단, 황족들과 귀빈들은 전부 처소로 돌아가라는 황명이 내려졌다. 그리고 황실 기사단이 모든 처소를 폐쇄했다. 황제의 칙서를 가진 이들은 불가침의 힘을 가지고 있었다. 바깥의 정황을 알 수 없는 상태에서 올리비아는 고립된 것이다.

"마마님……."

밖의 동태를 살피기 위해 나갔던 플뢰레트도 그대로 돌아 들어왔다. 창으로 막아서는 기사들을 뚫고 나갈 수가 없었다.

"재수 없게 그 계집이 맞을 건 뭐야!"

올리비아가 히스테릭하게 외쳤다.

"걱정하지 마세요, 황비 마마. 제가 잘 처리해두었습니다. 매수된 마부는 이미 죽었을 거예요."

플뢰레트가 올리비아를 달랬다.

"그게 무슨……?"

"만약을 대비해 손을 썼습니다. 그러니 황제께선 아무것도 밝혀내시지 못할 거예요."

그 말을 들은 후에야 올리비아가 손톱을 물어뜯던 것을 멈췄다. 떨리는 숨을 나눠 내쉰 올리비아가 의자에 주저앉았다.

"잘했어."

올리비아가 서랍장을 뒤져 적당한 크기의 주머니를 꺼냈다. 떨리는 손으로 주머니를 플뢰레트에게 건넸다. 플뢰레트가 그것을 소매 속에 숨기고는 생긋 웃었다.

"……이왕이면 죽었으면 좋겠네. 큰 말도 죽일 수 있는 독인데 사람을 못 죽일까."

"아마도 운이 나쁘면 그리되겠지요."

올리비아가 그제야 웃었다.

"그년이 죽으면 황태후께서도 기뻐하시겠군. 내가 황후의 자리에 한 걸음 더 가까워지지 않겠어? 촌뜨기 계집애가 쓴맛을 보는 거지. 이렇게 죽으면 준비해둔 다음 수가 아깝긴 하겠지만."

"그렇습니다."

플뢰레트가 수긍했다. 독사처럼 이채가 서린 올리비아의 눈이 창밖을 향했다. 이제 막 저물고 있는 석양이 보였다. 저 석양처럼 힐라리아도 저물게 될 것이다. 베니체 황비와 똑같은 방법으로.

***

네이선은 황태후와 함께 맨드라미 궁에 감금되었다. 황제는 범인을 찾기 전에는 그 누구도 성 밖으로 나갈 수 없다는 명을 내렸고 네이선은 순순히 응했다. 화려한 장미처럼 흐드러지게 웃던 힐라리아가 쓰러지던 순간이 생생했다. 그녀는 정열적이었다. 그토록 빠르게 말을 모는 여인은 본 일이 없었다. 힐라리아는 기사보다 강했을 뿐만 아니라, 한순간에 누군가의 마음을 훔쳐갈 수 있을 정도로 강렬했다.

"네이선."

생각에 잠겨 있던 네이선이 고개를 들었다. 그를 부른 황태후의 그림 같은 미소에 오히려 소름이 돋는 것 같았다.

"무슨 생각을 하고 있습니까?"

"아무 생각도 하지 않습니다. 오랜만에 황성에 오니 적응되질 않아서요."

"그러시면 안 되지요. 평생 사시게 될 곳인데."

황태후의 욕심이 네이선의 발목을 족쇄처럼 휘어 감았다. 네이선에게 이 황성은 감옥과 다르지 않았다. 네이선이 황태후와 귀족들이 저지른 실책을 전부 뒤집어쓰고 유배를 떠난 것도 그 때문이었다. 황태후가 평생 살길 바라는 이 황성에서 벗어나고 싶어서. 그래서 네이선에게 죄를 전부 뒤집어씌운 황태후가 그다지 믿지 않았다.

"하하. 그나저나. 황성에 새로운 식구가 들어왔더군요."

"힐라리아 황비, 말씀하시는 겁니까? 가장 위험한 사람이지요. 어떻게 해서든 황성에서 뿌리 뽑아야 하는 사람입니다."

황태후가 저렇게까지 질색하다니. 오히려 더욱 관심이 가는 것 같았다.

"황자도 준비하셔야 합니다. 힐라리아 황비는 만만한 이가 아니라서요. 새로운 세력을 규합해야 합니다."

"그렇습니까?"

네이선이 웃는 얼굴로 덤덤히 대답했다.

"예. 로마노프 백작을 생각해두었는데 제이나 황비가 내 손을 내쳤으니 그 패는 버려야 합니다."

"마음이 상하셨겠어요."

"아니요. 괜찮습니다. 저 또한 버리면 그만이니. 에라스모 백작은 그의 질녀를 황자의 배필로 생각하고 있는 듯하지만, 나는 아닙니다."

대답 없는 네이선에 아랑곳하지 않고 황태후가 말을 이었다.

"더 큰 세력을 규합하셔야지요."

은밀한 목소리로 황태후가 입술을 달싹였다.

"제너시스 후작가 어떻습니까?"

"글쎄요."

"잘 생각해보세요. 힐라리아 황비와 베아트리체 영애는 가까운 사이입니다. 그러니 더 도움이 될 수도 있지요. 영애는 제가 구슬리겠습니다."

"절친한 친구라던데요."

"그게 권력만 할까요? 황비의 친구보단, 황후가 나을 테니까."

황태후가 걱정 말라는 듯이 설핏 웃었다. 황태후가 그랬다. 알케스터 자작을 배신하고 황실의 손을 잡았던 그녀가 산증인이었다. 덕분에 네이선은 알케스터 자작의 아이라는 오명을 썼지만, 그래도 황자로 인정받지 않았던가. 그녀를 쏙 빼닮은 아들을 보고 있으면 발끝까지 충만해졌다. 이제 로벨리아에게 남은 것은 네이선을 황제로 만드는 것뿐이다.

로벨리아가 힐라리아로부터 빼앗을 두 번째는 바로 제너시스였다. 제너시스의 베아트리체. 그 작고 어여쁜 계집애를 네이선의 배필로 만들고 나면 힐라리아는 보기 좋은 표정을 지어줄까?

황태후는 힐라리아가 고작 독에 죽을 거라고 생각하지 않았다. 올리비아의 수는 너무 저급했다. 힐라리아에게 얼마든지 역공격할 수 있는 여지를 주지 않았던가. 차라리 황태후가 직접 나서는 게 나을 것 같았다. 제너시스 후작가, 그다음은 무엇이 좋을까. 정신 차리고 보면 손에 쥔 게 아무것도 없다는 걸 깨닫게 될 것이다.

'건방지게 굴지 말았어야지.'

알케스터 자작은 황태후와 네이선의 역린이었다.

절대 건드려서는 안 될.

"다시 마음을 다잡으세요, 황자."

네이선이 대답 없이 웃었다.

"이 어미는 황자가 잃은 것을 되찾아드릴 겁니다."

'저는 잃은 것이 없습니다, 어머니. 오히려 에벤에셀이 잃지 않았나요?'

네이선이 모든 말을 삼켰다. 황태후에겐 아무것도 들리지 않을 것이다.

***

베아트리체가 눈물을 글썽이며 힐라리아의 이마를 닦았다. 베아트리체는 어차피 나가지 못할 거 힐라리아의 곁에 있게 해달라고 간청했고 에벤에셸은 들어주었다.

"나쁜 계집애."

힐라리아가 일부러 일을 벌였다는 건 베아트리체도 알고 있었다. 힐라리아의 나비들이 베아트리체에게로 와서 전부 고자질을 했으니.

'주인님이 나쁜 짓을 하려고 해요!'

'이러다 주인님이 죽을지도 몰라요. 독은 안 좋아요. 사람한테 안 좋아!'

'주인님을 구해야 해요!'

날개를 파닥이며 베아트리체를 졸라대는 정령들의 말을 처음엔 이해하지 못했는데 바닥으로 쓰러지는 힐라리아를 보고 나서야 알아차렸다. 힐라리아가 이번에도 죽음을 각오했다는 사실을.

힐라리아는 비밀의 방에 들어가면서도 목숨을 내걸었었다. 알량한 정령술사가 아주 먼 미래, 몇백 년 후의 미래까지 다녀왔으니 당연한 거 아닌가?

티타니아 기네비어의 힘이 힐라리아를 집어삼키기 전에 헬레나미아가 힐라리아를 구해내지 않았더라면. 카르로프 공왕이 딸을 위해 목숨을 걸지 않았더라면. 다행히 카르로프와 힐라리아 둘 다 무사했지만, 위험했다. 힐라리아는 덕분에 기네비어를 구할 수 있게 되었다 웃었지만, 지켜보는 이들의 마음은 그게 아니었다.

"너 그러다 진짜 죽어. 네가 목숨이 9개라도 되는 줄 알아?"

베아트리체가 힐라리아의 손을 연신 주무르며 눈물을 뚝뚝 흘렸다. 항상 제멋대로다. 힐라리아가 빨리 눈을 떠서 베아트리체를 안아줬으면 좋겠다. 더 이상 울지 말라고 달래줬으면 좋겠는데…….

"힐라리아……."

아직도 힐라리아는 대답이 없었다.

에벤에셸의 명을 받은 기사들이 황성을 쥐 잡듯이 뒤지고 있었다. 조금이라도 기색이 이상한 자들은 줄줄이 연행당했다. 밤이 무르익은 지금도 지하 감옥에서는 비명 소리가 끊이질 않는다고 했다.

시녀, 시종, 바닥 닦는 하녀, 마구간 지기. 황성의 허드렛일을 하는 자들은 전부 수색당하고 있었다. 심지어 첼로스테와 케이티도 그녀들의 알리바이를 증명해야 했다. 에벤에셀이 황성에 드리운 사슬은 먼지 티끌까지 옭아매고 있었다. 그들 다음은 귀족, 그다음은 황족. 어디까지 번져갈지 모르겠다.

"속이 시원해? 네가 원하는 대로 되고 있는데. 올리비아든 황태후든 덜미를 잡히겠지. 만족스럽냐구."

베아트리체가 힐라리아의 손을 꾹 움켜쥐었다. 그녀가 힐라리아의 손등 위로 고개를 숙였을 때였다. 베아트리체의 머리를 힘없는 손이 덮었다.

"울지 마."

잔뜩 갈라진 목소리가 들렸다.

"힐……?"

베아트리체가 고개를 번쩍 들자 눈을 가늘게 뜬 힐라리아가 베아트리체를 보고 있었다.

"너는 눈물이 너무 많아."

힐라리아가 희미하게 웃었다.

"내, 내가 눈물이 많은 게 아니라……. 훌쩍. 네가 자꾸 이상한 짓을 하는 거야, 힐!!"

베아트리체가 투정 부리며 힐라리아의 손바닥에 얼굴을 비볐다.

"왜 그래, 왜! 심장이 떨어지는 줄 알았다고. 내, 내가 진짜……. 너 때문에……. 으허헝."

"울지 말라니까."

힐라리아가 기력 없는 손으로 눈을 꾹 덮었다. 독으로 인한 열감에 눈도 뜨거웠다. 그녀의 주변을 맴돌고 있던 정령들도 앞다퉈 힐라리아를 타박했다.

[미쳤어요, 주인님. 주인님은 진짜 미친 게 확실해.]

[내 말이! 황제가 샐리스트 님을 풀어주지 않았으면 정말 위험했을 거라구요!]

"그래서 그 멍청한 정령 나부랭이는 어디 갔는데?"

힐라리아의 물음에 정령들이 흠칫하며 서로의 눈치를 살폈다.

[도, 돌아갔지요. 황제가 이렇게, 이렇게 손으로 잡아갔어요!]

흥. 돌려주진 않았네. 힐라리아가 묵직한 눈을 깜빡였다. 의식을 잃기 직전 보았던 에벤에셀의 창백한 얼굴이 기억에 남았다.

'뭘 그런 얼굴을 하고 그래.'

괜찮을 거라는 걸 알면서.

'바보 같은 사람.'

힐라리아가 옅게 미소 지었다. 그리고 바보 같은 사람은 여기에 한 명 더 있었다. 힐라리아가 손으로 제 옆을 툭툭 두드렸다.

"이리 올라와."

"크흥."

코를 쿨쩍이며 베아트리체가 힐라리아의 옆을 파고들었다. 눈물로 젖은 얼굴을 그녀 옆에 묻는 베아트리체의 등을 힐라리아가 토닥여주었다.

"울지 말라니까 더 울고 그래."

타박하는 목소리는 낮았지만, 다정했다.

***

에벤에셀은 모든 업무를 접어두고 힐라리아의 사건을 파헤치는 중이었다. 유력한 용의자 또한 유력한 가문을 뒷배로 두고 있기에 함부로 치죄할 수 없었던 까닭이었다. 첨예하게 짜여진 거미줄을 풀어내는 건 그렇게 쉬운 일은 아니었다. 에벤에셀이 지난 새벽 건질 수 있었던 건 단 하나.

"마부의 숨통이 끊어지기 직전에 황실의 꽃이라는 증언을 들었습니다.

하지만, 문제는 황실의 꽃이라 불리는 황비가 한 분이 아니라는 거겠지요. 게다가 피해자 또한…….”

“그만.”

에벤에셀이 스베인의 말을 잘랐다. 창밖을 수놓은 불빛들이 새벽을 밝히고 있었다. 그중에서 에벤에셀이 유심히 보고 있던 건 스틸로즈 궁의 불빛이었다. 스틸로즈 궁의 모든 불빛이 점멸했다.

“……힐라리아는 정신을 차린 모양이군.”

에벤에셀이 머리카락을 쓸어 넘겼다. 그러지 않고서는 주인이 사경을 헤매고 있는데 사용인들이 잠에 들 리가 없었다.

“곧 보고가 들어오겠군요.”

스베인이 덩달아 말했다. 지금은 벌써 새벽 2시를 넘어가는 시간이었다. 여전히 모든 궁에 불이 밝혀져 있었고 특히 지하 감옥은 사람들의 아우성으로 그득 차 있었다. 에벤에셀이 안도의 한숨을 내쉬곤 다시 서류를 넘기려 할 때였다. 집무실의 문이 열렸다.

“음. 밖을 지키는 사람이 아무도 없길래.”

안으로 들어선 것은 창백한 낯빛의 힐라리아였다. 집무실을 지키고 있던 에벤에셀과 반에이크가 동시에 자리에서 벌떡 일어났다. 붉은 기가 가신 입술을 휘어 작게 미소 지은 힐라리아는 무게가 없는 사람처럼 걸었다.

“힐라리아.”

보고할 시녀가 아니라 힐라리아가 직접 오다니.

“왜 여기 있는 거지?”

“앉으라고 먼저 말해줘요, 에벤에셀. 나 지금 서 있는 게 약간 힘들거든.”

힐라리아의 말에 에벤에셀의 얼굴이 단번에 구겨졌다. 약간 거친 손길로 힐라리아를 안아 든 에벤에셀이 그녀를 집무실 소파에 앉혔다. 그녀의 뒤쪽으로 안절부절못하는 첼로스테와 케이티가 보였다. 힐라리아의 고집을 이길 사용인은 없으니 그녀들을 탓할 필요도 없었다.

'정작 나도 이 꼴인데.'

에벤에셀이 힐라리아의 이마를 짚었다.

"……괜찮은 건가요?"

여러 번의 심호흡 끝에 에벤에셀이 평상시와 같은 톤으로 상냥한 질문을 건넬 수 있었다.

"괜찮아지고 있는 중이죠."

힐라리아의 말에 반에이크도 엉덩이를 도로 의자에 붙였다.

"여러모로 사람을 놀라게 만드시는군. 그 몸으로 여기까진 왜 온 거죠?"

"나로 인해 당신이 잠들지 못하고 있을 것 같아서."

힐라리아가 손등으로 에벤에셀의 볼을 쓸었다.

"나, 멀쩡하다고. 죽지 않았다고 직접 말해주고 싶었어요. 당신은 직접 확인하지 않으면 믿지 않는 못된 버릇이 있잖아요."

물론 힐라리아가 이 새벽에 잠든 베아트리체 몰래 방을 빠져나온 이유는 그것뿐만이 아니었다. 독에 있어서 기네비어 사람들처럼 예민한 자들이 있을까. 오감으로 느끼는 독의 향취나 고통의 정도와 증상만으로도 독의 종류를 어느 정도는 감별할 수 있었다.

에벤에셀이 힐라리아의 앞에 무릎을 꿇고 앉은 채로 그녀의 머리카락을 쓰다듬었다. 따뜻했다. 힐라리아가 쓰러질 당시에 서늘하게 식어버렸던 체온이 정상 궤도를 찾았다. 에벤에셀이 남몰래 한숨을 쉬었다. 힐라리아가 작은 목소리로 속삭였다.

"독의 출처를 알아요, 에벤에셀."

"……그대가 성에 주둔하는 의사보다 낫군요. 그들은 독의 종류도 알아내지 못했는데."

"내가 기네비어라서 알 수 있는 거예요. 절대 그들이 무능한 게 아니죠."

힐라리아가 힘없는 팔을 들어 에벤에셀의 목을 끌어안았다. 스베인이 촉촉한 눈가를 꾹 눌러 닦고는 몸을 돌렸다. 더 이상 두 사람을 지켜보는 건 실례가 될 것 같아서였다. 반에이크를 일으켜 집무실을 빠져나갔다. 문이 닫히고 밀폐된 공간 안에 힐라리아와 에벤에셀만이 남았다. 에벤에셀이 한숨을 내쉬곤 힐라리아를 잡아당겼다. 무게가 없는 사람처럼 에벤에셀의 손길에 무너진 힐라리아가 소파 위로 눕혀졌다. 그녀의 이마를 누르며 에벤에셀이 말했다.

"힐라리아, 당신은 좀 쉬어야 해. 당신의 이야기는 그다음에 듣고 싶어."

그게 감정을 억누른 에벤에셀이 할 수 있는 가장 다정한 말이었다. 그러나 힐라리아가 에벤에셀의 손을 잡으며 말을 이었다.

"아주 잠깐이면 돼. 이 독은 윈프리드에서는 만들 수 없어. 윈프리드의 비옥한 기후에서는 절대로 서식하지 못하는 전갈에서 추출된 독이야. 그리고 전갈이 서식하는 사막을 보유하고 있는 건 프리스턴 제국뿐……."

"힐."

에벤에셀이 힐라리아의 말을 자른 채로 그녀의 이름을 불렀다. 음울한 푸른 눈이 힐라리아의 얼굴을 훑었다. 힐라리아가 저도 모르게 입술을 닫았다. 에벤에셀이 뿜어내는 기세가 만만치 않았다.

"네가 죽으면 내 탓이라고 말했지."

힐라리아가 대답 없이 에벤에셀의 눈을 주시했다.

그 속에선 격렬한 감정이 파도치고 있었다.

"작고 예쁜 내 못된 고양이. 한 가지만은 알아둬."

에벤에셀이 소파 등받이를 짚은 채로 힐라리아를 향해 고개를 숙였다. 그리곤 질척한 집착이 잔뜩 묻어나는 목소리로 뇌까렸다.

"네가 죽으면 나도 죽어."

"그렇게 멍청한 말이 어디 있어!"

생명력으로 반짝이는 아름다운 푸른 눈가에 에벤에셀이 입을 맞췄다.

"너와 달리 나는 연약하거든. 그러니, 힐. 나를 생각해서라도 지금은 좀 쉬어."

에벤에셀이 힐라리아의 얼굴 곳곳에 입술을 내렸다. 힐라리아의 눈을 덮는 커다란 손바닥에 힐라리아가 어쩔 수 없이 눈을 감았다. 얼굴에 스며드는 에벤에셀의 숨결이 간헐적으로 떨리고 있다는 걸 알아차린 까닭이었다.

'바보 같긴.'

그런데 이걸 어떡하지. 힐라리아는 일을 벌일 때 누군가의 동의를 구하지 않는다. 힐라리아의 명을 받은 일리가 제너시스 후작가의 마차를 빌려 황성의 문을 넘었다. 마차의 목적지는 당연하게도 프리스턴 외교관이었다.

지금이 오히려 더 적기라고 여겨졌다. 온 귀족들의 발은 황성에 묶였고 힐라리아가 독침에 맞은 일로 제국이 들썩이고 있었다. 프리스턴의 메일린과 만남을 꾀하기에 최적의 조건 아닌가. 힐라리아가 어색한 손길로 에벤에셀의 등을 토닥였다. 이미 쏘아져나간 화살은 되돌릴 수 없기에.

＊＊

복도를 서성이던 반에이크가 열리지 않는 집무실을 노려보다가 걸음을 옮겼다.

"어디 가세요, 공!"

"다녀올 곳이 있네. 실로테 황비를 뵈러 가는 것이니 걱정하지 말고."

"드디어 우애를 회복하셨나……!"

쓸데없는 소리를 하는 스베인의 머리를 꾹 누르곤 반에이크가 멈추었던 걸음을 옮기기 시작했다. 실로테의 궁 또한 밝게 불이 켜져 있었다. 그녀의 시녀들은 일찍이 혐의를 벗고 돌아온 듯 궁이 북적북적했다.

"반에이크?"

로비까지 내려와 사람들을 챙기고 있던 실로테가 어리둥절한 목소리로 그를 불렀다.

"왜 온 건가요? 아, 너는 되었다. 이제 스틸로즈 궁으로 돌아가도 좋아."

"예, 황비 마마."

스틸로즈 궁에서 전언을 가지고 온 하녀 아이가 반에이크 공에게 예를 취하고는 궁을 빠져나갔다. 실로테가 손을 흔들어 사용인들을 일시에 물린 뒤에 반에이크를 맞이했다.

"왜 왔냐니까. 일단 이쪽으로 와요. 다들 지쳐 있는 터라 제대로 된 환대는 못 해줘요."

실로테가 가운을 여몄다. 사실 실로테의 얼굴도 그리 좋지는 않았다. 그녀의 꿈이 되어버린 힐라리아가 쓰러지는 걸 눈앞에서 목도했을 땐 오장육부가 뒤집히는 줄 알았다.

독처럼 치졸한 수를 쓰는 건 올리비아 황비뿐이다. 눈앞에 용의자를 놓고도 할 수 있는 일이 없어 속으로 분노만 삭이던 차였다. 차라리 반에이크에게 일의 진척 상황을 듣는 게 자는 것보다 나을 것 같았다. 텅 빈 응접실에 마주 앉아 실로테가 반에이크를 재촉했다.

"뭐라도 나온 게 있어요? 내가 도울 거라도. 반에이크 공, 말을 해봐요."

"아직까지 밝혀진 건 없습니다. 황비들이 연루되었다는 것밖엔."

"그건 정말 쓸모없는 정보군요. 그걸 누가 모르겠어요."

"아니요, 황비 마마. 황비 마마께는 특히 치명적일 수 있는 정보지요."

실로테의 싸늘한 말에 반에이크가 묵직한 입술을 열었다.

그가 지금 괜히 실로테를 찾아온 게 아니다.

"그게 무슨……."

"베니체 황비의 독살 사건이 묻힌 건 철저히 황제께서 방관하셨기 때문입니다. 하지만, 이번 사건은 다르지요. 힐라리아 황비의 사건으로 황성이 폐쇄되었고 온갖 것들이 들쑤셔지고 있어요. 이미 황제의 책상에 베니체 황비의 사건 서류가 올랐습니다. 그럼에도 쓸모없는 이야기일까요?"

실로테가 뻣뻣하게 굳었다. 베니체 황비. 에벤에셀의 관심을 독차지한다는 이유로 실로테가 죽도록 증오했던 여자였다. 그 여자 또한 속에 뱀이라도 품고 있는 듯 평범한 사람은 아니었지만…….

"……내가 용의 선상에 오른 건가요?"

실로테가 목 졸린 목소리로 물었다.

"그렇습니다. 간신히 구명한 클라리넷의 명줄을 다시 황비께서 사지로 몰아넣으셨지요."

반에이크가 서늘한 낯빛으로 실로테를 살폈다. 하지만, 기색으로 보건대 이번 일에는 실로테가 엮인 것 같지는 않았다. 하긴. 올리비아도 똑같은 수를 또 쓸 만큼 허술하진 않다. 반에이크가 한숨을 내쉬고는 가슴팍의 주머니에서 작은 쪽지를 꺼내 테이블에 올렸다.

"이게 무엇인가요?"

"썩은 동아줄입니다, 마마."

반에이크가 입술을 끌어 올렸다. 억지로 짓는 웃음은 조금도 즐겁지 않았다.

"시벨로프의 라리나……?"

"황비 마마 덕분에 튼튼한 동아줄을 이대로 붙잡고 있을 수는 없게 되었거든요."

"지금 무슨 말을……!"

"저는 경고하러 온 겁니다. 시벨로프로부터 혼담이 들어왔습니다. 그리고 클라리넷을 또다시 구명하기 위해서라도 저는 무엇이든 해야 하는 위치에 처해 있고요."

"반에이크 공!"

실로테가 쪽지를 구겼다.

"그러니 이건 전부 황비 마마의 탓입니다."

반에이크가 차갑게 못을 박았다. 수십 번의 고민 끝에 내린 결정이었다. 힐라리아는 제동 장치 하나 없이 달리는 마차 같았다. 저대로 어딘가에 부딪혀 부서져 버린대도 전혀 이상할 것이 없는. 아직 낫지도 않은 몸으로 집무실까지 왔을 때 그 사실을 좀 더 뼈저리게 느꼈다.

힐라리아가 변하지 않는다면 다른 이들이 변해야 한다. 에벤에셀이 정말로 힐라리아를 지킬 수 있을까? 지금 이 상태로도 괜찮은 건가? 답을 알 수 없고 아무도 변할 생각을 않으니 반에이크, 그가 변할 수밖에. 반에이크는 더 이상 힐라리아의 그 무모함을 견딜 수 없을 것 같았다. 고작 한 번에 두 손, 두 발을 다 든 것이다.

힐라리아로부터 도망가는 거다. 이제는 뻔뻔하게 스틸로즈 궁을 찾아가 차 한 잔 마시러 왔다는 말을 할 수 없겠지. 반에이크가 실소했다. 반에이크가 던진 묵직한 말에 정신을 못 차리던 실로테가 고개를 저었다.

"싫어요! 나는 힐라리아 황비를 배반하지 않을 거예요."

"그럼 그렇게 사세요. 하지만, 더 이상 클라리넷의 원조를 기대하지 않는 게 좋을 겁니다, 황비 마마."

실로테가 독기 가득한 눈으로 반에이크를 노려보았다. 조금은 이해할 수 있게 되었다고 여겼는데. 실로테와 반에이크는 영원히 서로를 이해할 수 없는 거리로 멀어졌다. 지난 죄가 밝혀져 목숨을 내놓아야 하더라도 실로테는 힐라리아를 놓고 싶지 않았다. 실로테가 금안을 번뜩이며 속삭였다.

"……행운을 빌어드리죠."

진심으로.

***

힐라리아가 새벽 내 사라졌다가 아침이 되어서야 돌아온 것을 확인한 베아트리체가 뚱한 얼굴로 힐라리아의 시중을 들었다. 아침 식사도 먹여줘야 한다고 고집부리는 베아트리체를 케이티와 첼로스테가 응원했다.

"내가 해도 돼."

힐라리아가 베아트리체의 손길을 거부했지만, 복어처럼 부푼 볼로 노려보는 꼴을 보고는 한숨을 내쉬곤 순순히 수저를 맡겼다.

"내 주변 사람들은 나를 너무 과보호해."

힐라리아가 입술을 삐죽이며 말했다. 그녀의 주변을 맴돌며 귀가 따가울 정도로 잔소리를 해대는 정령들만으로도 벅찼다.

"그건 네가 이상한 짓을 하니까 그렇지! 헬레나미아 님한테 다 이를 거야! 이모한테 알릴 거라구!"

베아트리체가 씩씩거리며 말했다.

"아, 참."

그녀의 말에 힐라리아가 고개를 번쩍 들었다.

"왜?"

베아트리체가 부지런히 음식을 힐라리아에게로 퍼 나르며 물었다.

"어머니한테 연락할 일이 있긴 해."

"무슨 일 있어? 어디가 아파? 독이 정화가 안 돼?"

놀라서는 다다다 묻는 베아트리체의 이마를 힐라리아가 쭉 밀어냈다.

부담스러운 복어 같으니.

"에벤에셀의 정체를 알아봤어?"

"아니……. 아무런 정보도 남지 않았더라고."

"만약 누군가가 비호하고 있는 거라면?"

"대체 누가?"

힐라리아가 잠시 입을 다물었다. 에벤에셀은 중요한 힌트를 흘렸다. 에벤에셀의 어머니가 인간이 된 물의 정령이었다면 헬레나미아가 몰랐을 리 없다. 게다가 헬레나미아는 기네비어를, 그리고 가족들을 진심으로 사랑하는 사람이었다.

그건 힐라리아가 더 잘 안다. 그리고 힐라리아는 헬레나미아의 절대적인 사랑과 희생 속에서 성장했다. 그런 헬레나미아가 힐라리아를 위험 속으로 순순히 보내줬을 리 없다. 헬레나미아는 황성이 힐라리아에게 위험하지 않다고 판단했기 때문에 보내준 것이다.

만약, 힐라리아가 가기 싫다고 말했으면 그녀가 다녀온 미래에서처럼 온 힘을 다해 힐라리아를 지켰을 테지만. 어쨌든 지금 에벤에셀의 정체에 가장 근접해 있는 사람이 헬레나미아임에는 틀림없었다.

"내 어머니."

"이모님이? 대체 왜?"

베아트리체가 고개를 갸웃했다. 헬레나미아가 아무런 이유도 없이 무언가를 할 리 없는데. 두 사람 사이의 연결고리를 가늠하기 힘들었다.

"황제도 그 사실을 알아?"

"모를 확률이 높아."

헬레나미아가 물의 정령을 다룬다는 사실이 밖에 새어나갔을 리가 없다. 여전히 윈프리드는 마녀사냥의 잔재가 남아 있는 곳이었기에 이능을 다룰 줄 안다는 건 사형 선고와 다름없었다.

"그러면……?"

"어머니가 홀로 비밀을 간직하고 계신 거겠지."

그리고 나는 그게 뭔지 아주 궁금하고. 힐라리아가 생긋 웃었다.

***

한편, 프리스턴 외교 대사관. 메일린은 힐라리아 황비의 서신을 들고 온 금발의 청년을 덤덤한 시선으로 응시했다.

'이렇게 빨리 움직일 줄은 몰랐는데.'

전에 이야기를 나눠보았을 때도 힐라리아가 진취적이라는 건 알아차렸지만. 메일린이 조금은 떨리는 손으로 차를 마셨다. 일전에 프리스턴에서 윈프리드로 밀입국할 때도 이만큼 떨리진 않았던 것 같다.

"힐라리아 황비 마마께서 해명을 요구하셨습니다."

메일린이 눈을 질끈 감았다. 올 게 왔다. 대체 어떻게 이렇게 빨리 독의 출처를 알아낸 거지? 게다가 메일린이 독을 구해줬을 거라는 이 자신감은 또 뭐야.

'애초에 어떻게 살아 있는 거야……'

그 정도 독이면 말도 죽일 수 있는데. 애초에 힐라리아가 아니라 말을 노린 독이었다. 근데 그게 힐라리아를 맞췄다는 말을 듣고 얼마나 놀랐던지. 당장 프리스턴으로 귀국해야 하나 고민하고 있던 차에 빠르게 출국 금지령이 내려졌다. 황제가 틀어막은 항구를 강제로 개방할 이가 누가 있겠는가.

그리고 일리가 대사관으로 찾아왔다.

"……힐라리아 황비를 노린 건 아니었습니다."

"경마 중인 말을 노리는 거나 황비 마마를 노리는 거나 다르지 않다고 사료됩니다만."

일리가 평소와 달리 서늘한 낯빛으로 물었다. 일리의 목덜미 주변에는 수십 마리의 금빛 나비가 들러붙어 있었다. 지금 메일린을 상대하고 있는 건 일리가 아니라 힐라리아의 의지였다.

"그건……."

메일린이 이마를 매만지다가 고개를 힐끗 들어 올렸다. 일리의 가라앉은 녹안이 그녀를 직시하고 있었다. 왜인지 모르겠는데 앞에 앉은 남자에게서 힐라리아의 기세가 느껴졌다. 메일린이 결국 한숨 섞인 목소리로 실토했다.

"이미 늦은 뒤였어요. 힐라리아 황비가 나를 찾아오기 전에 이미 손을 써둔 상태였죠. 그들에게 넘어간 독을 되찾아올 수도 없고……."

"변명이 성의가 없으십니다, 메일린 황녀."

"그게 무슨!"

"황비 마마께서 찾아오셨을 때 언질을 주실 수도 있었잖습니까. 우리를 우습게 보시는 겁니까?"

그럴 리가 있나, 살짝 간을 본 거지. 메일린이 입술을 꾹 깨물었다. 사실 이 일로 힐라리아가 죽으면 그 또한 어쩔 수 없다고 생각했다. 메일린은 신중한 성격이었고 힐라리아가 이런 위기에서 어떻게 살아나오는지 궁금했다. 그리고 윈프리드 황제의 반응도 알아야 했다.

윈프리드 황제가 베니체 황비의 사건처럼 묻어버린다면 메일린은 힐라리아의 손을 잡을 생각이 없었다. 아무리 힐라리아가 날고 기어도 황제만할까. 그리고 윈프리드 황제는 이 제국을 발칵 뒤집어놓았다.

"……내가 보상하겠다고 전해줘요. 미안하다고도."

"대체 무엇으로 보상하시려고. 황비 마마께서는 사경을 헤매시다 이제야 회복하셨습니다. 이 일은 두고두고 회자될 일입니다. 프리스턴의 황녀가 윈프리드 황비를 해하다니. 두 나라 사이의 국제 분쟁으로 번져도 이상하지 않을 일 아닙니까?"

쏘아붙이는 일리의 말에 메일린이 희게 질렸다. 정말 대단한 여자다. 메일린이 입술을 깨물고는 거친 손길로 서랍장에서 양피지를 꺼냈다. 힐라리아는 메일린이 프리스턴의 황제가 되는 것을 돕겠다고 했다. 대체 어떤 힘이 있길래 그렇게 자신하나 했더니. 힐라리아의 뒤에는 윈프리드가 서 있었다. 그리고 힐라리아는 자신의 위기를 적절하게 이용할 줄 아는 여자였다.

"무엇을 바라시는지 너무 잘 알겠군요. 사람을 이리 압박하시다니. 황비께서 원하는 것 모두를 내어드리지요."

메일린이 잇새로 욕을 짓씹고는 빠르게 서신을 작성해나갔다. 꽤 시간이 흐른 후에 서신을 봉투에 담아 직접 인장으로 봉한 메일린이 서신을 일리에게 건넸다. 금발의 일리는 당연하다는 듯이 그것을 갈무리해 가슴팍 주머니에 접어 넣었다.

"대신 약속해주셔야겠습니다."

일리가 눈짓했다.

"프리스턴이 이 일에 개입했다는 사실을 비밀에 부쳐주셔야 합니다. 제 정체도 마찬가지고요."

"약속드립니다, 황녀. 황비께서는 든든한 조력자가 침몰하는 걸 바라지 않으십니다."

그것 참 고맙구만. 메일린이 빈정거리고는 일리를 배웅했다. 잠깐 동안의 만남이었는데 진이 전부 빠지는 것 같았다.

***

힐라리아가 무거운 몸을 일으켜 온실로 향했다. 일리가 돌아왔다는 말에 베아트리체와 잠시 바람이라도 쐬는 것처럼 자연스럽게 나가는 중이었다. 에벤에셀은 일리가 그 순간 몸이라도 날려서 독침을 막았어야 한다고 주장 했지만, 힐라리아의 생각은 달랐다. 일부러 맞아준 걸 일리가 막으면 어떡 해? 힐라리아가 잠이 들 때까지 곁에 있어 준 에벤에셀의 온기가 덜컥 기억 났다. 머리를 가만가만 쓸면서 노곤한 목소리로 속삭였다.

'그 금발덩어리는 제 역할을 하지 못했으니 궁에 들이지 마십시오.'

'어째서……?'

'짐이 싫습니다. 다른 남자가 그대의 곁에 있는 것. 게다가 정부라니.'

비틀어진 미소를 지으면서도 힐라리아를 쓰다듬는 건 멈추지 않았다. 그 손에서 느껴지던 애정이 여전히 힐라리아의 체온을 덥히는 것 같다. 힐라리 아가 걷는 걸음마다 에벤에셀의 기억이 더욱 강렬해졌다.

중증이야, 힐라리아. 너무 빠지면 곤란하다고.

"대체 뭐가 그리 즐거운데? 나도 좀 알자. 나는 아주 기분이 나쁘거든!"

베아트리체가 툴툴거리며 힐라리아의 팔짱을 끼곤 주변을 미어캣처럼 살펴보았다. 경계 태세를 늦추지 않겠다는 듯이 엄중한 모습이었다.

"그냥. 근데 너 언제까지 이럴 거야, 베베?"

"몰라!"

아무래도 베아트리체는 꽤 오랜 시간 삐져 있을 것 같았다. 힐라리아가 강아지 같은 베아트리체를 팔에 매단 채로 온실의 문을 밀어 열었다. 그녀 를 기다리고 있었던 듯 온실 내부를 서성이던 일리가 활짝 웃었다.

"주인님!"

아. 금빛 털을 가진 또 다른 강아지가 힐라리아를 향해 뛰어오고 있었다. 약간 피곤한 거 같은데. 힐라리아가 고개를 내젓고는 온실 안으로 들어갔다. 금빛 강아지가 헥헥 거리며 꼬리를 흔드는 환영이 보이는 것 같다. 힐라리아가 주변을 맴도는 일리를 거느린 채로 그녀의 자리로 가서 앉았다.

힐라리아에게서 떨어지지 않는 베아트리체도 물론 함께. 일리가 푹신한 러그 위에 앉아 충성스럽게 눈을 빛냈다.

"잘 다녀왔니?"

"네! 잘 하고 왔어요, 주인님! 받아오시라고 한 것도 받아왔어요."

일리가 볼을 붉히며 가지고 있던 서신을 내밀었다.

〈힐라리아 황비. 원하는 대로 전부 해드리지요.
메일린 프리스턴은 힐라리아 기네비어 윈프리드에게 빚을 졌습니다. 아니, 죄를 지었지요.
이것을 덮어주는 대가로 나는 향후 그대에게 내 사업체 전부를 일임할 것을 약속합니다.〉

힐라리아가 생긋 웃었다. 지난번 프리스턴 대사관에 갔을 때 힐라리아가 요구한 그대로였다. 이번 내분이 마무리되고 나면 정식으로 무기를 유통시킬 생각이었다. 윈프리드의 병력을 강화시켜 아무도 넘보지 못하도록 만드는 거다. 힐라리아는 벌써 윈프리드의 미래를 준비하고 있었다. 지금은 사소하게 북쪽으로 향하는 무기를 가로채는 것에 그치겠지만. 그리고 힐라리아가 메일린에게 바라는 건 그게 끝이 아니었다.

〈앞으로 내가 프리스턴의 황제가 된다면 이 빚을 반드시 갚을 날이 있을 겁니다.
메일린 프리스턴의 이름을 걸고서요.〉

예를 들어 힐라리아가 불공정한 것을 요구하더라도 들어주겠다는 의미였다. 독침 한 번 맞았을 뿐인데 이렇게 얻을 수 있는 게 많다니.

'한 번 더 맞아줄까?'

에벤에셀을 비롯한 다른 이들이 들었다면 기함했을 생각이었다. 힐라리아가 메일린 프로이턴의 인장이 찍힌 서신을 보물처럼 챙겼다. 힐라리아와 함께 서신을 확인한 베아트리체가 눈을 동그랗게 떴다.

"이게 무슨 말이야?"

"메일린 프리스턴이 올리비아 황비에게 독을 제공했어."

"응? 왜?"

"메일린 프리스턴에겐 윈프리드 황실이 안정되어 있는 것보다 뒤흔들리는 게 더 좋거든. 무기를 팔기에도 정체를 숨기기에도."

"그걸 어떻게 알았는데?"

"독침에 묻어 있던 독은 프리스턴밖에 제조하지 못해. 게다가 전갈의 독은 황실에서 관리하고 있기에 아무나 다룰 수도 없지. 황족을 제외하고선 손에 넣을 수 없다는 말이야."

"왜 그렇게 특별한 독을……."

"그만큼 강력하거든. 메일린은 나를 정말로 죽이고 싶었나 봐."

힐라리아가 남 일을 이야기하듯 산뜻하게 말했다. 베아트리체가 혀를 내둘렀다. 메일린 프리스턴이 정말 해서는 안 될 일을 저질렀다. 왜 하필이면 힐라리아를 적으로 두려 하는 거지? 베아트리체는 메일린을 이해할 수가 없었다. 가만히 있으면 알아서 힐라리아가 챙겨줬을 텐데. 덕분에 이렇게 덜미를 잡히지 않았던가.

'자업자득이지 뭐.'

베아트리체가 생각에 빠져 있는 사이 힐라리아가 바닥에 앉은 일리의 목덜미를 쓰다듬었다. 일리에게서 짙게 느껴지는 헬레나미아의 기운이 힐라리아를 기분 좋게 간지럽혔다.

"어머니."

힐라리아가 힘주어 헬레나미아를 불렀지만, 아무런 반응이 없었다. 아무래도 지난번 이후로 헬레나미아의 나비가 아직 힘을 충분히 회복하지 못한 듯싶었다. 기네비어와 연락을 취할 수 있는 유일한 소통 창구나 마찬가지라 힐라리아가 답답한 한숨을 내쉬었다.

"내가 기네비어로 연락해볼까?"

"위험해. 에벤에셀은 나와 기네비어를 하나로 생각할 사람이 아니야. 위험하다면 기네비어를 제거하고 나를 차지하겠지."

"……뭐? 너는 그런데 왜 황제를 가까이 둬?"

"내가 에벤에셀의 생각을 짐작할 수 있는 이유가 뭔지 알아?"

힐라리아가 붉은 미소를 지었다.

"내가 똑같은 사람이기 때문이야. 같은 생각을 하거든."

힐라리아가 여전히 음산한 기운이 가시지 않은 황성을 내다보았다. 황태후의 탄신 연회는 어제부로 취소되었다. 주인공은 힐라리아로 뒤바뀌었다. 귀빈들은 전부 구금되어 이번 사건의 진상이 밝혀질 때까지 이 궁을 벗어나지 못한다. 올리비아, 너는 지금 어떤 기분일까? 힐라리아의 주변에서 나비들이 펄럭였다.

***

"상황이 좋지 않습니다, 황비."

에라스모 백작이 은밀하게 올리비아를 찾아왔다. 한 성 안에 있는데도 만나는 게 여의치 않았다. 모든 움직임을 감시당하고 있었다. 독을 구해서 올리비아에게 전달한 것은 에라스모 백작이었다.

"이미 손을 써두었어요. 마부는 죽었고 증인은 없지요. 대비할 만큼 했으니……."

"들은 바에 의하면 마부가 죽으면서 황실의 꽃이라는 말을 했답니다."

여유롭게 차를 마시고 있던 올리비아의 손에서 찻잔이 떨어졌다. 하지만, 다시금 찻잔을 주워드는 올리비아의 얼굴에는 옅은 미소가 서려 있었다.

"그러면 무엇을 걱정하십니까? 우리를 대신해 범인이 되어줄 사람이 있는데."

"그게 무슨……."

"베니체 황비의 일과 엮어 실로테 황비를 범인으로 몰아주세요, 아버지.

보통 사람들은 전적이 있는 사람들을 범인으로 여기기 마련이지요. 특히나 지금처럼 상황이 모호할 때는 더욱더요."

"아……!"

에라스모 백작의 동공이 확장되었다. 역시 똑똑한 내 딸. 백작이 자랑스러운 눈길로 올리비아를 살폈다. 일부러 제국 내에서는 나지도 않는 독을 어렵게 구했다. 프리스턴에서 건너온 거라던데, 독을 팔았던 상인도 더 이상 제국 내에는 없었다. 황제는 아무리 발버둥 쳐도 그 어떤 사실도 밝혀내지 못할 것이다. 에라스모 백작이 안심하고는 다른 이야기를 꺼냈다.

"한데 황태후께서 네이선 황자의 황자비를 물색 중이라던 소문이 있던데. 그 자리를 우리 에라스모가 차지할 순 없겠습니까?"

"흐음……. 황태후께서는 조심스러운 분이라. 네이선 황자의 세력을 더 확장시키고 싶어 하시는 것 같기는 합니다만."

"대체 누구를 염두에 두고 계시는 건지 짐작이 가십니까?"

에라스모 백작의 눈빛이 독사처럼 번뜩였다. 그것은 올리비아의 눈빛과 완전히 닮아 있었다. 올리비아가 선선히 웃으며 어깨를 으쓱했다.

"글쎄요."

"마땅한 자가 없어진다면 그 자리는 에라스모의 것이 될 텐데요."

생각하는 것 또한 다르지 않았다.

"제가 은밀히 알아보도록 하겠습니다. 아버지는 아무 걱정도 하지 마시고 기다리고 계세요."

올리비아의 말에 에라스모 백작이 고개를 끄덕였다. 누군진 몰라도 멀쩡히 그 자리를 차지하게 두진 않을 것이다.

***

에벤에셀은 저녁 즈음이 되어서야 힐라리아의 궁을 찾았다.

밤새 한숨도 자지 못한 까칠한 얼굴로.

"에벤에셀?"

베아트리체의 주장에 따라 침대에서 요양하고 있던 힐라리아가 읽던 책을 내려놓았다.

"……숨이 막혀서 왔습니다."

에벤에셀이 힐라리아의 옆에 풀썩 누웠다. 흐트러진 차림새에서 노곤함이 묻어났다. 힐라리아가 에벤에셀의 부드러운 머리카락을 쓰다듬었다.

"무언가 찾아내셨나요?"

"올리비아 황비의 시녀들 중 하나가 자백했습니다."

"뭐라고 자백하던가요?"

"실로테 황비의 시녀들이 독을 구매하는 것을 보았다고 자백하더군요."

힐라리아가 잠시 손을 멈췄다. 그리곤 이내 웃음을 터뜨렸다.

"올리비아 황비가 할만한 일이네요. 이전처럼 실로테에게 죄를 덮어씌우려나 봅니다."

에벤에셀이 아무 말 없이 고개를 틀어 힐라리아를 올려다보았다. 새벽보다는 훨씬 나아졌는지 미소를 머금은 얼굴에 생기가 돌았다. 에벤에셀이 눈하나 깜빡이지 않고 힐라리아를 지켜보았다.

"왜 그렇게 보십니까?"

"……예뻐서."

"이렇게 갑자기?"

"이 얼굴을 보지 못했을 거라 생각하니 숨이 막히는 것 같아서."

"에벤에셀."

"그런데 정작 본인은 아무것도 모르는데."

"내가?"

"……내가 황제가 아니었으면 좋겠어."

에벤에셀이 나지막한 목소리로 덧붙였다.

"그랬더라면 이것저것 재지 않았을 텐데. 그대를 이렇게 만든 이들을 똑같은 꼴로 만들어 바닥을 기게 해줬을 거야."

"그런데?"

"아쉽게도 짐은 황제여야 합니다, 힐라리아."

힐라리아가 책을 내려놓고는 에벤에셀의 곁에 누웠다. 그리곤 팔을 뻗어 가만히 에벤에셀을 안아주었다.

"당신이 황제여도 괜찮아. 나는 당신이 별 볼 일 없는 사람이었으면 거들 떠보지도 않았을 거야."

"······."

"올리비아 황비는 아직 쓸모가 있어. 그녀가 실로테에게 죄를 뒤집어씌우려 한다면······."

힐라리아가 설핏 웃었다.

"어리석은 자식의 죄는 부모가 대신 치죄받기도 하는 법이지. 에라스모 백작이 명운을 다할 때가 되었나 봐."

"힐라리아······."

"하지만, 지금은 그런 이야기들은 뒤로 밀어두고 안아줄게."

힐라리아가 에벤에셀을 끌어안은 팔에 힘을 주자 에벤에셀이 힐라리아의 품에 파고들며 고개를 기댔다.

"아프지 마."

"그래."

"죽지도 마."

"그래볼게."

"······내 곁에 있어."

힐라리아가 대답 대신 에벤에셀의 이마에 키스했다.

"당신 정말 연약하구나."

"그렇다니까."

옅은 미소를 머금은 채로.

***

이 밤에 올 곳이 아니라는 것을 안다. 반에이크가 스틸로즈 궁을 아래에서부터 올려다보았다.

"엇. 반에이크 공 아니십니까?"

반에이크를 발견하고 온 것은 첼로스테였다.

"첼로스테……? 늦은 밤에 어딜 다녀오는 거지?"

"황비 마마의 심부름을 다녀오는 길입니다. 반에이크 공은 어쩐 일로……?"

"아, 산책하다 보니."

반에이크가 첼로스테를 힐끗 보고는 덧붙였다.

"황비 마마께서는 괜찮으신 건가?"

"예. 정신을 차리시고 해독약을 드셨습니다. 이제 곧 쾌차하시겠지요."

"다행이군."

원하는 대답을 들은 반에이크가 그럼에도 자리를 떠나지 않자 첼로스테도 자리를 피하지 못했다. 첼로스테가 계속해서 반에이크를 쳐다보자 그도 어쩔 수 없이 몸을 돌렸다. 자꾸만 돌아보고 싶은 마음을 숨기고 뻣뻣이 고개를 치켜든 채로.

'힐라리아.'

마지막 고민은 힐라리아의 곁에서 끝내고 싶었다.

'당신은 나를 이해할까.'

반에이크가 느릿한 걸음을 옮겼다. 마음의 결정은 내렸다. 그럼에도 계속 망설이는 것은 어쩔 수 없는 남자의 미련이었다. 그가 머무는 황궁의 숙소에 도착한 반에이크가 망설임을 끝내고 만년필을 들어 올렸다. 그의 옆에는 시벨로프에서 온 서신이 놓여 있었다.

시벨로프의 라리나는 황태후의 막냇동생이었다. 시벨로프 백작이 늘그막에 얻은 막내딸을 보는 재미로 산다는 건 제국에서도 유명했다. 그런 라리나가 보낸 서신이라니. 목적이 너무 뻔하지 않은가. 시벨로프 백작이 가문의 문을 열고 다시 사교계로 돌아오기 위한 방법으로 반에이크를 선택했다.

바로 라리나와 반에이크의 혼사.

황태후가 돌아온 네이선을 주축으로 다시 세력을 모으려는 거다. 애초에 선대 클라리넷은 네이선의 손을 들었으니 당연히 넘어올 거라고 여긴 건가? 만감이 교차했다. 반에이크가 조소하며 만년필을 고쳐 쥐었다.

백 번 망설이면 뭐 하나. 말려줄 사람 하나 없는걸. 하기 싫은 숙제는 빨리 해치우는 게 낫다. 반에이크가 시종을 은밀하게 불렀다. 현재의 귀족들 중에 유일하게 황성에 구금되지 않은 시벨로프 백작에게 서신을 보내기 위해서.

**

이른 아침, 에벤에셀은 스틸로즈 궁을 떠났다.

에벤에셀을 배웅한 뒤 스틸로즈 궁은 왠지 텅 빈 것 같았다. 에벤에셀은 힐라리아와 이야기한 대로 올리비아를 궁에 구금하고 에라스모 백작에게 그 책임을 지게 하는 것으로 이번 일을 마무리하기로 했다.

힐라리아는 해독제와 정령의 힘으로 완벽하게 회복했다. 의사는 힐라리아의 회복이 전에 없이 빠르다고 기뻐했다. 그렇게, 힐라리아가 한가로이 약차를 마시고 있던 와중이었다. 힐라리아가 입술을 열었다.

"반에이크 공께서 위험한 선택을 하시는구나."

"예?"

첼로스테의 물음에 힐라리아가 고개를 옅게 저었다. 어차피 에벤에셀이 모르고 있을 리도 없고 반에이크는 에벤에셀이나 황실이 아니라 윈프리드 제국의 국익을 위해 움직이는 자다. 반에이크의 그 기질이 잠깐 사이 변했을 리 없다.

"아니야. 오늘 누가 온다고 했지?"

"베아트리체 영애랑 제이나 황비 마마, 실로테 황비 마마께서 오신다고 하셨어요. 세 분이 얼마나 저와 케이티를 못살게 구셨는지 몰라요. 이렇듯 마마께서 건강을 되찾으셔서 정말 다행이죠."

"요새 첼로스테가 고생이 많아. 할 일이 많지? 어젯밤에도 늦게 들어오던데."

"아니에요. 아, 머리를 만져드릴게요. 머리가 너무 느슨하세요."

힐라리아가 고개를 끄덕였다. 테이블에서 몸을 일으켜 화장대로 향하는 힐라리아에게 다가온 케이티가 마석을 내밀었다.

"요새 너무 과한 거 아니야?"

덕분에 힐라리아의 힘으로 움직이는 정령들만 신났다. 힐라리아에게 흐르는 마력이 넘칠수록 정령들이 끌어다 쓸 수 있는 힘이 많아지기 때문이었다.

'얼른요!'

분명 케이티는 아무 말도 하지 않았는데 그런 소리가 들린 듯했다. 힐라리아 주변을 맴돌고 있던 나비들도 힐라리아를 재촉했다.

[이러다 부리시는 정령들이 전부 힘을 잃고 불꽃으로 돌아갈 거예요.]

[그러면 다 잃으실걸요! 처음부터 다시 시작해야 해요.]

[기네비어에서 준비해오신 정령들도 시간을 들여 다시 만들고요!]

힐라리아가 귀를 틀어막았다. 그리곤 말없이 종용하는 케이티에게 졌다는 듯 손을 흔들었다. 곧장 그녀의 손바닥에 한 움큼 들려 있는 마석을 입에 털어 넣었다.

"베베가 이 안에 있잖아. 더 구할 수 있는 거야?"

그제야 케이티가 입을 열었다.

"얼마든지요, 라고 베아트리체 님이 말씀하셨어요. 회복만 빨리 하시라고."

"정말 잔걱정들만 많아서는."

힐라리아가 사탕처럼 마석을 오독오독 씹어 먹는 것을 확인하고 나서야 케이티가 뒤로 물러섰다. 첼로스테는 아무 대화도 듣지 못한 것처럼 힐라리아의 머리를 매만졌다.

"다시 또 그러시면…… 헬레나미아 님한테 전부 이를 거예요!"

"뭐? 케이티!"

케이티가 힐라리아를 힐끗 보고는 홱하고 몸을 돌렸다. 아무래도 이번만큼은 단단히 삐쳤나 봐. 힐라리아가 옅은 한숨을 내쉬었다.

하지만 케이티도 할 말이 아주아주 많았다. 아무에게도 말하지 않고 독침이나 맞고 그 몸으로 에벤에셀의 집무실까지 찾아갔다. 해야 할 말이 있다면서! 그게 자기 몸보다 중해? 못된 아가씨. 아주 못돼먹은 공주님 같으니라고. 마석이 들어 있는 보석함을 소리 나게 내려놓는 케이티를 힐라리아가 나지막한 목소리로 불렀다.

"케이티."

힐라리아의 부름에 케이티가 고개를 돌렸다. 뚱한 얼굴에 눈에는 눈물이 글썽글썽했다.

"이리 와."

힐라리아의 부름에 케이티가 아이처럼 얼굴을 일그러뜨린 채로 뛰어왔다. 힐라리아의 무릎에 얼굴을 묻은 케이티가 엉엉 울음을 터뜨렸다. 이런 귀여운 강아지들 같으니라고. 베아트리체, 에벤에셀에 이어서 케이티다. 힐라리아가 안아줘야 할 사람이 너무 많았다. 힐라리아가 케이티의 머리를 쓰다듬었다.

"올 때 각오하지 않은 게 아니잖아. 내가 무슨 짓을 해도 곁에 있겠다며."

"그랬었죠. 어헝. 근데 정말로 그러시면 어떡해요. 저 두고 어디 가시려고……. 어헝헝. 저 두고 어디 안 가시기로 해놓고……. 황비 마마가 나쁜 거예요."

"그래, 그래."

힐라리아가 눈물, 콧물 흘리는 케이티를 한참을 달래주었다.

***

증거를 조작하는 건 힐라리아에겐 그다지 어려운 일이 아니었다. 힐라리아는 어제 힘을 어느 정도 되찾기 무섭게 실로테 황비의 시녀들이 독약을 가지고 있는 걸 봤다고 증언한 시녀에게 정령을 심었다. 에벤에셀 몰래.

'항상 한발 앞서가는군.'

언제 이렇게 깜찍한 짓을 준비해둔 건지. 에벤에셀이 자고 있을 때? 아니면 그가 연약한 아기처럼 힐라리아에게 매달려 있을 때? 아니면, 오늘 아침? 셀 수 없을 정도로 많은 시간이 있었기 때문에 차마 짐작할 수가 없었다. 강력한 정령은 사람의 이지를 조정하기도 했기에 에벤에셀은 힐라리아의 도움으로 쓸만한 증거를 확보할 수 있었다.

올리비아와 에라스모 백작을 궁지로 몰아넣을 수 있는 증거 말이다. 증언을 번복한 시녀 덕분에 신난 건 스베인이었다. 과묵하게 자신의 일을 하고 있는 반에이크와 다르게, 스베인이 가뿐한 걸음으로 에벤에셀의 앞에 섰다.

"시녀의 증언에 따라 이번 사건의 배후는 올리비아 황비께서 지목되셨습니다. 법에 따라 이 일을 처리해야 합니다. 물론, 작고하신 베니체 황비 마마의 일 또한 들출 필요가 있습니다. 이미 재조사가 들어갔으니 더욱더요."

"자네 신나 보이는군."

"그야……."

스베인이 몸을 수그려 활짝 웃었다.

"올리비아 황비 마마의 궁에서 일하기 싫다고 울며 나오는 시녀들과 하녀들을 더 이상 달래지 않아도 될 테니까요."

"자네는 기회주의자군."

"아무렴요. 황제 폐하를 모시고 있는걸요."

에벤에셀이 생긋 웃었다.

온갖 욕망이 휘몰아치는 이 궁에서 유일하게 속이 투명한 게 스베인이다.

"칭찬 감사하게 듣지. 그나저나, 반에이크 공? 오늘따라 말이 없군."

"황성이 이 꼴인데 제가 무슨 말을 하겠습니까. 황제께서 하시는 말씀 잘 듣고 있습니다."

"짐에게 할 말은 없고?"

에벤에셀의 물음에 반에이크가 서류 더미에서 고개를 들어 올렸다. 할 말. 물론 수도 없이 할 말이 많았지만, 할 수 있는 게 있던가? 힐라리아는 정말 괜찮은 것인지, 그녀가 계속 위험을 무릅쓰게 둘 것인지, 힐라리아를 완벽하게 지킬 방법은 없는지…….

'아, 정말 많네.'

쓸데없는 오지랖이라는 걸 알면서도. 하나 가장 궁금한 건 따로 있었다. 손발이 오그라들 정도로 유치하지만, 진심으로 궁금한 한 가지.

'힐라리아를 사랑하십니까?'

에벤에셀이 반에이크를 무심한 눈으로 응시했다. 반에이크와는 온도부터가 다른 눈이었다. 질투로 부글부글 끓고 있는 반에이크의 뜨거운 눈과는 다르게 여유로운 온기로 가득 찬 눈이었다. 반에이크가 한숨을 내쉬곤 입술을 달싹였다.

"저 결혼합니다."

결국 한 말은 이따위다.

"결혼?"

에벤에셀이 흥미롭다는 듯이 반문했다.

"어느 집의 영애랑?"

"시벨로프의 라리나 영애랑 하게 될 겁니다. 이미 이야기가 오가고 있어요. 알고 계시겠지만."

에벤에셀이 어깨를 으쓱했다.

"허락해주세요."

"짐의 허락이 필요하긴 한 일인가? 이미 저지른 것 같은데."

"이 지긋지긋한 공방을 최대한 빨리 끝냈으면 합니다. 저는 윈프리드 제국을 위해 하고 싶은 게 많은 사람인데 방해가 되거든요."

"아니, 잠깐만."

두 사람의 이야기를 듣고 있던 스베인이 눈을 홉떴다. 한 번도 언질을 듣지 못했기 때문에 지금 이 순간 유일하게 놀란 사람이기도 했다.

결혼이라니? 반에이크가 결혼?

"결혼은 할 수 있다고 치지만…… 반에이크 공! 시벨로프라니요! 시벨로프는 황태후의 친정 아닙니까! 라리나 영애와 결혼하신다는 건……?"

"황제 폐하와 적이 되겠다는 거겠지."

"예에???"

스베인이 에벤에셀과 반에이크를 번갈아 쳐다보았다. 이게 무슨 말이야. 그런데 왜들 이렇게 멀쩡해? 왜 아무렇지도 않아 보이느냐고! 분명 배신하겠다고 말한 거 아니야?

"그럼 이건 적과의 동침이라고 하는 건가?"

"동침이라니. 그런 단어는 입에도 담지 마시구요."

반에이크가 어처구니없다는 듯이 뇌까렸다.

"뭐 어때서. 아, 힐라리아가 내게 빈 소원 말이지."

"기사단을 창설해달라는 청원을 말씀하십니까?"

"기억하고 있었군."

그 난리통을 어떻게 잊을 수 있다고.

삐딱하게 생각한 반에이크가 고개를 끄덕였다.

"제이나 황비를 기사단장으로 삼고 싶다고 말했었지. 힐라리아 덕분에 짐의 황비들이 각자의 능력을 발휘해 제국에 보탬이 되고 있어. 아주 바람직한 일이지."

"아하."

"제이나 황비도 순위권에 들었으니 분명 짐에게 빌고 싶은 소원이 있겠지? 그걸 알아오게."

"예, 폐하. 그런데 2등을 한 기사에 대해서는 궁금하지 않으십니까?"

"그건 알아서 처리하고."

이래서 황제를 해야 하는 건가? 정말 제멋대로야. 다시 한번 삐딱하게 생각한 반에이크가 서류를 정리해서 자리에서 일어났다.

"시키신 일이 많아 잠시 자리를 비우겠습니다."

"빨리 돌아와야 할 거야. 그것 말고도 해야 할 일이 많거든. 배후가 밝혀졌으니 올리비아 황비와 에라모스 백작의 처우에 대해서도 논의해야겠지. 그것뿐인가? 황실의 경사에 참석해 불편을 겪은 귀빈들께는 어떤 보상을 해야 할지도 이야기해야지."

"예에. 이 노새는 금세 다녀오겠습니다."

반에이크가 검지와 중지를 모아 이마에 댔다가 떼고는 방을 나갔다.

'이, 이게 뭐지? 두 분 적이 된 게 아니었나?'

이해 못할 상황에 창백하게 질린 얼굴로 멀뚱히 서 있는 스베인을 힐끗 본 에벤에셀이 주먹으로 책상을 툭툭 쳤다.

"스베인?"

"엇, 네……."

정말 이상해. 내가 잘못 들은 건가? 황제께서는 아무렇지 않은데?

"스틸로즈 궁에나 다녀오게. 힐라리아 황비가 침대에서 일어났다고 하니 가서 확인도 해보고."

그렇지. 이게 현실이지. 스베인이 고개를 끄덕였다.

"예."

"선물도 전해주고 오게. 이번에 이런 일을 겪게 된 것에 대한 위로의 의미로 말이야."

"위로라면…… 무엇을."

에벤에셀이 잠시 고민에 빠진 듯 고개를 기울였다. 힐라리아가 좋아할만한 것. 힐라리아는 세속적인 욕심을 감추는 사람이 아니었다. 오히려 훤히 드러내고 원하는 것을 챙기는 쪽이지. 값비싼 보석이나 드레스도 좋을 것 같은데……. 고민에 빠진 에벤에셀을 보는 스베인의 입술에 미소가 어렸다.

에벤에셀은 확실히 변했다.

이전 날 힐라리아의 선물을 고르는 일을 무심히 스베인에게 떠넘겼던 것과는 다르다. 직접 고민하고 선물을 고르려 하고 있었다.

"뭐든 주고 싶은데. 그중에서도 가장 특별한 것을 주고 싶네. 생각나는 게 있나?"

사랑하는 사람에게 줄 선물을 고민하는 에벤에셀이 더할 나위 없이 평범한 사람처럼 보였다.

"음……. 제가 이럴 때를 대비해서 미리 목록을 뽑아두었지요."

스베인이 어깨를 으쓱하며 서류 더미 사이에서 종이를 한 장 찾아서 달려왔다.

"제가 시종들을 포함해 아는 사람들에게 수소문해 작성한 목록입니다. 일단, 가장 많이들 하는 선물에는 목걸이, 반지, 드레스, 손 편지, 향수 이런 것들이 있습니다. 매우 대중적이지요."

"그렇군."

"그런데 가장 좋은 선물은 따로 있답니다."

에벤에셀이 꽤 흥미로운 표정으로 스베인의 말을 경청했다.

"꽃이요."

"꽃……?"

"물론 평범한 꽃과는 달라야지요. 직접 구해서 연인에게 직접 바치는 꽃다발. 그것만이 의미가 있다고 하더군요."

스베인이 잘했다고 칭찬해달라는 듯 활짝 웃었다. 밖에서는 스베인을 두고서 황제의 말이면 무엇이든 하는 개라고들 한다던데.

'이래서 개라고 불리는 걸지도 모르겠군.'

스베인의 뒤로 커다랗고 뭉툭한 꼬리가 솟아오른 게 보이는 것 같았다.

에벤에셀이 혀를 내두르고는 말했다.

"수고했군, 스베인."

"그러면 선물은 그걸로 할까요?"

"흐음."

에벤에셀이 눈을 가늘게 뜨고 사르르 웃었다.

"결국, 그 선물의 핵심은 짐이겠군."

"그렇습니다. 이해를 잘하신 것 같아 저도 기분이 좋군요."

스베인이 뿌듯한 얼굴로 말했다.

***

자신을 찾아온 반에이크를 보며 제이나가 고개를 갸웃했다. 반에이크가 그녀를 찾아올 이유가 있던가. 제이나가 입궁한 이후로 단둘이 대화조차 나눠본 적이 없는 사이였다.

"무슨 일로……?"

황제가 제이나에게 바라는 게 있을 때도 시종을 통해 간략한 연락이 오갔다. 그렇기에 종종 스쳐 지나가며 얼굴을 보긴 했지만, 이렇게 마주 보고 대면을 하게 되는 건 확실히 처음이다.

제이나의 말에 반에이크가 무심한 시선을 던졌다. 확실히 이상하게 여길 만도 했다. 반에이크는 그녀를 가치 없는 사람으로 생각했으니. 얼마 전까지 제이나에 대한 평가는 '온순하게 박쥐처럼 여기저기 오가는 능력 없는 황비'가 전부였다. 하지만, 힐라리아의 관심을 온통 끌고 있는 지금은? '힐라리아의 환심을 끌어낼 정도의 능력 있는 사람'이 되었다.

"황명을 받고 왔습니다, 제이나 황비 마마."

반에이크가 말끝을 흐리며 제이나 황비를 살폈다.

힐라리아와 제이나는 급격히 가까워졌다. 힐라리아가 승마에서 이긴 대가로 제이나를 기사단장으로 만들어달라고 했던 말이 자꾸만 반에이크를 건드려댔다. 대체 왜? 당신의 무엇이 힐라리아를 움직이게 한 거지?

"하."

반에이크가 자신도 모르게 얼굴을 손으로 쓸어내렸다. 이건 꼴사나운 질투였다. 가지지 못한 자의 치졸한 감정놀음. 힐라리아로 인해 일생에 겪어보지 못한 감정의 소용돌이 속으로 던져졌다. 이젠 하다못해 여자까지 질투하고 있었다. 그럼에도 반에이크는 이 감정의 독주를 멈출 수가 없었다.

제이나는 검을 다룰 줄 안다. 힐라리아는 제이나를 기사단장으로 만들기 위해 로마노프에 빚을 얹어주었고 승마 대회에서 우승했다. 힐라리아는 제이나의 가능성을 높게 샀다.

그런데 왜, 반에이크는 그러지 못했는가. 반에이크가 입술을 잘근잘근 씹으며 가슴속 밑바닥에서 치솟는 열등감을 눌러 참았다.

"반에이크 공."

그래서 제이나의 부름에 한 박자 늦게 대답할 수밖에 없었다.

"……네, 황비 마마."

"제가 힐라리아 황비에게 가기로 약속을 해두어서요. 곧 있으면 실로테 황비가 나를 데리러 올 겁니다. 이제 그만 용건을 말해주면 좋겠는데."

"아."

그제야 반에이크가 정신을 차렸다.

"황제 폐하께서 3등 포상으로 무엇을 바라시냐고 물으셨습니다."

"그건……."

사실 경마에 참가하기로 하고 힐라리아와 연습을 하면서 염두에 두었던 게 있었다. 제이나가 볼을 붉히며 고개를 숙였다. 힐라리아의 추천으로 기사단장 자리까지 맡게 될지도 모르는데 이런 부탁을 하긴 조금 면구스럽달까? 제이나가 큼큼, 목을 가다듬고는 말했다.

"제게 검술 선생을 보내주실 수 있을까요? 과분한 자리를 제의받았으나 저는 아직 한참 모자라서요."

"검술 선생이라. 황비 마마께서는 어디서 검술을 익히셨나요?"

"오빠들 어깨너머로 배웠어요. 로마노프의 검술 초식을 익혔습니다."

"그렇다면 아무래도 로마노프의 기사를 황성으로 초청하는 게 좋겠군요. 그를 위한 자리를 황성 기사단에 마련할 수 있을 겁니다. 새롭게 창설된 기사단의 경우 아직 부단장의 자리가……."

"아니요!"

제이나가 희게 질린 얼굴로 고개를 저었다. 아마도 로마노프에 기사를 청하면 그녀의 오빠들 중 한 명이 자청해서 오게 될 가능성이 높았다. 지금 황태후의 탄신연을 맞이해 제이나의 가족들이 전부 입궁해 있지만, 그들과 만나는 자리는 최대한 피하는 중이었다.

남들이 들으면 우스울지도 모르지만, 지금 제이나는 가족이 제일 무서웠다. 하지 말라는 것을 하고 아버지의 뜻을 어겼다. 로마노프의 제이나가 황비로 간택된 것은 황태후를 견제하기 위함이었다. 로마노프 백작은 황성으로 떠나는 딸에게 몇 번이고 당부했다.

'없는 것처럼 살아. 숨소리도 내지 말고. 하라면 하라는 대로, 그렇게 살아.'

그건 당부와 걱정이 가득 담긴 말이었다. 그날, 제이나는 처음으로 아버지의 약한 모습을 보았다. 축 처진 어깨로 자꾸만 제이나를 돌아보던 그 얼굴이 아직도 잔상처럼 마음속에 남아 있었다. 딸 걱정에 몇 번이나 돌아섰던 아버지. 그런 로마노프 백작의 뜻을 저버렸다. 이건 죄책감이었다. 아버지는 제이나가 황실 권력 싸움의 희생양이 되길 바라지 않으셨을 것이다. 제이나의 입술이 바르르 떨리는 것을 본 반에이크가 실소를 흘렸다.

"제이나 황비 마마."

"네?"

"이 정도는 해주셔야 한다고 생각합니다. 힐라리아 황비 마마께서 마마를 위해서 기사단까지 창설하셨습니다. 그에 합당한 용기를 보여주세요, 황비 마마. 로마노프 가족분들의 지지가 있다면 가시는 길이 더 편안하지 않겠습니까? 준비가 되면 제게 연락 주시면 됩니다."

반에이크가 가져온 서류를 정돈했다.

자리에서 일어나는 반에이크를 제이나가 멀건 눈빛으로 응시했다.

"준비라면……."

"유예기간을 드리는 겁니다. 로마노프에 검술 선생을 청하기 전의 시간을. 그러니 빠른 시일 내에 용단을 내려주시길."

반에이크가 차갑게 몸을 돌렸다.

그의 판단으로는 힐라리아가 관심을 보일 만큼의 사람은 아니었다.

***

영문 모를 연락을 받은 건 베아트리체도 마찬가지였다.

힐라리아가 의식을 회복했다는 소식이 돈 이후로 황성은 점차 활기를 찾아가고 있었다. 물론 범인들은 몸을 웅크리고 있겠지만. 아직 황실에서는 공식적인 발표가 없었다. 하지만, 곧 있으면 귀빈들을 돌려보내줘야 하니 분명 곧 결과가 공표될 것이다.

그런데 활기를 찾은 이들 중에는 황태후 일가도 있었던 모양이다.

황태후의 인장이 찍힌 서신을 활짝 펼쳤다. 길고 긴 미사여구가 덕지덕지 들러붙은 내용이었지만, 결국 하고 싶은 말은 하나였다. 네이선 황자와 베아트리체의 결혼을 긍정적으로 검토해주길 바란다는.

"이게 무슨 개소리야?"

베아트리체가 흡, 하고 입을 틀어막고는 주변을 둘러보았다. 큼큼. 후작 영애의 채신을 무너뜨릴 순 없지. 베아트리체가 다시 서신을 읽었다. 하지만, 여전히 개소리인 것에는 틀림없었다. 네이선 황자와 베아트리체의 결혼? 황태후가 본격적으로 움직이려나?

'나와 힐라리아 사이를 갈라놓겠다고?'

그게 가능할까? 피로 이어진 사이인데. 베아트리체가 입술을 삐쭉이고는 서신을 곱게 접어 품에 숨겼다. 힐라리아에게 의논할 문제였다.

왠지 힐라리아는 재밌다는 듯이 웃어버릴 것 같지만.

***

각기 다른 생각을 하는 이들이 힐라리아의 스틸로즈 궁 앞에서 마주쳤다. 제이나, 실로테, 베아트리체.

"아하하하하."

셋이 동시에 어색한 웃음을 터뜨렸다. 제이나와 오는 내내 입을 다물고 있던 실로테도, 생각이 많아 보이던 제이나도, 심술이 난 베아트리체도.

그리곤 동시에 웃음을 멈췄다.

"……이번 주말은 너무 다사다난했던 것 같군요. 베아트리체, 잘 잤나요?"

"당연하죠. 실로테와 제이나는요?"

"우리도 뭐. 자, 들어가요. 힐라리아라면 우리의 고민을 한 번에 해결해줄 듯하니."

실로테의 말에 제이나와 베아트리체가 고개를 끄덕여 동조했다. 분명 마음이 무겁고 고민이 많았는데 힐라리아의 궁에 도착하니 조금 편안해지는 기분이었다. 그녀들을 향해 활짝 열려 있는 힐라리아의 유리온실로 걸음을 옮겼다. 힐라리아의 주변을 어슬렁거리는 일리와 책을 읽고 있던 힐라리아가 그곳에 있었다.

"아, 왔군요."

힐라리아가 편안한 모습으로 세 사람을 맞이했다. 책을 덮어 가지런히 놓고는 이미 따뜻한 다과가 차려진 테이블로 그들을 안내했다.

"괜찮아 보이니 다행이군요."

"걱정 많이 했어요."

제이나와 실로테가 앞다투어 말했다.

"나는 보시다시피 괜찮아요. 완전히 건강해졌죠. 앉아요. 걱정을 끼쳐서 미안하니 제가 맛있는 식사를 대접할게요."

하지만, 그들에게는 식사보다 더 중요한 문제들이 있었다.

"힐라리아!"

먼저 나선 건 베아트리체였다.

"지금 밥 먹을 때가 아니야. 내가 무슨 서신을 받았는지 알아?"

베아트리체가 여태껏 품에 숨기고 있던 것을 꺼냈다. 분명 솜털의 무게도 되지 않는 얇은 종이 한 장이었는데 돌덩이라도 된 듯 무거웠다. 힐라리아가 베아트리체로부터 서신을 받아 들어 펼쳤다. 무슨 내용일지는 이미 알고 있었던 터라 힐라리아는 조금의 동요도 내보이지 않았다.

나비들이 그간 밀렸던 이야기들을 힐라리아에게 쉬지 않고 떠들어댄 덕에 그녀가 앓는 동안 있었던 일들을 생생하게 전해 들을 수 있었다. 사실 베아트리체가 받을 제안에 대해서는 두 가지 방안을 생각하고 있었다.

첫 번째, 반에이크가 시벨로프의 청혼을 받아들이지 않았을 경우. 이때는 베아트리체 또한 청혼을 거절하는 게 맞다. 네이선과 황태후에게는 수많은 나비들이 붙어 있으니 문제가 없다면 베아트리체를 그런 위태로움 속으로 밀어 넣고 싶지도 않았다. 힐라리아가 손꼽는 가장 속 모를 인물은 네이선이다. 에벤에셀은 이제 힐라리아의 손아귀로 굴러 들어왔으니.

'흠, 흠.'

힐라리아가 괜히 속으로 헛기침을 했다. 여하튼, 네이선이 어떤 결정을 내리느냐에 따라서 베아트리체의 입지가 흔들릴 수 있었다. 그래서 굳이 그곳으로 보내고 싶지 않았다. 그리고 두 번째, 반에이크가 받아들일 경우.

지금이 그런 경우에 속한다.

"약혼해, 베아트리체."

"약혼?"

베아트리체가 눈을 동그랗게 떴다. 강아지처럼 축 늘어진 얼굴로 힐라리아의 눈치를 살핀다. 갑작스럽게 터진 힐라리아의 폭탄선언에 제이나와 실로테도 서신을 힐끗힐끗 보았다. 힐라리아가 말을 이었다.

"네이선 황자와 약혼해. 결혼은 너무 이르다고 해. 너는 내 친구로서 네이선 황자의 약혼녀가 되는 거야."

힐라리아가 베아트리체의 콧잔등을 튕겼다.

"약혼녀로서 내 친구가 아니라. 어떤 게 먼저인지 잊으면 안 돼."

"내가 해야 할 일이 있구나?"

베아트리체가 부루퉁한 얼굴로 말했다. 어린애처럼 구는 베아트리체에게 다과를 밀어주며 힐라리아가 생긋 웃었다. 부드럽게 흘러내리는 머리카락 사이로 내비치는 푸른 눈과 온실을 가득 채운 꽃향기. 정신이 멍해졌다.

"베베, 내가 가장 믿는 건 너야. 알고 있지?"

힐라리아의 말에 깜빡 넘어간 베아트리체가 고개를 끄덕였다.

"반에이크 공을 감시해줘. 공께서 곧 결혼을 하실 예정이거든."

"결혼……?"

힐라리아의 시선이 실로테를 훑고 다시 베아트리체에게로 돌아왔다. 다른 이들이 들어도 상관없다는 듯 명료한 말투였다. 사실 매 순간이 시험이라는 걸 제이나와 실로테는 모를 것이다. 그녀들이 배신하기로 마음먹고 여기서 들은 일들을 발설한다면 나비들이 가만히 있지 않을 것이다. 불의 정령들은 공격성이 도드라진다.

"응, 결혼."

힐라리아가 머리카락을 슬쩍 쓸어 넘기며 농밀하게 속삭였다.

"시벨로프의 라리나 영애와 혼약이 잡혔어. 올해 겨울이 가기 전에 혼인을 할 거야."

지금은 여름이 한참 무르익고 있는 시기였다. 대귀족들의 결혼을 준비하기엔 빠듯한 시간이었다. 그 안에 베아트리체도 네이선을 비롯한 황태후, 다른 보수파 귀족들에게 신임을 얻어야 한다는 뜻이었다.

"……한동안 제대로 못 만나겠다."

베아트리체가 한참 섭섭한 말투로 말했다.

"그렇지 않아, 베베."

힐라리아가 시무룩한 베아트리체의 머리를 쓰다듬었다.

"우리는 그런 걸로 끊어질 사이가 아니잖아. 게다가 만날 수 있는 방법은 얼마든지 있어."

"……걱정하지 않아도 돼요, 힐라리아."

상황을 방관하던 실로테가 힐라리아를 만류했다.

"반에이크 공은 절대로 황제 폐하를 배반하지 못해요."

실로테가 이유를 알지 않냐는 듯 힐라리아를 주시했다.

"사람은 종종 실수하기 마련이니까. 그리고 네이선 황자가 다른 세력과 규합하는 걸 지켜보는 것보다는 이쪽이 더 나아요."

베아트리체가 네이선의 계기가 된다면 더 좋을 일이다. 이미 힐라리아는 마음을 굳힌 듯했다.

"……그렇군요."

힐라리아가 실로테에게 시선을 주며 베아트리체로부터 손을 거뒀다. 심통을 부리곤 있지만, 분명 힐라리아의 말대로 움직여줄 것이다. 베아트리체가 미간을 찌푸린 채로 테이블 위의 디저트들을 정복하기 시작했다. 나름 베아트리체가 스트레스를 풀고 생각을 정리하는 방법이었다. 힐라리아가 케이티에게 손짓해서 좀 더 디저트를 가져오도록 지시하고는 실로테에게로 관심을 돌렸다.

"실로테, 얼굴이 좋지 않아요. 무슨 일이 있는 건가요?"

"……힐라리아, 일전에 베니체 황비의 일에 대해서 이야기한 적이 있었죠."

순간 정원에 정적이 흘렀다.

"그랬었죠."

그 일에 대해서 모르는 이는 이곳에 없었다.

"나는 사람을 죽인 죄인이에요."

실로테가 손바닥에 얼굴을 묻었다. 그 시절에는 하루하루가 불안했었다. 아무에게도 마음을 주지 않는 에벤에셀과 황제를 둘러싸고 있는 여자들. 제이나는 한 발 물러서 있다지만, 베니체와 올리비아는 실로테와 같은 선상에서 있었다. 에벤에셀의 애정을 갈구하고 황비 자리를 지키기 위해 전전긍긍하며 미래를 황제에게 걸고 있었던 그때.

베니체 황비가 황후가 될 거라는 소문이 사교계에 파다하게 퍼졌었다. 실로테가 보기에 베니체는 그녀와 별반 다를 게 없어 보였다. 다른 말로 황후가 될 자질을 갖추지 못했다는 뜻이었다. 그런데 베니체가 왜? 실로테는 절박했다. 베니체는 클라리넷과는 대척점에 서 있는 가문의 영애였다. 베니체가 황후가 되고 나면 실로테의 처지는 끈 떨어진 연이 될 것이 자명했다.

그래서 먼저 움직여야 한다고 생각했다.

"베니체 황비를 죽였죠. 내가 그랬다는 건 공공연한 비밀로 황성에 퍼져나갔어요. 그러니 이번 힐라리아 사건의 범인으로 내가 지목될 가능성이 높아요. 힐라리아, 나는……."

"무슨 고민을 하는 거죠?"

"내가 그러지 않았어요."

실로테의 입술이 바르르 떨렸다. 반에이크와 이야기를 나눈 이후로 한시도 빼놓지 않고 번민했다. 그리고 실로테는 그녀가 가장 무서워하고 있는 게 무엇인지 깨달았다.

'힐라리아가 내가 그랬다고 생각하면 어떡하지?'

그래서 힐라리아가 예전처럼 아무 감정도 담기지 않은 서늘한 시선으로 실로테를 보게 된다면? 버림받을지도 모른다는 두려움이 실로테를 휘어 감았다.

"실로테."

손바닥에 얼굴을 묻은 실로테를 힐라리아가 불렀다.

"정말 이상한 걱정을 하는군요."

힐라리아의 목소리에는 웃음기마저 담겨 있었다.

"난 실로테를 믿어요."

그러니 당신을 위해 증거까지 조작했지.

"실로테는 나를 좋아하잖아요?"

더할 나위 없이 달콤한 음성이었다. 힐라리아의 말에 실로테가 고개를 들어 올렸다. 힐라리아는 웃고 있었다. 일말의 의심도 품지 않은 다정한 눈빛이었다. 실로테는 그 순간 구원받았다고 생각했다.

어떻게 저렇게 단언할 수 있지? 사람들은 한 번 찍힌 낙인은 절대로 지워주지 않는다. 전적이 있는 실로테를 의심하지 않을 자가 이 황실에 있던가? 실로테는 못해도 취조실의 의자에는 앉게 될 게 뻔했다. 베니체의 가문을 거둬내면서 그녀의 죽음을 묻었던 과거와는 다르게 힐라리아를 해한 자를 찾겠다고 온 황실이 눈을 홉뜨고 있으니.

실로테를 오롯하게 믿어주는 건 힐라리아뿐일 것이다.

"힐라리아……."

"실로테가 그랬을 리 없지."

힐라리아가 턱을 괸 채로 사르르 웃었다. 실로테의 눈시울이 붉어졌다. 지독한 여름이었다. 유리온실의 습한 온도와 유리창을 뚫고 내리쬐는 햇볕 아래에서도 힐라리아는 지독할 정도로 아름답게 빛나고 있었다.

이 여름, 힐라리아는 태풍처럼 강렬하게 황실에 찾아들었다.

"날 믿어요……?"

"당연히 믿죠. 실로테는 날 좋아하잖아요?"

실로테가 입술을 멍하니 벌렸다.

"맞아요……."

"실로테는 내 친군데 나를 배신할 리가 없죠. 그래서 믿어요."

태풍이 물러가고 나면 한결 가시는 더위처럼 시원한 한마디였다.

실로테가 고개를 수그렸다.

"그리고 너무 걱정하지 말아요. 아무 일도 없을 거예요. 분명 범인이 밝혀질 테니까."

"하지만……."

"걱정 말고 기다려요. 음. 실로테, 베니체 황비의 일로 죄책감이 드나요?"

"그래요."

이게 실로테의 인간다운 점이었다. 실로테의 뒤에서 버티고 있는 올리비아나 황태후는 정작 아무런 죄책감도 없는데. 착하기도 하지.

"그때로 돌아가면 그러지 않을 건가요?"

실로테가 잠시 고민하다가 고개를 저었다.

"내가 하지 않았다면 내가 당했을 테니까."

"그러면 잠시 그 죄책감도 미뤄둬요."

힐라리아가 실로테의 마음을 부드럽게 보듬었다. 위로를 받아야 할 사람은 힐라리아임에도 불구하고 실로테가 받았다. 실로테의 눈가가 일그러졌다.

"……힐라리아는 도량부터가 다르군요."

"그래서 나를 좋아하잖아요."

실로테가 옅은 웃음을 터뜨렸다. 맞다. 이런 사람이라서 다른 이들을 매혹할 수 있는 거다. 실로테의 금안이 태양처럼 반짝였다. 저런 사람이라서 실로테가 전부 걸 수 있는 거다. 실로테가 웃는 것을 확인한 힐라리아가 이번에는 제이나에게로 시선을 돌렸다.

"제이나도 고민이 많아 보여요."

"저는……."

다른 이들에 비해서 너무 하잘것없는 고민이라 제이나가 망설였다. 이건 반에이크의 경고대로 제이나가 용기 내면 될 일인데…….

"무엇이든 말해봐요."

힐라리아가 제이나를 재촉했다. 반에이크가 제이나에게 뭐라고 쏘아붙였는지는 전부 들었다. 가끔 보면 반에이크 공작도 귀엽단 말이야? 힐라리아가 설핏 웃었다.

"그게……."

제이나가 깊게 숨을 내쉬고는 입을 열었다.

"검술 선생이 필요한데 반에이크 공은 로마노프 백작가에서 데려오는 게 좋겠다고 하더군요. 그럼 오빠들이 자원할 게 틀림없어요. 하지만 나는 두려워요. 그들이 내게 화나 있으면 어떡하죠? 지금이라도 그만두라고 종용하면 나는 못 이겨낼지도 몰라요. 힐라리아, 나는……."

"쉿."

힐라리아가 제이나의 손에 자신의 손을 얹었다.

"괜한 걱정을 하는군요. 제이나, 로마노프는 제이나의 가족들이잖아요."

"하지만……."

"아무도 제이나를 미워하지 않을 거예요. 로마노프 백작께서도 물론 마찬가지구요. 제이나를 염려하고 있을 뿐이에요. 이 황성은 위험한 곳이잖아요?"

"아버지는 고집스러운 분이세요."

제이나가 힘없이 말했다. 힐라리아가 제이나의 손등을 토닥였다.

"그럼에도 로마노프 백작께선 제이나를 사랑하시죠."

"……맞아요."

"걱정하지 말아요. 제이나가 먼저 오늘 오찬을 청해보는 건 어때요?"

제이나가 눈을 동그랗게 떴다.

"분명 기뻐하며 맞아주실 거예요."

"힐라리아……."

"부모님이잖아요. 분명 제이나를 이해해주실 거예요."

힐라리아가 제이나의 용기를 북돋아 주었다. 사실 제이나가 오기 전에 로마노프 백작 부인이 다녀갔었다. 비밀리에 청한 만남을 힐라리아가 흔쾌히 받아들인 건 제이나 때문이었다.

'제이나는 여린 아이예요. 이 황성에서 버틸 수 있을까요?'

'내가 제이나를 도울 겁니다. 백작 부인. 절대 아무도 제이나를 해칠 수 없어요.'

'그걸 어떻게 장담하죠?'

'내게는 부족한 게 없어요. 권력, 재력, 사람. 그 많은 것을 쥐고서 제이나를 못 지켜줄 것 같나요? 누군가 제이나를 공격한다면 내가 먼저 공격하면 돼요. 누군가 제이나를 폄훼한다면 그들의 입을 뜯어내죠.'

'약속해줄 수 있나요? 로마노프는 수도에서 멀어요. 우리는 그 애를…….'

'걱정하지 마세요, 부인. 나를, 그리고 제이나를 사랑하는 사람들을 믿어봐요.'

힐라리아의 다짐을 여러 번 듣고 나서야 백작 부인은 무거운 몸을 일으켰다. 수심에 빠진 백작 부인을 보고 있자니, 먼 곳에 있는 기네비어의 가족들이 보고 싶었다. 그들도 백작 부인처럼 힐라리아를 걱정하고 있을 것이다.

얼른 일리가 기력을 회복해야 할 텐데.

힐라리아가 일리 쪽을 힐끗 보았다. 황제의 기운에 쇠한 일리가 영 정신을 못 차리고 있었다. 술자와 멀리 떨어져 있기 때문이리라.

'큰 물가에 한번 데려갔다 와야겠는데.'

힐라리아가 눈을 가늘게 뜨며 잠시 상념에 빠졌다. 그러고 보니 곧 있으면 불꽃 축제가 있을 시기였다. 가을 추수가 시작되기 전에 열리는 불꽃 축제는 수도에서 가장 큰 인트로노 호수 주변에서 열린다.

'흐음.'

힐라리아를 일깨운 건 제이나였다.

"힐라리아의 말대로 할게요. 오늘 오찬은 가족들과 먹겠어요."

"잘 생각했어요."

힐라리아가 세 사람들 둘러보았다.

'귀엽게 굴긴.'

고민이 있다고 쪼르르 달려와 울상으로 앉아 있는 세 사람이 강아지 같았다. 힐라리아가 보기엔 별것 아니지만, 당사자들에게는 세상에 더 없을 큰 고민일 것들.

힐라리아는 손쉽게 그들의 고민을 해결해주었다. 그녀에겐 그럴 능력이 있었으니까.

＊＊＊

제이나가 심호흡을 했다. 로마노프 가문의 가솔들이 머물고 있는 별궁의 앞이었다. 북적이던 사람들의 시선이 전부 제이나에게로 쏠렸다. 제이나가 볼을 붉힌 채로 문을 똑똑 두드렸다.

"누구세요?"

부드러우면서 다정한 로마노프 백작 부인의 목소리였다. 제이나가 고개를 퍼뜩 들고는 입술을 달싹였지만, 아무 말도 나오지 않았다. 대답을 기다리던 백작 부인이 문을 열 때까지.

"어, 어머니……."

"제이나."

백작 부인이 흐리게 웃었다. 제이나의 울먹이는 얼굴을 보니 마음이 울컥했다. 황태후의 탄신연 때문에 올라왔음에도 한 번도 제이나의 얼굴을 제대로 보지 못했다. 가족들을 피해 다니는 제이나를 보면서 얼마나 마음이 찢어졌는지. 제이나를 그렇게 만든 건 다름 아닌 가족이라는 생각에 하루도 제대로 잘 수가 없었다.

"제이나."

백작 부인이 다시 한번 힘 있게 제이나를 불렀다. 제이나가 무슨 말을 해야 할지 망설이며 입술을 달싹일 때였다. 백작 부인이 먼저 말했다.

"미안하구나."

"어머니……?"

"내가 그동안 네게 너무 미안했다."

망설이는 제이나를 꼭 끌어안고는 백작 부인이 다정한 사과를 건넸다. 백작 부인의 어깨 너머로 아버지와 오빠들이 보였다. 차를 마시고 있었던 듯 테이블에 주변에 어정쩡하게 서 있는 그들이 보였다. 제이나가 어쩔 줄 몰라 하며 눈을 깜빡였다. 아버지께서 화를 내실까? 오빠들이 나를 비난하면 어떡하지?

"어, 어머니. 저는……."

돌아가 봐야겠다고 말하려던 제이나를 붙든 것은 로마노프 백작이었다.

"제이나!"

"……."

자동적으로 제이나의 몸이 딱딱하게 굳었다. 로마노프 백작은 한없이 엄한 아버지였다. 제이나가 할 수 있는 일과 해서는 안 될 일을 구분지어 놓고는 그 틀에서 벗어나는 걸 용서하지 않으셨다. 제이나가 일탈을 할 때면 말없이 쳐다보던 엄한 눈이 얼마나 무섭던지.

어릴 적에는 로마노프 백작만 보면 경기를 일으키는 덕에 한동안 백작 부인의 걱정을 샀다. 이제는 로마노프 백작이 제이나를 걱정해서 그런다는 건 알지만, 제이나는 받아들이기 힘들었다. 마치 아버지의 부속물이 된 것 같을 때도 있었다. 황실로 떠나올 땐 마음 깊은 곳에서 차라리 잘됐다는 생각도 들었다. 그런데.

"내, 내가 미안했다. 아버지가 잘못했어. 그러니…… 그렇게 가지 말거라. 다신 안 그런다고 약속하마. 네가 하고 싶은 걸 해도 좋아. 그러니까……."

몇 번이나 연습했던 말을 쏟아내며 백작이 성마르게 얼굴을 문질렀다. 그가 잘못 생각했다는 걸 깨닫는 도화선이 된 건 힐라리아였다. 그녀는 제이나가 진정으로 행복해지는 길이 무엇인지 잘 생각해보라고 조언했다.

로마노프 백작은 경마장에서 환히 웃는 딸을 보았다. 기사들 사이에 섞여서 말을 달리며 한 번도 보여준 적 없었던 표정을 하고 있었다. 그런 표정을 할 줄 아는 아이였던가? 그런데 그 환한 웃음이 로마노프 백작을 마주한 순간 꺼져가는 불꽃처럼 사그라들었다. 심장이 내려앉는 기분이었다.

로마노프 백작은 자신의 잘못을 인정했다.

"내가 편협했어. 그게 너를 위하는 길이라 생각했었다."

제이나의 눈시울이 붉어졌다.

"그동안 미안했다, 제이나."

제이나가 봇물처럼 눈물을 터뜨렸다. 그녀가 내민 손을 로마노프 백작은 단단하게 붙들었다. 제이나는 로마노프의 차남이 그녀의 검술 선생이 되는 것을 받아들였다. 생각보다 쉽고 후련한 일이었다.

***

에벤에셀은 에라스모 백작을 지하 감옥에 가뒀다. 힐라리아 황비와 베니체 황비에게 독을 쓴 주범으로 지목되었기 때문이었다. 올리비아 밑에서 일했던 시녀, 잔느의 증언이 있었기에 일은 일사천리로 진행되었다.

올리비아는 궁에 구금되었고 황비의 작위를 몰수당할 위기에 몰렸다. 하지만 어째서인지, 황제는 올리비아의 작위를 유지하겠다고 발표했다. 한동안 성에 갇혀 있던 귀빈들은 황실의 적절한 보상을 받고 돌아갔다. 황실에서 입은 피해는 에라스모 백작가의 자산을 몰수하는 것으로 채워 넣었다. 황태후가 구명해줄 것이라는 올리비아의 기대를 깨고 황태후는 아무런 입장도 표명하지 않았다.

힐라리아는 이럴 때를 대비해서 잔느를 데리고 있길 잘했다고 생각했다.

올리비아의 작위를 유지시킨 것도 힐라리아의 의지였다. 그녀는 손 하나 까딱하지 않고 아주 손쉬운 방법으로 황태후의 수족을 잘라냈다. 황태후는 자신이 힐라리아의 것을 하나씩 빼앗고 있다고 여기겠지만, 실상은 그 반대였다. 처음은 올리비아와 에라스모 백작. 그다음이 무엇일진 그녀만이 알 일이다. 그렇게 여러 일이 처리되는 사이, 일주일이라는 시간은 금세 지나가 버렸다.

"올리비아 황비가 답답하겠어요."

"힐라리아, 쓸모없는 걱정을 하는군요. 하필 이 순간에."

에벤에셀이 한숨을 쉬며 힐라리아를 소파로 밀어 넘어뜨렸다. 힐라리아가 종종 유리온실에서 일리와 시간을 보낸다는 것을 들은 에벤에셀이 발칙한 발상을 떠올렸다. 유리온실에서도 힐라리아가 에벤에셀을 생각할 수 있도록 말이다.

황제의 명에 따라 유리온실의 반경 10m 이내에는 개미 한 마리 오가지 못하게 되었다. 일리 또한 밖으로 내쫓겨 오늘은 스틸로즈 궁의 별채로 갔다. 그렇게, 유리온실에 힐라리아와 에벤에셀만이 남게 된 것이다. 두 사람만 남은 유리온실 위로 은하수가 흘렀다.

"내가 착해서 그래요."

힐라리아가 장난스럽게 말하며 에벤에셀의 목을 끌어당겼다. 눅진하게 귓가에 와닿는 촉촉한 입술이 간지럽다. 힐라리아가 눈가를 찌푸린 채로 에벤에셀의 등을 안았다.

"그 시간에 차라리 내 생각을 해."

에벤에셀이 작게 속삭이고는 힐라리아의 치마 속으로 손을 움직였다. 따뜻하고 부드러운 피부가 손가락의 힘에 짓눌렸다. 마치 생크림처럼 달콤한 순간이었다.

"물론 당신 생각은 매일 하지."

힐라리아가 깔깔 웃으며 말했다. 어찌나 질투심이 많은지, 이 좁은 곳에서 불편한 것도 모르고 힐라리아에게 매달려 있는 에벤에셀이 귀엽다. 이

덩치 큰 남자를 귀엽다고 여기게 될 날이 오다니.

"……거짓말."

"속아줄 거잖아."

에벤에셀이 옅은 한숨을 내쉬며 소파 위로 무릎을 올렸다. 흐트러진 붉은 머리카락 사이로 드러난 힐라리아의 얼굴이 자극적이다. 요사스러운 인어 같기도 하고.

"예쁘네."

에벤에셀의 중얼거림에 힐라리아가 까르르 웃었다.

"당신도 예뻐."

"나한테 예쁘다고 말하는 사람은 당신밖에 없을걸."

에벤에셀이 드러난 살갗 위에 부드럽게 키스했다.

"그러니까 내가 특별한 거지. 다른 사람한테도 예뻐 보이고 싶어?"

"그렇다고 말하면 질투해줄래?"

힐라리아가 에벤에셀의 머리카락을 헤집었다.

"나는 항상 질투하고 있어."

"거짓말쟁이구나."

에벤에셀이 힐라리아의 드레스를 벗겨내며 나지막하게 뇌까렸다. 항상 힐라리아에게 안달하는 건 에벤에셀이었다. 힐라리아는 늘 여유롭게 에벤에셀을 손가락 끝으로 조종했다. 가끔은 그게 불만이었다. 처음부터 감정의 깊이가 다르다는 걸 알면서 시작한 거였는데 날을 거듭할수록 욕심이 쌓였다.

힐라리아가 에벤에셀과 같은 감정을 품었으면 좋겠다. 에벤에셀처럼 질투도 하고 안달내기도 하고, 오지 않으면 보고 싶다고 속삭여주기도 하고. 보상받지 못한 채로 점차 쌓이는 욕심은 힐라리아를 향한 집착으로 이어졌다. 에벤에셀은 힐라리아의 모든 순간에 그가 존재하길 바랐다.

그래서 이렇게 낯부끄러운 짓도 하게 된다. 사방이 트여 있는 실외나 다름없는 곳에서 힐라리아와 엉켜 있다니. 그런데 또 이 모습을 누구에게도 보이긴 싫어서 온실 주변에서 사람들을 물렸다.

"내가 한심해."

"응?"

"힐, 예쁜 내 못된 고양이. 너는 나를 한심하게 만들어."

"그래서 슬퍼?"

"아니. 그래도 당신이라서 좋아."

에벤에셀이 미소 지었다. 언제 감정이 이렇게까지 불어났는지. 힐라리아는 에벤에셀의 달콤한 독재자였다. 에벤에셀이 힐라리아의 붉은 입술 위로 고개를 내렸다. 은은한 장미향이 에벤에셀의 코끝을 간지럽혔다.

"⋯⋯사랑해."

힐라리아가 대답 대신 에벤에셀의 입술에 키스했다. 에벤에셀이 힐라리아를 강하게 끌어안았다. 이 순간이 영원하기를, 그래서 그 누구도 힐라리아를 에벤에셀으로부터 앗아가지 못하기를 기도하며.

Chapter 8.
움트는 음모

갈기갈기 찢어진 커튼 아래에 음산한 표정의 올리비아가 서 있었다. 힐라리아가 독에 당한 사건이 있었던 이후로 한 달이 지났다.

그 시간 동안 많은 것이 바뀌었다. 올리비아는 추락했고 힐라리아는 황실을 완전히 장악했다. 고작 그 사건 하나로 올리비아는 가지고 있었던 모든 것을 내놓아야 했다. 그녀는 가문을 잃었고 황태후를 잃었다.

'이 자리에 있어야 하는 건 내가 아니야!'

그녀의 손에 붙들려 있던 커튼이 투둑 소리를 내며 떨어졌다.

올리비아의 시선이 황가의 문장이 찍힌 마차에 올라타고 있는 힐라리아에게 꽂혀 있었다. 듣기로는 시벨로프에서 연회가 열린다고 들었다. 보통 그런 대귀족 가문에서 연회가 벌어지면 반드시 올리비아에게도 초대장이 들어왔다. 하지만, 귀족들처럼 시류 흐름에 예민한 자들이 있을까. 그들은 발 빠르게 올리비아에게서 힐라리아로 갈아탔다. 오늘도 올리비아는 초대받지 못했다. 올리비아에게는 명예도 남지 않은 것이다.

이를 아드득 갈며 올리비아가 몸을 돌렸다. 엉망으로 망가진 방 안에 올리비아 홀로 서 있었다. 시녀들은 전부 잡혀가고 그녀에겐 시녀장이었던 플뢰레트

한 사람만이 남았다. 그래도 살던 궁을 몰수하진 않아 이 큰 궁을 플뢰레트 홀로 관리하느라 바빴다. 올리비아는 혼자 씻고, 입고, 자는 방법을 터득해야 했다.

"하……"

꼴이 이게 뭐람. 이렇게 초라한 스스로를 본 일이 없었다. 에라스모 백작은 지하 감옥에서 죽어가고 있다나. 공중분해 된 에라스모 가문의 자산들은 황실이 흡수했고 가솔들은 뿔뿔이 흩어졌다. 그래서 더 포기할 수 없었다.

올리비아가 아득한 눈빛으로 화장대를 응시했다. 힐라리아 또한 진창에 뒹굴게 해줄 것이다. 그녀도 이 상실감을 반드시 맛보아야 한다. 올리비아가 그동안 사들였던 보석들이 지금 빛을 발할 때였다. 저것들을 유용하게 사용해 사람들을 사오는 것이다. 올리비아가 비틀비틀 화장대를 향해 걸었다. 아직도 휘황찬란한 보석들이 그 안에서 빛나고 있었다.

'기대해도 좋아, 힐라리아.'

믿었던 자에게 배신당하는 슬픔을 반드시 맛보게 해주마.

***

〈클라리넷 공작가의 가주, 반에이크 클라리넷.

시벨로프의 라리나 영애와 결혼하게 된 사연은?〉

〈반에이크 공작과 라리나 영애의 연애사, 단독 입수.〉

〈라리나 시벨로프, 아직까지 사교계에 데뷔 못한 사연은?〉

반에이크와 라리나의 결혼이 공표된 이후로 연일 신문 기사가 쏟아지고 있었다. 반에이크 클라리넷이야 제국민의 관심을 한 몸에 받고 있는 미혼남이라 그 상대가 누가 됐든 관심이 뜨거웠을 테지만, 라리나 시벨로프는 아직 사교계 데뷔도 하지 않은, 여태껏 가십에 한번 올라본 일이 없어 사람들에겐 백지와 같은 사람이었다. 그러니 관심이 더 폭발적으로 뜨거울 수밖에.

힐라리아가 신문 기사를 뒤적였다.

미래에서는 라리나와 반에이크 사이에는 일말의 접촉도 없었다. 라리나 시벨로프는 오히려 황태후의 추천으로 에벤에셀의 후궁으로 잠시 입궁했다가 조용히 사라졌던 사람이었다. 그래서 라리나 시벨로프에 대해서는 잘 알지 못한다. 마차에서도 흔들림 없이 신문 기사를 읽고 있는 힐라리아를 보며 케이티가 혀를 내둘렀다.

"첼로스테는?"

"궁을 지키고 있지요."

"그래?"

힐라리아가 덤덤히 대꾸하고는 시선을 신문 기사로 내렸다. 대체 무슨 생각을 하는지 기사를 읽는 힐라리아의 표정은 고요했다.

오늘은 시벨로프의 저택에서 열리는 연회에 참석하러 가는 길이었다. 힐라리아의 사건은 이미 세간에서 잊혔졌다. 한 달이나 지났으니 당연하다면 당연하달까? 사람들은 시벨로프와 클라리넷의 경사에 대해서 떠들어댔다. 시벨로프는 조금 더 관심을 끌 요량인지 라리나 시벨로프의 데뷔 무대를 결정했다. 돌아온 시벨로프의 첫 연회의 주인공이 된 것이다.

그리고 당연하게도 황실에 초대장이 날아들었다. 이런 일에 황제가 직접 행차하는 일은 드물었고, 힐라리아가 황실 대표로 연회에 참석하게 되었다. 실로테와 제이나는 별 관심이 없어 보였고 올리비아는……. 올리비아는 죄를 사면받고 구금에서 풀려났다.

다만, 올리비아에게 남은 것은 없었다. 에라스모 백작가는 처절한 최후를 맞이했고 황태후 또한 올리비아를 외면했다. 궁지에 몰리면 쥐도 고양이를 무는 법이다. 올리비아가 힐라리아를 어떻게 물어줄지 기대가 만연했다.

"라리나 영애는 어떤 사람일까?"

"베아트리체님 말로는 아무도 영애를 본 적이 없대요. 시벨로프 백작이 라리나 영애를 품에 끼고 산다고 하던데. 몸이 약해서 어릴 때부터 온갖 영약을 먹었대요. 별별 소문이 돌고 있어요."

"그중에 진짜가 섞여 있을 수도 있는 일이지."

라리나가 태어날 때부터 정신 질환을 가지고 있었다든가. 사실은 라리나가 제 언니와는 달리 어리숙해 이용당하기 십상이라든가. 그도 아니면 하도 망나니짓을 해서 밖에 내놓을 수 없다든가. 어떤 소문이 진실이든 간에 오늘 알게 될 것이다. 반에이크와 결혼을 결정하며 시벨로프는 급하게 일을 진행하고 있었다.

힐라리아가 신문을 접어 옆에 내려놓았다.

반에이크와 라리나의 결혼이 전격 발표되었으니 곧 있으면 베아트리체와 네이선의 약혼도 공표될 것이다. 흥미로운 일이다. 미래는 계속해서 바뀌고 있었다. 이건 모두 힐라리아가 만들어낸 상황이었다. 그녀가 황실에 들어와 한 일들이 지금을 도출해냈다.

힐라리아는 예상 외로 움직여준 황태후 덕분에 경매를 뒤로 미뤘다. 반에이크에게 어떤 심경의 변화가 있을지 기다려주기 위함이었다. 반에이크 또한 라리나를 오늘 처음 만난다. 여전히 반에이크는 제국의 편을 들어줄까? 에벤에셀은 반에이크에 대해서 아주 관대한 입장을 표명했다.

'그는 항상 변함없이 제국에 충성합니다. 힐라리아, 만약 우리가 가는 길이 반에이크가 추구하는 이상과 같다면 우린 그와 항상 같은 편에 서게 될 거예요.'

에벤에셀의 말이 잊히지 않는다. 만약, '우리'가 가는 길이 반에이크가 추구하는 이상과 맞지 않다면? 얼마든지 배신할 수도 있다는 뜻 아닌가. 그사이에 반에이크의 이상이 바뀌었다면?

"무슨 생각을 그렇게 골똘히 하세요?"

"반에이크 공의 생각을 짐작해보고 있었어. 반에이크는 분명 나를 좋아하는데 결혼을 결정하는 속도가 매우 빨랐단 말이지."

그래서 베아트리체의 결혼도 진행하게 되었다. 반에이크에게 제동을 걸어줄 장치가 필요하다고 여겼기 때문이었다. 베아트리체를 보면 힐라리아를 당연하게 연상하게 될 테니.

"예?"

케이티가 반문하고는 고개를 내저었다.

"과도한 자신감은 몸에 좋지 않으시다니까."

"아니, 진짜야."

"예에. 그러시겠죠."

"케이티?"

힐라리아의 나지막한 부름에 케이티가 입술을 삐죽이면서도 허리를 곧게 세웠다. 힐라리아의 부름과 함께 나비들이 케이티를 향해 이를 드러낸 까닭이었다. 서러워서, 원.

"어쨌든 오늘이 지나고 일주일쯤 뒤에 반에이크 공에게 초대장을 보내줘."

"초대장이라 하심은……?"

"차를 마시러 오라고 말이야. 아, 이번엔 혼자."

그래야 좀 더 속내를 드러내게 될 테니. 이 일로 에벤에셀에게 질투를 끌어낼 수 있다면 그것도 좋았다. 에벤에셀이 질투하는 건 의외로 귀여워서. 질투에 눈이 멀어 부끄러운 것도 모르고 유리온실에서 일을 치르지 않았던가. 그날은 아직도 힐라리아의 기억에 선명하게 남아 있었다. 그렇게 질투가 심한 주제에 외출하는 힐라리아에게 일리를 딸려 보냈다.

힐라리아가 옅게 웃고는 밖으로 시선을 돌렸다. 스쳐 지나가는 것들이 무상하다. 어느새 여름은 저물고 가을이었다. 올해는 정말 긴 여름이었음이 틀림없다. 그리고 좀 더 긴 겨울이 찾아올 것이다.

힐라리아가 일으킨 변화의 흐름은 타국에도 영향을 미쳤다. 사리프 왕국과 오스발트, 에르킨 사이에 연합이 성사되었다는 은밀한 보고를 받았다. 에벤에셀이 사리프 왕궁에 심은 간자로부터 들은 소식을 힐라리아가 엿들은 것이다. 힐라리아가 다녀온 미래에서보다 1년은 이른 일이었다.

아마 그 중심에는 오스발트와 여전히 인연을 이어오고 있는 황태후의 입김이 있었을 것이다. 황성에 앉아서 국제 정세를 움직이다니. 황태후도 무서운 사람임에 틀림없었다. 귀족들의 움직임도 뚜렷한 양상을 보여 시벨로프의 귀환에 따라 황태후와 네이선의 손을 들며 은밀히 회동을 갖는 일이 잦아지고 있었다. 그리고 그 주축에는 반에이크가 서 있었다.

황제도 기네비어로 사람을 내려 보냈다. 자카리 족의 움직임이 심상치 않다는 기네비어의 보고에 따른 일이었다.

힐라리아가 긴 숨을 내쉬었다. 이번 겨울이 지나고 나면 봄. 새싹이 태동하는 그 봄이 오면 또 무언가가 바뀌어 있을까. 힐라리아가 저 먼 하늘을 내다보았다. 힐라리아가 선택한 미래의 끝에는 무엇이 기다리고 있을까?

비밀의 방의 문을 여는 건 한 번으로 끝내야 했다. 힘을 소진한 구슬은 검게 죽은 채로 긴 잠에 빠져들었다. 힐라리아에게 흡수된 티타니아의 기운을 회복하지 못했기 때문이었다. 힐라리아가 금빛이 얼핏 내비치는 눈으로 가까워지는 시벨로프의 저택을 응시했다.

'무슨 짓을 해서라도……'

그녀가 원하는 미래를 쟁취해내고 말 것이다.

***

한편, 시벨로프 백작가는 오랜만에 주최하는 연회를 준비하기 위해 바쁘게 돌아가고 있었다. 그중에서 한가한 건 라리나와 반에이크뿐이랄까. 반에이크는 라리나를 에스코트해 연회장으로 향하고자 미리 저택에 와 있었다.

뱀 같은 눈동자를 빛내던 시벨로프 백작을 생각하다 반에이크가 고개를 돌렸다. 자꾸만 느껴지는 시선이 부담스러웠던 까닭이었다. 라리나는 대체 뭐가 그렇게 신기한지 반에이크를 힐끔힐끔 보고 있었다. 차라리 그냥 대놓고 보면 아, 잘생긴 남자 구경하는구나 할 텐데 그것도 아니라. 또 한 번, 라리나가 손가락을 꾸물거리며 고개를 숙였다가 들어 올렸다.

"라리나 영애?"

결국 반에이크가 라리나를 불렀다.

“네⋯⋯?”

“자꾸 쳐다보시길래.”

“아⋯⋯.”

라리나가 볼을 발갛게 붉힌 채로 고개를 도로 숙였다. 반에이크도 라리나를 보는 건 오늘이 처음이었다. 그동안 시벨로프 백작의 부름에 온갖 군데를 다녔지만, 라리나를 보진 못했다. 라리나 시벨로프는 세간에 알려진 대로 아무것도 모르는 아기 같은 눈을 하고 있었다. 백작이 늘그막에 본 막내딸을 귀애하여 아무 데도 내놓지 않았다는 사실은 진실인 듯했다.

“잘생긴 남자 처음 보십니까?”

반에이크가 장난스럽게 물으며 응접실에 준비되어 있던 찻잔을 들어 올렸다. 알맞게 식은 향긋한 허브차가 깔끔하게 넘어갔다.

“네?”

“잘생긴 남자 처음 보시냐구요.”

“어⋯⋯?”

라리나가 고개를 갸웃하며 순하게 눈을 깜빡였다. 그 모습이 힐라리아하고는 완전히 달랐다. 반에이크가 실소했다. 이런 순간에도. 그의 아내가 될 여자를 처음 만나는 날인데도 힐라리아를 떠올리고 있었다.

‘쓸모없는 미련을 버리지도 못 하고.’

반에이크가 다시 차를 마셨다.

그 모습을 빤히 보던 라리나가 반에이크를 당황시킬 대답을 던졌다.

“안 잘생기셨는데요.”

“네?”

“반에이크 공이요. 제 취향 아니세요.”

전혀 악의 없는 부드러운 미소를 머금은 채로 라리나가 덧붙였다.

“그래서 신기해서요. 어떻게 전부 제 취향이 아니실 수 있는지 궁금해서.”

“⋯⋯쿨럭.”

반에이크가 찻잔을 급히 내려놓았다. 기침이 터진 입가를 손수건으로 닦은 반에이크가 어처구니없다는 듯이 물었다.

"영애의 취향은 어떤 남자이길래……."

"몸집이 큰 남자요. 저는 곰 같은 남자가 좋아요. 아, 너무 잘생긴 것도 싫어요. 적당한 게 좋은 법이죠. 그런데 반에이크 공은……."

라리나가 이제야 실망한 얼굴을 드러내며 한숨을 푹 내쉬었다. 아버지가 절대로 실례를 범해선 안 된다고 했는데. 그래도 부부가 될 사인데 솔직할 수도 있는 거 아닌가?

"너무 마르셨고……."

잔근육이 적당히 붙은 이상적인 육체가 마르다고 폄훼당했는데도 반에이크는 아무 말도 할 수가 없었다. 여전히 어처구니없다는 듯 라리나를 보고 있을 뿐.

"과하게 생기셨어요. 뭐랄까. 음……. 잘생기시긴 했는데……. 어쨌든 제 취향이 아니에요."

"……쿨럭."

또다시 터져 나온 기침에 반에이크가 입술을 가렸다. 그를 당황하게 한 여자는 힐라리아 이후로 처음이다. 아주 다른 방법이었지만. 라리나가 악의가 없는 순진무구한 얼굴로 활짝 웃었다.

"기분이 나쁘셨다면 죄송해요."

딱 봐도 사랑받고 큰 티가 나는 라리나를 두고 반에이크가 잠시 고민에 빠졌다.

'……이 연회, 괜찮은 거야?'

***

라리나는 난생처음 참석해보는 연회에 들뜬 기분을 감출 수가 없었다. 실망스러운 배우자는 완전히 잊혀질 정도였다. 라리나가 연신 우와, 탄성을 터뜨리는 걸 반에이크는 착잡한 눈으로 보고만 있었다. 시벨로프 백작은 독기가 싹 빠진 얼굴로 라리나를 보며 싱글벙글 웃고만 있고…….

물론 시벨로프의 막내딸이라는 이유로 라리나는 원하는 무엇이든 할 수 있는 위치에 있었다. 그래도 이렇게까지 순수할 건 또 뭐야. 자신과 나이대가 비슷한 네이선을 향해 손을 흔든 라리나가 그에게로 걸음을 옮겼다. 라리나에게 끌려가며 반에이크가 다시 한번 한숨을 내쉬었다.

하아……. 그냥 피곤했다.

"네이선!"

"이런, 우리 꼬마 이모님이 나보다 먼저 결혼을 하시다니."

네이선이 다정하게 눈가를 휘어 웃으며 라리나의 머리를 쓰다듬었다.

"흥. 나는 이제 어른이라고."

"……콜록."

대체 내가 누구와 결혼을 하고 있는 거지? 시벨로프 집안사람이 맞긴 한 건가? 그렇게 반에이크가 한참을 혼몽한 정신 상태로 이 상황을 견디고 있을 때였다. 사람들이 술렁였다. 주인공보다 더 늦게, 주인공처럼 나타난 힐라리아 때문이었다.

강렬한 붉은 머리카락을 촘촘히 땋아 진주로 장식했다. 그녀가 입은 진줏빛 드레스가 힐라리아의 미모를 돋보이게 하고 있었다. 일전에 힐라리아가 저런 양식의 드레스를 입은 이후로 들불처럼 번진 최신 유행이다. 사람들은 전부 힐라리아가 입은 것과 비슷한 드레스를 입고 있었다.

베아트리체가 시작한 의상실은 연일 호황을 누리며 막대한 돈을 벌어들였다. 고작 한 달도 되지 않는 시간 동안 힐라리아와 베아트리체는 그만한 성과를 거둬들인 것이다. 사람들이 빠르게 힐라리아의 구두, 드레스, 장신구를 살폈다. 내일이면 또 의상실에 불이 나게 될 것이다.

참 대단한 사람이야. 반에이크가 쓰게 웃었다. 그리고 힐라리아를 보며 형언하기 힘든 감동에 빠진 이가 한 명 더 있었으니.

"우, 우와……."

"라리나……?"

"반에이크 공, 저 아름다운 분은 누군가요?"

"힐라리아 황비 마마이십니다."

라리나가 고개를 홱 돌리고는 결연하게 말했다.

"친해지고 싶어요! 어떻게 해야 하죠?"

아니, 지금 이 시국에 힐라리아와? 세상에. 시벨로프 백작은 딸을 어떻게 키운 거지? 반에이크가 머리를 짚은 채로 라리나에게 끌려 억지로 걸음을 옮겼다.

***

입장과 함께 힐라리아는 연회장에 있는 사람들의 시선을 독차지했다. 그녀를 보는 이들의 시선에 둘러싸여 힐라리아가 설핏 웃었다. 언제나 주인공이 되는 이 느낌은 나쁘지 않다. 힐라리아가 익숙하게 귀족들의 인사를 받아주며 걸음을 옮겼다. 그녀를 보는 시선 중에는 낯선 것도 있었다.

라리나 시벨로프. 황태후와 꼭 닮은 외양을 가진 여자였다.

상큼하고 어려 보이는 단발에 연푸른 눈을 가진 라리나는 생각보다 순한 인상이었다. 시벨로프가 그녀를 세상 물정 모르는 어린애로 키웠다는 소문은 익히 들었는데. 힐라리아가 한 걸음 내디딜 때마다 라리나의 입술이 벌어졌다. 힐라리아 주변에 너울거리던 나비들 중 한 마리가 라리나에게로 향했다. 라리나의 어깨에 내려앉은 나비가 그녀의 말을 그대로 전해주었다.

세상에. 반에이크의 표정이 참 볼만했다.

[반에이크 공, 저 아름다운 분은 누군가요?]

[친해지고 싶어요! 어떻게 해야 하죠?]

시벨로프가 엄청난 귀요미를 밖에 내놓은 듯했다. 순진한 토끼처럼 힐라리아를 향해 눈을 반짝이는 모습이 어린 동생 같았다. 반에이크가 어처구니없는 낯빛으로 끌려 힐라리아에게 오고 있었다. 힐라리아가 느긋하게 발을 멈췄다. 라리나와 반에이크가 가까워지고 있는데 굳이 힐라리아가 다가갈 필요 있을까? 이미 분위기는 힐라리아에게로 넘어왔다.

"반에이크 공. 그리고, 라리나 영애."

윗사람 된 명목으로 다정하게 말을 건넸다. 힐라리아와 라리나, 반에이크. 그들의 조합으로 연회장의 온갖 시선이 쏠렸다. 시기와 질투, 경외와 존경, 두려움과 공포. 모든 감정이 뒤섞여 혼란한 가운데였다.

샹들리에서 쏟아지는 화사한 빛깔 사이로 힐라리아의 푸른 눈이 일렁였다. 그 눈에 사로잡힌 건 비단 반에이크만이 아니었다. 힐라리아에게로 발을 내디뎠다가 몸을 물린 귀족 영식들이 한둘이 아니었다. 그녀는 매혹적이나 함부로 빠져선 안 되는 수렁과 같았다. 힐라리아가 궁에서 어떤 활약을 하고 있는지는 이미 사교계에 파다하게 퍼졌다. 게다가 그 얼음 방벽 같던 황제도 사로잡았다지. 위험한 사랑으로 인생을 끝장낼 순 없었다. 황제의 적이 되어 윈프리드를 떠나고 싶진 않았다.

힐라리아가 그들의 동요를 알아차리곤 입술을 말아 올렸다. 사람들을 홀리는 건 이다지도 쉬웠다. 힐라리아 위로 부서지는 빛들이 그녀를 더욱 아름답게 만들어줄 것이 자명했다. 라리나가 숨 가쁘게 힐라리아의 앞에 고개를 숙였다.

"안녕하세요, 힐라리아 황비 마마! 처음 뵙겠습니다. 저는 시벨로프 백작가의……."

"라리나. 라리나 영애 맞죠? 그대에 대한 소문은 익히 들었습니다. 시벨로프 백작가의 보석과 같은 이라죠. 그 소문이 틀리지 않았나 봅니다."

말을 가로채이고도 라리나의 얼굴이 붉어졌다.

깜빡이는 긴 속눈썹에 싸인 연한 눈동자가 보석처럼 빛을 발하고 있었다.

"아니요. 황비 마마가 더 아름다우신걸요……."

라리나의 웅얼거림에 힐라리아가 작은 웃음을 터뜨렸다.

"그래요? 라리나의 눈에 좋게 비쳤다면 다행이군요. 아마 제 드레스 때문일 거예요."

"드레스요?"

"이번에 새로 오픈한 의상실에서 맞췄죠. 베아트리체 영애가 직접 운영에 관여하고 있어서 귀부인들도 많이 찾는다고 하더군요."

"……저도 의상실을 필히 옮겨야겠군요. 사실 이번엔 제가 처음이라 언니가 전부 해주셔서."

라리나가 칭하는 언니는 황태후일 게 뻔했다.

그러고 보면 황태후와 나이 차이가 꽤 있으니 딸이라 해도 무방했다.

"그랬군요. 오늘의 라리나도 주인공답게 빛나고 있는걸요. 샹들리에보다도 라리나가 눈부셔요."

꿀처럼 농밀하고 달콤한 어조였다. 힐라리아 말에 라리나는 단숨에 포로가 되었다. 어쩜 저렇게 우아하게 미사여구를 사용할까. 어디서도 들어보지 못한 언어의 마술이었다. 라리나가 침을 꿀꺽 삼키곤 중얼거렸다.

"친하게 지내고 싶어요. 마마."

"그럼 좋지요. 종종 차를 마시러 오도록 해요, 영애. 언제든지요. 시녀장에게 일러 항상 영애를 기다리라고 전해둘게요."

라리나가 고개가 떨어질 것처럼 끄덕였다.

"감사합니다, 마마."

힐라리아가 여유롭게 라리나와 반에이크의 옆을 스쳐 지나갔다. 반에이크가 힐라리아를 끝까지 돌아보지 않은 건 필사의 노력이 있었기 때문이었다. 반에이크가 숨을 들이켰다. 은은하게 퍼지는 힐라리아의 장미향이 폐부를 고통스럽게 쥐어짰다. 평생 닿지 못할 사람이었다. 그의 기색을 알아차리지 못한 라리나가 반에이크의 팔을 흔들었다.

"공. 저분은 정말 멋있네요……. 다음에 궁에 데려가줘요. 아버지는 분명 혼자 나가는 걸 허락하시지 않을 거야. 저분이 방금 기다리신다잖아요! 내일 갈까요? 모레?"

반에이크가 숨을 가다듬으며 평정을 되찾기 위해 노력했다.

이미 힐라리아는 멀어졌다. 꿈에서 깨어날 시간이었다.

"그 전에 의상실부터 들르는 건 어떨까요? 인기가 많아 예약하기가 힘들다고 하더군요."

"음. 그게 좋겠네요! 으, 설레. 저 처음 외출하는 거예요. 내일 데리러 와주실 건가요?"

"……취향이 아니라 하시더니. 이용할 때는 확실하시군요."

"물론이에요. 아버지께서 기회는 놓치지 않아야 한다고 가르쳐주셨거든요."

라리나가 방긋 웃었다. 그녀는 내내 힐라리아를 시선으로 뒤좇았다. 힐라리아는 이 연회장에 군림하는 왕 같았다. 그리고 사람들은 얼마든지 힐라리아의 앞에 무릎 꿇고 그녀를 경배하리라.

***

힐라리아가 라리나와 반에이크를 뒤로하고 향한 곳은 시벨로프 백작 부처가 있는 곳이었다. 힐라리아의 뒤로 베아트리체가 냉큼 따라붙었다.

"라리나 영애가 마음에 들었어?"

"흠. 글쎄. 여러 가지로 쓸모가 있을 성싶어서. 베베."

힐라리아가 눈을 가늘게 뜬 채로 말을 이었다.

"네이선 황자에 대해서 더 파봐. 죽은 알케스터 자작과 황태후의 관계도 알아보고."

만약 만족스러운 결과가 나오지 않는다면 증거는 만들어내면 그만이다.

"알았어. 힐라리아, 그래서 정말 라리나를 부를 거야?"

"어린 새가 이제 어미의 둥지를 떠날 때가 온 거지. 저 가엾고 어여쁜 얼굴이 어떻게 무너질지 기대되는걸."

"힐, 그게 무슨 말……. 야, 너 불안해."

"별건 아니야. 순진하고 착한 영애에게 현실의 혹독함을 알려주려고 하는 거지. 시벨로프 백작이 정의롭고 착한 사람이었던가?"

베아트리체가 힐라리아의 말을 알아들었다. 시벨로프 백작이 저지르는 수많은 부정들을 알리기만 해도 착한 라리나는 무너질 거라는 말이었다.

"라리나 영애가 본모습이 따로 있는 게 아니라면 분명 볼만할 거야."

힐라리아가 서늘한 미소를 머금었다.

"진실은 꽤 쓴 법이거든."

"못됐어, 너."

"상처받은 라리나를 잘 보듬어준다면 우리는 가장 큰 우군을 얻게 되겠지. 물론 새 친구도 사귀게 되는 거고. 네 의상실에 갈 거야. 잘 대접해. 혹 알아? 첫술에 배부르게 될 줄."

베아트리체는 그 '새 친구'가 자신이 될 것임을 직감했다. 베아트리체가 뭐라 입을 열려다가 가까워진 시벨로프 백작 부처를 확인하고는 입을 다물고 물러섰다.

"힐라리아 황비 마마, 이리 누추한 곳을 찾아주시어 영광입니다."

"초대해주셨는데 와야지요."

적도 알아야 상대할 수 있는 법이다. 힐라리아의 매끈한 미소에 시벨로프 백작 부처가 오히려 한 발자국 뒤로 물러섰다. 어린 힐라리아에게서 느껴지는 날카로운 기백이 두려웠다. 서늘한 미소 속에 숨겨진 칼날이 목에 대어진 듯했다. 그들이 힐라리아를 보는 것처럼 힐라리아도 그들을 유심히 살펴보았다. 시벨로프 백작은 오랜 시간 황태후의 뒷배가 되어준 만큼 만만해 보이는 인상은 아니었다. 그는 미래에서도 끝까지 황태후의 뒤를 지킨다.

'이 저택에 나비를 남겨둘 정도가 될까?'

긴 거리를 떨어져 있으려면 샐리스트 정도는 되어야 하는데.

'쯧.'

지금도 과하게 힘을 사용하고 있었다. 샐리스트를 더 소환하는 건 불가능했다. 힐라리아가 속으로 혀를 차고는 분위기를 누그러뜨릴 말을 던졌다.

"연회장이 고아한 것이 참 멋스럽습니다. 괜히 사람들이 시벨로프를 칭송하는 게 아니었어요."

"……과분합니다."

"그렇지 않습니다. 황태후께서 백작을 닮아 그리 고상하신 듯합니다. 제게도 좋은 말씀을 많이 해주셨지요. 특히 티파티에서요."

힐라리아가 생긋 웃었다. 다시 세 사람 사이의 공기가 어정쩡하게 얼어붙었다. 티파티에서 황태후가 힐라리아에게 완패했다는 소식은 시벨로프 부처에게도 전해졌을 것이다. 그들의 표정이 차게 굳었다. 굳이 적의를 감추지 않고 비꼬는 힐라리아 앞에서 차마 표정을 감출 수가 없었다.

"너무 오래 자리를 비웠나 봅니다."

시벨로프 백작이 한참 후에야 변명처럼 말을 꺼냈다.

"이리도 대화를 따라가기 벅찬 것을 보아하니. 앞으로 황비 마마께 많이 배워야겠습니다."

힐라리아가 부채를 펼쳤다. 시벨로프 백작이 황태후의 밀명을 받아 상단을 사들이고 있다는 소문은 익히 들었다. 힐라리아와 베아트리체가 하고 있는 의상실에 타격을 주기 위함이 분명했다. 그들이 준비하는 사업이 무엇인지는 이미 알고 있었다.

하나, 누가 먼저 시작하는가가 중요한 것 아니겠는가? 이미 베아트리체가 힐라리아가 말한 방직 작물을 사들이고 새로운 사업의 초안을 잡아가는 중이었다. 늘 한발 늦는 건 그들이 못나서가 아니다.

'미래를 보고 온 내가 악귀가 되었기 때문이지.'

힐라리아가 새파란 눈을 빛냈다.

연회는 점점 무르익었다. 사람들은 하나, 둘 술과 분위기에 취해갔고 라리나 시벨로프의 데뷔를 축하했다. 사교계 데뷔와 맞물려 영애들이 부러워할만한 혼사를 가져간 것 또한 축하와 질투를 동시에 받았다. 힐라리아는 연회 내내 라리나와 긴 시간 어울려 주었다.

그리고 확실한 결론을 내렸다. 라리나는 백지였다. 힐라리아가 어떤 그림을 그리느냐에 따라 충분히 달라질 수 있는 사람. 참 맛있어 보이는 먹잇감이질 않은가. 힐라리아가 음습한 미소를 지었다.

"왜 그래, 무섭게."

"아니. 참 귀여운 생명체다 싶어서."

"라리나 영애? 하필 네 눈에 들어서……."

베아트리체가 고개를 내저었다. 하지만, 라리나에게 못 박힌 힐라리아의 시선을 돌려올 수는 없었다. 이제 어쩌겠는가. 라리나가 받아들여야지!

***

기네비어 요새의 문이 열렸다. 그 안에서 쏟아져 나온 기마대가 넓은 초원으로 내달렸다. 쳐들어오는 자카리족의 규모가 점점 커지고 있었다. 그들은 약탈을 목적으로 하지 않고 체계적으로 움직이고 있었다.

"어머니……."

"위베르, 대비해야겠구나. 힐라리아가 말했던 것이 앞당겨질 모양이야."

망루에 올라 서 있던 헬레나미아가 나지막하게 말했다. 자카리족을 들쑤시는 건 오스발트가 분명했다. 자카리족을 종용해 기네비어로 시선을 돌린 후에 오스발트가 하려는 건 무엇일까? 황성에서도 전보가 도착했다. 전쟁을 대비해 기네비어의 기사들을 반으로 나누어 황성으로 올려 보내라는 전언이었다. 황성으로 올라가는 기사들의 선봉에 서게 될 자는 위베르였다.

"기어이 저들이 야욕을 드러내는군요."

"오스발트와 사리프, 에르킨은 과거 윈프리드로부터 독립한 왕국이지. 그들이 윈프리드를 야금야금 탐내온 것은 오래된 일이니 이상할 것 없다. 그저 우리는 대비해온 대로만 하면 돼. 힐라리아가 미래를 바꿨지 않니. 분명 정령들께서 우리를 가호하실 거야."

"로마노프에도 출정 명령이 내렸을까요?"

"남쪽 전선은 비울 수가 없다. 아래로 두 제국을 마주하고 있으니."

"독 안에 든 쥐 꼴이군요."

위베르가 비소했다.

"그렇지만은 않다. 힐라리아를 믿어보렴. 절대로 윈프리드를 위험하게 만들 아이가 아니야."

"힐라리아는 보호받아야 할 입장이에요! 그 애가 얼마나 연약한데……."

"네가 황성으로 가서 지켜주면 되지 않니. 그 애 고집을 누가 꺾는다고."

헬레나미아의 말에 위베르가 침울하게 고개를 끄덕였다. 힐라리아의 고집은 돌아가신 할머니가 오셔도 꺾지 못할 것이다.

"너는 황성으로 갈 준비를 마저 하렴. 여기는 내가 지킬 테니. 아버지도 곧 오실게다."

기사들을 이끌고 자카리족을 상대하러 나간 것은 기네비어의 차남이었다. 간 보는 것처럼 깔짝이는 자카리족을 끝까지 뒤쫓지는 말라고 해두었으니 분명…….

"위베르."

그때 헬레나미아가 위베르를 붙들었다. 가늘게 뜬 헬레나미아의 눈에 초원을 넘어오는 말 한 마리가 보였다.

"아래로 내려가 봐야겠구나. 정찰병 말이, 분명 수가 적다 하지 않았더냐?"

헬레나미아의 음성이 불안하게 떨렸다. 기수가 없는 말이 홀로 돌아오고 있었다. 이건 그리 좋지 못한 징조였다. 위베르가 여리게 흔들리는 헬레나미아를 부축했다. 그의 시선도 기네비어의 요새로 가까워지는 말을 좇고 있었다. 길리어스가 초원으로 나간 지 그리 오래되지 않았다. 이렇게 빠른 시간 내에 패했다고? 그랬다면 정찰병이 틀렸다는 말이 된다.

"어머니. 매복이 있었던 걸까요?"

"장애물 하나 없는 초원에서 그게 가능……."

"마법사입니다. 자카리족에 마법사가……."

위베르의 몸이 분노로 떨렸다. 자카리족의 마법사는 마녀라 불리는 정령술사들하고는 조금 다른 면모가 있었다. 자카리족의 마법사들은 제물을 매개로 하여 주술을 행하는 자들이었다. 동물의 피로 그린 마법진을 통해서.

하지만, 지난 100년 동안 명맥이 끊겼다 알려져 있었다. 마법사는 태어나지 않았고 체내에 마력을 가지지 못한 이들은 마법사가 될 수 없었다. 자카리족이 쇠락한 것도 마법사가 사라진 것과 깊은 연관이 있었다. 그래서 항상 자카리족의 동태에 귀를 기울이고 마법사의 탄생을 대비해야 했다.

한데, 방심한 사이에 허를 찔렸다.

힐라리아도 미래에서 마법사에 대한 건 읽어내지 못했는데.

"자카리가 가장 큰 패를 끝까지 숨기고 있었구나."

헬레나미아가 휘청이며 허망하게 웅얼거렸다. 아래에서는 소란이 일었다. 말이 자카리족의 전언을 가지고 온 것이 분명했다. 길리어스의 자신감에 가득 찼던 얼굴이 어른거렸다.

"길리어스……."

헬레나미아의 신형이 무너졌다.

***

오스발트 백색성.

"왕이시여! 왕이시여! 어디 계신답니까!"

하필이면 현왕은 한눈만 팔면 휙 하고 사라져 버린다. 시종이 회랑을 내달리며 목청껏 왕을 불렀다.

"나 찾나?"

"아아아악!"

언제 나타났는지 회랑에 드리워진 나무에서 뚝 떨어진 왕이 장난스럽게 웃으며 그를 보고 있었다. 항상 이 질 나쁜 숨바꼭질의 피해자는 술래 쪽이었다. 시종이 악 소리를 내며 뒤로 넘어지고 나서야 왕이 그 앞에 나섰다.

"여기 있네만. 뭘 그리 찾는가. 짐이 이 성에서 어딜 간다고."

"어딜 자꾸 사라지시니 이러는 거 아니겠습니까!"

이, 이 낮도깨비 같은 인간아!

"용건은?"

"아. 기다리시던 연락이 왔습니다. 윈프리드에서 온 연락이에요."

윈프리드라. 오스발트의 젊은 왕, 곤드레스가 활짝 웃었다. 숨죽이고 거북이처럼 웅크리고 있던 시간은 이제 끝이다. 사리프와 에르킨, 오스발트의 연합이 성립되었다. 게다가 윈프리드의 황태후까지 손을 얻었다.

"얼른 가지. 그런 귀한 손님이 오실 줄 알았으면 얌전히 기다리고 있었을 것을!"

즉위한 지 고작 1년도 되지 않은 왕의 호탕한 말에 머리를 짚는 건 시종뿐이었다. 시종이 어처구니없다는 듯 왕의 뒤통수를 보다가 빠르게 그를 쫓았다. 주기적으로 오스발트로 흘러드는 고틀리프의 무기들보다 곤드레스가 더 기다렸던 것은 황태후의 연락이었다. 그녀는 불규칙한 주기로 윈프리드 황성의 동태를 전해주었는데 곤드레스는 그동안 그것을 토대로 전쟁 시기를 가늠해왔다.

"오랜만에 뵙습니다, 곤드레스 전하."

고개를 조아리는 익숙한 남자의 모습에 곤드레스가 환히 웃었다. 윈프리드와 오스발트 사이의 연락책 역할을 하던 비둘기였다.

"오랜만이오. 그래, 황태후께서 보내신 전언은?"

증거를 남기지 않기 위해 그 어떤 문서적인 자료도 남기지 않는다. 오직 비둘기의 전언이 전부였다. 이번 전쟁은 윈프리드를 반 토막 내서 사리프, 에르킨, 오스발트가 나눠 먹고 나머지 반을 황태후가 가지는 결론이 정해진 게임이었다.

"전쟁 시일을 앞당기시라는 전언입니다. 윈프리드 황제에게 요즈음 약점이 생겼으니 그를 이용하는 것이 합당하다고 하십니다."

"약점? 그 철옹성 같은 남자에게?"

"예. 새로 들어온 힐라리아 황비에게 푹 빠져 그리 귀히 여긴다고 하니 쓸 만한 패가 될 것입니다."

"호오. 그런 남자도 사랑을 하는가?"

곤드레스가 낄낄 웃었다.

"어떤 여자지?"

"붉은 머리에 푸른 눈을 가졌으니 어디서든 눈에 띌 것입니다. 기네비어 공국의 공주로 나서 건방질 정도로 도도한 성품이 특징이지요."

곤드레스가 스툴에 걸터앉았다. 상상만으로는 머릿속에 그려지지 않는다. 에벤에셀 윈프리드 같은 남자의 마음을 사로잡은 여자가 궁금한데……. 곤드레스가 눈을 가늘게 뜨곤 침음을 흘렸다.

"사절단을 꾸려 귀한 분을 모시러 가야겠군. 힐라리아라."

"사…… 절단이요?"

시종이 불길하다는 듯이 물었다.

"그래, 사절단. 삼국 회의를 소집해야겠구나. 각국의 왕들에게 연통을 넣어라. 그리고 프리스턴에 보낼 뇌물은 준비되었느냐?"

"예에……. 그런데 사절단에 혹시 왕께서도 가십니까?"

곤드레스가 대답 없이 씨익 웃었다.

물어 뭐해. 내 팔자야.

***

"힐라리아."

시벨로프에서 돌아온 힐라리아를 마중 나온 것은 편한 복장을 한 에벤에셀이었다. 멈춰 선 마차에서 직접 힐라리아를 에스코트해 내리는 것을 도운 에벤에셀이 그녀의 허리를 끌어안았다.

"여기까지 웬일이십니까?"

"재밌는 소문이 돌고 있다기에. 짐의 유일한 약점이 그대가 되었다고 하더군요. 온 사교계가 그렇게 떠들어대고 있어요. 짐은 기대에 부응해주는 걸 좋아하는 사람이라."

힐라리아가 냉큼 허리를 숙여 그녀에게 얼굴을 들이미는 에벤에셀을 보며 웃음을 터뜨렸다. 이런 귀여운 기회주의자 같으니라고.

"그럼 좀 더 소문에 부채질해줘야겠군요."

힐라리아가 에벤에셀의 볼에 손을 얹었다. 나긋하게 볼을 쓸어내리는 손길이 감질날 정도로 농밀했다. 힐라리아가 타인의 시선은 신경 쓰지 않는다는 듯이, 달콤하게 속삭였다.

"키스해주세요. 다른 이들이 다 볼 수 있게 여기서."

독보적이고 대담하다. 힐라리아의 늪은 빠져나올 수 없을 정도로 아득했다. 그 속으로 기꺼이 몸을 던져 넣으며 에벤에셀이 얇은 표피를 밀어붙였다. 가만히 누르고 있으니 더운 숨결이 밀려왔다. 가볍게 마신 달콤한 과일주의 향내가 에벤에셀에게까지 전해졌다.

힐라리아가 눈가를 곱게 접으며 입술을 벌렸다. 입맞춤을 종용하는 사랑스러운 몸짓에 에벤에셀이 기꺼이 응했다. 깊어진 입맞춤이 무엇으로 이어질지는 두 사람 모두 아는 사실이었다. 힐라리아가 숨을 헐떡이며 고개를 떼어냈다. 힐라리아가 에벤에셀의 목에 손을 두른 채로 나긋하게 속삭였다.

"에벤에셀. 내가 죽어도 모두 당신 책임이라고 했었지. 어떤 순간에서도 나를 지키라고."

"……."

두 청안이 맞부딪혔다. 채도가 다른 두 눈 사이에서 파도가 물결을 그리 듯 일렁이는 눈빛이 오갔다.

"기꺼이 인질이 되어주겠어. 적의 아가리에 횃불을 들고 뛰어드는 집시 여자도 되어줄 수 있어. 벌거벗고 춤을 추며 적장들을 유혹해 머리를 베어 줄 수도 있지. 나는 뭐든 할 수 있는 사람이니까. 다만."

힐라리아가 손등으로 에벤에셀의 볼을 슬슬 쓸었다. 등빛에 그림자 진 에 벤에셀의 굴곡진 얼굴을 천천히 훑어보았다. 힐라리아가 자신도 모르게 믿 어버린 사람이었다. 어느새 동반자가 되어 힐라리아의 손을 굳게 잡고 옆에 서 있는 사람이기도 했다. 그녀가 인정한 사람.

힐라리아가 나긋하게 속삭였다.

"약속해, 에벤에셀. 이 길의 끝에는 반드시 윈프리드가 있을 거라고. 기네 비어와 윈프리드 모두 무사히 이 풍파를 이겨낼 거라고. 나는 반쪽이 난 나 라 따위는 바라지 않아. 온전한 윈프리드를 사랑해. 나는 윈프리드에서 나 고 자란 것들을 귀히 여기고 있어. 풀 한 포기 상하게 하고 싶지 않아."

"힐……."

에벤에셀이 힐라리아의 이름을 불렀다. 불길한 무엇이 스멀스멀 발목을 타고 오르는 것 같았다. 품에 있는 힐라리아가 아득해 보였다. 저 멀리 어딘 가에 있는 것처럼.

"윈프리드와 기네비어는 승리자여야 해. 내가 말을 달려 북부의 끝까지 갈 수 있게 해줘."

북부의 끝. 사리프 너머를 뜻하는 말이었다.

에벤에셀이 힐라리아를 바짝 끌어당겼다.

"힐라리아."

에벤에셀이 다시 힘을 주어 그녀의 이름을 불렀다. 금세라도 흩어질 먼지처럼 미약해 보였다. 에벤에셀이 힐라리아의 입술을 다급하게 집어삼키려 할 때였다. 힐라리아가 입술을 열었다. 결국 그의 불안감이 실체화되어 밖으로 나왔다.

"그대는 변하지 마, 에벤에셀. 만약 나와 윈프리드 중에서 선택해야 할 날이 온다면 망설이지 마. 나는 강해. 나를 지킬 줄 아는 사람이지. 그러니 이 제국을 택해."

힐라리아가 잔인하게 말을 이었다.

"그래서 당신을 택한 거야, 에벤에셀. 당신은 그렇게 해줄 수 있는 사람 같았거든."

심장이 턱하고 내려앉는 기분이다. 선택이 아닌 강요를 종용하는 힐라리아의 하얗고 작은 얼굴에 어두운 그림자가 내려앉아 있었다. 에벤에셀이 힐라리아를 멀거니 응시했다. 그렇게 해줄 수 있는 사람. 힐라리아는 에벤에셀의 사랑을 믿는구나. 내가 당신을 잃고도 살 수 있다고 아직도 믿고 있구나.

"힐, 너는……."

에벤에셀의 얼굴이 안타깝게 일그러졌다. 당장이라도 눈물이 배어나올 것처럼 아픈 얼굴이었다. 힐라리아가 찌푸려진 눈썹을 쓰다듬었다.

"쉬이. 상처받지 마. 에벤에셀, 당신은 내가 이런 사람이란 걸 알고도 사랑했잖아."

에벤에셀이 허탈한 숨을 터뜨렸다. 그렇게 말하면서 왜……. 왜 울 것 같은 얼굴을 하는 거야, 힐라리아. 에벤에셀이 물음 대신 힐라리아의 입술을 삼켰다. 뜨끈한 체온이 전해지고 있음에도 불구하고 얼음을 베어 물고 있는 것만 같다. 그건 힐라리아도 마찬가지였다.

어느새, 정말 어느새. 에벤에셀은 힐라리아 안에서 부피를 키워버렸다. 스스로가 한 말에 힐라리아 또한 상처받아버리고 말았다. 에벤에셀이 제국이 아닌 힐라리아를 택해주길 바라게 된 것이다. 그러면 안 되는데. 힐라리아가 에벤에셀을 끌어당겼다.

황성 앞을 지키고 서 있던 사람들은 등을 돌린 채 그들을 모른 척해주었다. 그들은 그들이 그저 사랑놀음을 하고 있다 여길지도 몰랐다. 하지만 전쟁은 피할 수 없는 미래였고 지킬 것이 있기에 두 사람은 필사적이었다.

힐라리아가 아니면 견디지 못했을, 에벤에셀이 아니었다면 나아갈 생각도 하지 못했을 지금. 등 뒤에 절벽을 두고, 앞에 가시밭길을 두어도 그들은 계속 걸어갈 터였다. 끝끝내 그것이 서로를 상처 입히게 될지라도.

***

힐라리아가 옅은 웃음을 터뜨렸다. 가슴 아픈 말들만 하던 입술이 언제 그랬냐는 듯 예쁘게도 웃는다. 에벤에셀이 홀린듯이 힐라리아를 보며 그녀의 붉은 입술 사이로 포도 한 알을 밀어 넣었다. 톡하고 달콤한 과육의 향기가 퍼졌다.

"맛있어?"

"응. 아주. 더 줘."

에벤에셀은 기꺼이 아기 새처럼 입술을 벌리는 힐라리아의 입에 과즙이 잔뜩 묻은 손으로 포도를 넣어주었다. 그의 손뿐만 아니라, 에벤에셀의 무릎을 베고 누운 힐라리아의 벗은 몸 위로 덮어진 이불에도 과즙이 튀어 엉망이었다. 바지만 장골에 간신히 걸쳐 입은 에벤에셀이 이번엔 다른 과일을 들었다. 루비처럼 붉은 사과였다. 에벤에셀이 칼을 이용하는 대신 한 입 베어 물고는 반으로 쪼갰다. 그리고 그것을 힐라리아의 손에 들려주었다.

오로지 둘 만의 시간이었다.

아무도 침범할 수 없는 힐라리아의 침실에서 나누는 밀어들은 그들의 마음에 차곡차곡 쌓이고 있었다. 무르익어 가는 계절, 밤, 새벽만큼이나 그들의 감정도 무르익어 가고 있었다. 누구도 사랑을 말하지 않아도 충분했다.

"라리나가 그대의 총애를 받았다던데. 그게 진실이야?"

"총애……? 누가 그렇게 표현해?"

"사람들이 그러더군. 하렘을 건설한 이 시대의 여왕, 힐라리아 황비. 그녀의 하렘에 새로운 사람이 들어왔다고."

힐라리아가 고개를 들었다가 도로 누웠다. 깔깔깔 웃으며 에벤에셀의 다리 위를 뒹굴었다. 에벤에셀이 허리를 숙여 아까부터 시선을 끌고 있었던 입술에 가볍게 키스하고는 도로 떨어져 나갔다. 힐라리아의 손에서 남은 사과를 받아들고는 껍질을 벗긴 복숭아를 들려주었다. 단 과즙이 힐라리아의 흰 손목을 타고 흘러내렸다. 손목을 쥐고 그것을 받아 마신 에벤에셀이 나지막이 웃었다.

"좋아 보이는군."

"응. 왕이 된 것 같잖아. 하렘이라. 음……. 인심 썼다. 하렘의 대장은 당신 시켜줄게. 항상 내 침대에 오를 수 있는 그런 권한을 주는 거야."

힐라리아가 복숭아를 오물오물 씹었다. 고틀리프를 넘어 그 아래에 있는 나라에 하렘이라는 게 있다는 건 전해 들었다. 그런데 그걸 이렇게 듣게 될 줄이야. 어감이 나쁘지 않았다. 주인이 힐라리아니까……. 힐라리아가 배가 통통해질 때까지 과육을 받아먹고는 이불로 몸을 감싼 채로 벌떡 일어나 도도하게 섰다. 힐라리아가 에벤에셀에게 가까이 다가가서 속삭였다.

"자, 나의 귀여운 사내야. 재롱을 부려보렴. 어여뻬 여겨 상을 줄지도 모르잖니?"

이렇게 하는 게 맞나? 힐라리아가 그럴싸한 대사를 뱉으며 우아하게 고개를 들어 올렸다. 장난기가 가득한 눈빛에 에벤에셀도 동조하기로 마음먹었다. 손에 묻은 과즙을 이불에 닦아내고는 몸을 일으켜 무릎을 꿇었다. 그대로 힐라리아의 손등에 입술을 맞췄다. 경배하는 것처럼 고개를 숙여 힐라리아의 팔꿈치에도 키스했다. 고개를 들어 올리곤 나른한 눈빛을 내 보이며 에벤에셀이 유혹하듯 매혹적으로 미소 지었다. 가름하게 휘어지는 눈에서 찐득한 꿀이라도 흐를 것 같았다.

"이제 상을 주시렵니까?"

에벤에셀의 검은 머리카락을 힐라리아가 쓰다듬었다. 허리를 숙여 에벤에셀의 이마에 쪽쪽, 키스한 힐라리아가 그의 볼을 쓸었다.

"이것으론 부족하단다."

그러자 에벤에셀이 무릎걸음으로 힐라리아에게 다가섰다. 이불을 벌리고 힐라리아의 무릎에 길게 키스한 에벤에셀이 점점 고개를 내렸다. 황제의 신분으로 힐라리아의 장단에 맞춰주기 위해 이렇게까지 하면서도 조금의 거부감도 들지 않았다. 그저 힐라리아가 다시 아까처럼 달게 웃었으면 좋겠다.

에벤에셀이 힐라리아의 발등에 키스했다. 발을 덥게 데우는 숨결에 힐라리아가 눈을 동그랗게 떴다. 이렇게까지 해달라는 의미는 아니었는데…….하지만, 피하려는 힐라리아의 발목을 에벤에셀이 부드럽게 붙들었다.

"쉬이……."

힐라리아는 에벤에셀이 진심이라는 걸 알아차렸다. 에벤에셀은 온몸으로 외치고 있었다. 나는, 당신을, 사랑하고, 있노라고. 더운 기운이 힐라리아를 뒤덮었다. 힐라리아가 숨을 내쉬기 위해 입술을 벌렸다. 바르르 떨리는 숨을 토해내며 힐라리아가 눈을 깜빡였다.

'바보 같은 사람.'

발가락에 정성스레 입을 맞춘 에벤에셀이 고개를 들어 올렸다. 그의 턱이 이불로 감춰진 힐라리아의 아랫배에 닿았다. 힐라리아가 환히 웃는 얼굴로 에벤에셀의 볼을 쓰다듬었다.

"이렇게까지 할 수 있는 사람은 저밖에 없을 겁니다. 이 발등에 닿을 수 있는 건 제 입술뿐이어야 하니까요. 주인이시여, 상을 주실 마음이 드셨나요?"

"귀여운 것. 어떤 상을 바라느냐? 이 제국을 내어주랴, 내 자리를 내어주랴. 원하는 무엇이든 해줄 것이다. 네게 빠져 나라를 말아먹는다 해도 좋다."

꿈에서나 할 수 있는 그런 말들을 속삭이며 힐라리아가 에벤에셀에게로 몸을 천천히 무너뜨렸다. 힐라리아가 손을 뻗어 에벤에셀을 끌어안았다. 발등에 남은 숨의 낙인은 영원히 지워지지 않을 것 같았다. 에벤에셀이 힐라리아를 마주 안았다. 그녀의 뒤통수를 꾹 누른 채로 입술을 열었다.

"그런 것들은 다 필요 없습니다. 저는 당신만 있으면 됩니다. 이 새벽을 제게 주시지요. 제가 당신의 곁에서 매일 잠들 수 있는 행복을 주십시오. 이젠 당신이 없으면 불안해 잠들 수 없을 지경입니다. ……저를 구원하세요."

느릿하게 이어지는 말들 또한 에벤에셀의 진심이었다. 힐라리아가 대답 대신 에벤에셀을 꼭 부둥켜안았다.

나 또한 그래. 당신이 없는 윈프리드는 상상하기 싫어.

하지만, 나는 이기적인 사람이니까.

'……둘 중 하나가 남아야 한다면 그건 당신이 되어줘.'

못 다한 말들이 공중으로 흩어졌다.

***

길리어스는 돌아오지 못했다. 항상 활기가 넘쳤던 기네비어가 비탄에 잠기는 건 금방이었다. 헬레나미아의 어둑한 시선이 회의실을 맴돌고 있었다. 기네비어 공국의 가신 가문들의 대표로 참석한 자들은 모두 입을 꾹 다문 채 헬레나미아와 공왕의 말을 기다리고 있었다.

호전적인 기네비어의 사람들은 당장 자카리로 쳐들어가 길리어스 왕자를 비롯한 억류된 자들을 구해내야 한다고 말했지만, 그것을 헬레나미아와 공왕 앞에서 꺼내진 않았다. 기네비어의 가신들은 항상 냉철하고 현명한 헬레나미아와 공왕의 판단을 믿었다. 특히 헬레나미아라면 이 순간을 타개할 적절한 방법을 강구해줄 것이다. 위베르가 헬레나미아를 재촉하기 위해 헛기침을 했다.

"……힐라리아를 기다려야 해. 우리끼리 움직일 순 없다. 위베르, 너는 예정대로 황성으로 가도록 해. 기사의 절반을 데리고. 기네비어에는 여자들도 있다. 싸울 수 있는 자들이 많다는 소리야."

"하지만, 어머니! 자카리족에 마법사가 있다는 게 확인되었어요. 그 많은 군사들을 감출 정도의 마법진을 설치할 능력이라면 기네비어 전부가 맞서도 모자란다구요!"

위베르가 반발했다. 가신들이 그의 말에 하나, 둘씩 동조했다.

"맞습니다, 헬레나미아! 마법사는 만만한 존재가 아니에요!"

"그렇습니다. 황실에 기사를 보내는 것보다는 우리를 지켜야 합니다. 기네비어가 자카리족을 막을 최전선이에요! 자카리족에게 기네비어가 뚫리면 그다음은 어디라고 생각하세요? 그 잘난 황성이에요! 그들도 우리를 비난하지 못할 거예요!"

그들의 말을 잠시간 들어주던 헬레나미아가 손을 들어 올렸다.

그녀의 손짓 하나에 홀 내부가 침묵에 잠겨 들었다.

"물론, 그 말이 틀리다는 것은 아니오. 하지만, 수가 아무리 많다고 한들 마법사는 당해낼 수 없소. 정령술사들과는 완전히 상극이니까. 그들은 우리에게 가장 위험한 적이 될 것이며 어쩌면 우리가 패배할 수도 있소. 그럼에도 기네비어의 기사들은 황성에 가야하오."

"어머니!"

"우리를 구해줄 수 있는 이가 황성에 있소. 마법사를 이길 수 있는 건 더 큰 마력을 가진 자뿐이지. 황성에 답이 있으니, 우리의 기사들은 그곳으로 가야하오."

"그게 누구지요? 아, 힐라리아가 오는 건가요? 힐라리아라면 방법이 있을지도 모르지요. 그 애는……."

"그 애에겐 더 이상 무엇도 기대해선 안 된다, 위베르! 많은 걸 감수하고 그만큼 많은 것을 잃었지. 그 애는 예전과는 달라! 그 애도 이번엔 보호받아야 해."

위베르가 길게 숨을 내쉬었다. 힐라리아는 목숨을 걸고 비밀의 방에 들어갔다 나온 덕에 힘을 많이 소진했다. 위베르가 바로 잘못을 시인했다.

"맞아요. 제가 괜한 소리를 했어요. 그냥, 마력이라고 하니 생각나는 게 그 애밖에 없었을 뿐이에요. 정말로요."

"안다, 얘야."

헬레나미아가 고개를 끄덕이고는 홀을 둘러보았다. 모인 이들은 불안하고 공포에 질린 얼굴로 헬레나미아만을 바라보고 있었다. 이제 헬레나미아는 그들을 위해 지도자로서 결단을 내려야 할 때였다.

"기사들을 보내고 황실에 도움을 요청할 거요. 분명, 그들 중에 우리를 도와줄 수 있는 자가 있소. 내가 아는 한 말이오. 내가 언젠가 그들을 도왔듯이, 이번엔 그들이 우릴 도울 차례요."

헬레나미아의 말에 한결 불안이 해소되는 듯 보였다. 헬레나미아가 그들을 바라보며 기네비어를 도울 수 있는 누군가의 이름을 떠올렸다.

'에벤에셀 윈프리드……'

윈프리드의 황제, 에벤에셀이 그 답이었다.

***

물론 은밀한 회동은 기네비어에서만 일어나는 건 아니었다.

"네이선."

황태후가 네이선 황자를 불렀다. 황태후의 티파티에 초대받은 건 물론, 네이선뿐만이 아니었다. 그녀가 갑작스럽고 비밀스럽게 연 티파티 내에는 네이선 황자를 위한 사람들이 모여 있었다. 그리고 그중에는 베아트리체 제너시스 후작 영애도 속해 있었다. 베아트리체가 한숨을 푹 내쉬었다.

[이럴 거면 너도 따라오던가!]

베아트리체 주변을 맴돌며 자꾸만 귀찮게 하는 정령을 향해 베아트리체가 속으로 비명을 내질렀다. 물론 그녀의 비명은 힐라리아에게 전부 전달되었을 것이다.

[내가 어떻게 가. 나는 약혼자가 없는걸.]

[대신 남편은 있잖아!]

베아트리체가 신경질적으로 받아치자 힐라리아가 키득대는 게 이 멀리서도 느껴졌다.

[역시 유머 감각 안 죽었다니까.]

베아트리체와 네이선 황자의 약혼이 발표된 건 그리 오래되지 않았다. 일주일쯤 되었나. 표면적으로 제너시스 후작가와 시벨로프, 황태후가 손을 잡은 것이다. 오늘 이 자리에 아직 자신들의 편이라 확신하지도 않은 베아트리체를 끌어들인 데는 이유가 있는 법이다. 그들은 베아트리체가 힐라리아의 지시로 차지한 방직물을 탐내고 있었다. 이번 약혼을 빌미로 홀라당 내놓으라고 종용할 게 분명했다.

베아트리체가 한숨을 흘리며 샴페인을 홀짝였다. 이런 정글 속으로 베아트리체를 밀어 넣은 힐라리아가 원망스럽다. 베아트리체가 입술을 삐쭉였다. 그녀가 있는 쪽으로 다가오는 라리나와 반에이크가 보였다. 여전히 사랑스럽고 천진한 라리나가 베아트리체를 와락 끌어안았다.

"오랜만이에요, 베아트리체! 여기서 당신을 보다니. 정말 심심해 죽는 줄 알았다구요. 언니는 뭘 이렇게 재미없는 파티만 연담."

라리나가 장난스럽게 베아트리체의 귀에 속삭였다.

[힐, 너는 정말 이 꽃밭 같은 여자애가 마음에 든다고?]

[물론이지. 착하고 사랑스럽잖아? 다음 주에 있을 우리 티파티에 오겠느냐고 물어봐.]

[황태후가 잘도 보내주겠다. 힐, 착각하고 있는 것 같은데 쟤는 황태후의 사랑스러운 동생이라니까?]

[의상실에 왔었다며. 시작이 반이라는 말이 있잖아? 잘 부탁해, 베베.]

오, 이런 뻔뻔하고 귀여운 친구 같으니라고. 베아트리체가 극적으로 생각하며 라리나를 어색하게 마주 안았다. 라리나가 까르르 웃음을 터뜨렸다.

"오늘 베아트리체가 맞춰준 드레스는 정말 아름다운 것 같아요. 오늘 티파티에 온 이들 중 내가 제일 돋보일 거야."

"마음에 든다니 나도 기쁘네요. 진심으로요."

베아트리체가 방긋 웃었다. 그 모습에 정령이 깔깔깔 웃어댔다. 망할 힐라리아. 베아트리체는 속으로 욕을 한번 곱씹고는 반에이크를 돌아봤다.

"반에이크 공, 여기서 보니 반갑군요. 그래도 아는 사람이 있어서 다행이에요."

"그렇군요, 베아트리체 영애. 여기서 보게 될 줄이야."

반에이크와 베아트리체가 서로를 보며 작위적인 미소를 지었다.

베아트리체가 라리나의 팔을 부드럽게 잡았다.

"요새 많이 바쁜 거 알아요. 초대도 많이 받았다고 하던데."

"나를 찾아주시는 분들이 많아 감사할 뿐이에요. 나는 외톨이가 될까 봐 걱정했거든요."

"반에이크 공이 있는데 무슨 걱정이에요."

"반에이크 공이요? 유머러스하긴 하지만, 순진하고 딱딱하잖아요."

라리나가 작게 속삭였다. 그렇다고 해서 라리나의 취향이 아닌 반에이크에게 안 들린 건 아니었지만. 반에이크가 곤란한 표정으로 얼굴을 쓸어내렸다. 이렇게 하루에 한 번씩 반에이크를 얼음과 불에 담금질하는 라리나 때문에 살 수가 없었다. 그 모습을 한심하게 보던 베아트리체의 귓가로 다시 목소리가 스며들었다.

[반에이크 공이 매우 곤란해하는군요.]

[라리나 영애가 반에이크 공을 들었다 놨다 하고 있어. 베베. 그 자리에 나도 있어야 하는데. 에벤에셀도 꽤 즐거워 보여.]

들려선 안 되는 묵직한 저음이 엎어진 것만 같았다.

[그 자리에 혹시……?]

[물론이지. 이제 난 에벤에셀과 한 몸이 된 것과 다름없는걸.]

[한 몸……. 아, 세상 말세다. 이 광대의 놀음을 잘 즐기도록 해.]

베아트리체가 아무도 몰래 혀를 찼다.

힐라리아와 에벤에셀의 다정한 웃음소리가 귓가에 울리는 듯했다. 한 쌍의 바퀴벌레 같으니. 요새 대체 무슨 생각인지 일 초도 쉬지 않고 붙어 살았다. 언제부터 그렇게 세기의 사랑을 했다고.

"반에이크 공이 순진하다니. 물론 그러실 수도 있지요. 흠. 라리나, 제가 알기로 라리나가 힐라리아 황비 마마와 친해지고 싶다고 했다던데."

"맞아요. 세상에 그렇게 아름다운 여성은 처음 봐요. 게다가 멋있기까지 하죠. 그렇게 당당한 여성은 우리 언니 빼곤 처음 봐요. 나도 그렇게 될 수 있으면 좋을 텐데. 두 사람이 친하게 지내면 얼마나 좋을까요?"

베아트리체가 라리나를 붙든 손을 좀 더 잡아당겼다. 다른 이들이 보기엔 친해진 영애들이 비밀 이야기를 하며 교분을 나누는 것으로 보이겠지만, 그렇지 않았다. 베아트리체가 라리나의 귀에 속삭였다.

"황태후 마마와 힐라리아 황비 마마가 친해질 수 없는 데는 이유가 있어요. 그게 궁금하지 않나요?"

"알게 되면 해결할 수 있을까요?"

"글쎄요. 그건 라리나가 티파티 와서 들어보면 알겠지요? 힐라리아 황비 마마께서 라리나 영애가 오길 고대하고 있답니다."

베아트리체가 힐라리아가 제안한 대로 위험한 초대를 건넸다.

***

힐라리아가 작게 웃음을 터뜨렸다.

"베아트리체가 제대로 일을 진행해준 모양이군요."

"라리나 영애를 끌어들이려고 해요?"

"귀여운 사람이더라구요."

힐라리아가 체스말을 옮겼다. 에벤에셀과 힐라리아는 편한 슬립과 셔츠 차림으로 침대에 되는 대로 앉아 체스를 두는 중이었다. 하지만 손은 움직이더라도, 힐라리아와 에벤에셀은 여전히 황태후의 티파티에서 일어나는 일에 귀를 기울이는 중이었다. 지금 막 황태후가 베아트리체를 프라이빗 룸으로 초대한 참이었다. 분명 사업과 자금 이야기가 오갈 게 뻔했다.

[이렇게 보니 반갑군요, 베아트리체 영애.]

[저도 그렇습니다, 황태후 마마.]

가증스럽기는. 베아트리체가 입술을 떠는 게 여기서도 느껴지는 듯했다.

[오늘 이리 부른 건 긴히 할 이야기가 있어서예요. 물론 여러 가지가 있죠.]

황태후의 목소리가 나지막하게 깔리며 은밀해졌다.

[나는 베아트리체 영애가 라리나와 친하게 지내는 게 매우 좋아요. 아주 좋죠. 우리 라리나가 순진해서 아무것도 모르니 베아트리체 영애처럼 우아한 사람이 곁에 있어주면 많이 보고 배우겠지요?]

[저를 좋게 봐주시니 더할 나위 없는 영광입니다, 황태후 마마.]

힐라리아가 시선을 체스판에 둔 채로 길게 뻗은 다리를 이용해 에벤에셀의 다리를 쓸었다. 그녀의 눈동자에 담긴 장난기에 에벤에셀이 한숨을 푹 내쉬었다.

"지금 저 이야기를 듣기 위해서라도 아무것도 안 할 거면서. 힐, 이러는 건 반칙이에요."

에벤에셀이 다정한 척 속삭이며 짓궂게 힐라리아의 발목을 깨물었다.

"반칙이라도 당신은 나를 사랑하잖아요."

"그걸 무기로 써먹는군요."

"무기로 써먹으라고 내게 쥐여준 거 아니었나요? 나는 당신의 사랑이 얼마든지 내 무기가 될 거라고 확신하고 있는데. 그러면 안 되나요?"

"내가 위험한 발언을 했군."

에벤에셀이 이를 악물곤 힐라리아의 발등을 잘근잘근 씹었다. 달큼한 향내가 물씬 풍겨왔다. 지금 이 순간만큼은 황태후와 베아트리체에 대해서 전부 잊혀졌다. 물론 그렇다고, 주변을 맴돌며 황태후의 티파티를 샅샅이 전해주는 정령이 사라지는 건 아니었다.

정령은 베아트리체와 황태후의 대화를 전해주고 있었다. 예상대로 황태후는 베아트리체와 제너시스 후작가가 벌이고 있는 일들을 그대로 삼키려 모든 노력을 하고 있었다.

[베아트리체 영애, 제가 재밌는 이야기를 전해 들었죠. 제너시스 후작가에서 사업을 벌이려 한다더군요.]

[네. 제가 힐라리아와 친구인 건 아시지요? 그 애와 하던 작은 사업이 잘 될 것 같아서 영역을 넓혔죠. 방직물까지 끼고 사업을 크게 키워볼 생각이에요, 황태후 마마.]

[좋은 생각이에요. 그래서 그 좋은 사업을 내가 함께 하면 어떨까 해서요. 힐라리아 황비는 기네비어의 공주죠. 자금도 신분도 다 기네비어에 있으니 나보다 도움이 되진 않을 거예요. 중앙 귀족과 쫓겨난 지방의 왕족은 다르죠. 그게 아무리 왕족과 귀족이라고 하더라도요.]

어느새 힐라리아와 에벤에셀의 거리는 한 뼘으로 가까워져 있었다.

에벤에셀이 힐라리아를 바짝 잡아당겼다.

"황태후가 뭘 모르는군요."

"무슨 소리예요, 에벤에셀?"

"당신의 뒤엔 내가 있는데. 그 무엇보다 큰 권력과 힘, 재력이 당신과 함께하고 있죠. 확실히 황태후가 쥐고 있는 것들보다 훨씬 나은 것들이지요."

촤르르륵- 힐라리아와 에벤에셀 사이에 놓여 있던 체스판의 말들이 쓰러져 바닥으로 쓸려나갔다. 두 사람 사이에 방해물은 더 이상 남지 않았다.

힐라리아가 에벤에셀의 위로 올라탔다.

"내 뒤에 당신이 있다 하더니. 지금은 당신이 내 아래에 있네요, 에벤에셀."

힐라리아가 부드럽게 미소 지었다.

[그래서요?]

[내가 힐라리아 대신에 그 사업을 도우면 어떨까 하는데.]

[힐라리아 대신에, 라고 하셨나요? 음……. 조금 흥미가 생기는 것 같아요. 사실 힐라리아는 너무 독보적이잖아요. 제가 옆에 있으면…… 흩어지는 것 같달까? 그래요, 그런 것 같아요.]

[베아트리체 영애가 말이 잘 통해서 다행이군요. 그래요. 힐라리아 황비가 약간 이기적인 면이 없잖아 있지요. 하지만, 내가 함께하면 굳이 그러지 않아도 돼요.]

힐라리아는 베아트리체가 그런 감정은 한 번도 느끼지 않았을 거라고 장담할 수 있었다. 베아트리체와 힐라리아는 피가 섞인 가족이고 싸우더라도 절대로 떨어질 수 없는 사이였다. 게다가 베아트리체는 충분히 자신을 사랑하는 멋진 사람이다. 굳이 힐라리아를 질투할 리가.

"베베, 연기마저 잘하기도 하지. 내 친구예요."

"많이 자랑스러운가요?"

힐라리아가 에벤에셀의 머리를 끌어안았다. 한 치의 틈도 없이 맞닿은 몸 사이로는 조금의 공기도 통하지 않았다. 그리고 딱 그만큼 힐라리아와 에벤에셀의 입술이 맞붙었다. 부드럽고 달콤한 숨결이 오갔다.

[베아트리체를 주인공으로 만들어줄게요. 우리 라리나는 아무것도 모르고 결국 사교계를 맡을 사람은 베아트리체뿐 아니겠어요? 게다가 네이선의 부인이 되고 나면 당연히……. 이 제국이 베아트리체의 것이 되겠지요.]

황태후의 말투가 좀 더 친근해졌다. 오늘 네이선은 사냥을 나가고 티파티에 참석하지 않았다고 들었다. 네이선은 여전히 방황하고 있나 보다. 힐라리아의 미소가 짙어졌다.

[마마의 제안, 잘 생각해볼게요. 긍정적인 방향으로요.]

잠시 후, 베아트리체가 황태후로부터 벗어났다. 나비는 베아트리체를 따라가지 않고 그 방에 잠시간 남아 있었다. 그리고…….

[저 계집에게 사람을 붙여. 무슨 짓을 할지 모르잖아?]

이런, 이런. 정말로 믿음이 넘치는 세계 아니던가.

***

"일어나요, 에벤에셀."

힐라리아가 에벤에셀의 어깨를 가볍게 흔들었다. 약속대로 침대를 내어 줬더니 이렇게 매일 아침 깨우게 만든다. 힐라리아가 뾰로통한 얼굴로 에벤에셀을 다시 한번 흔들었다.

"에벤!"

에벤에셀이 베개에 얼굴을 묻은 채로 눈을 깜빡이고는 부드럽게 미소 지었다. 가늘게 휘어지는 눈 사이로 반짝이는 푸르름이 따뜻하다. 에벤에셀이 불시에 힐라리아의 허리를 잡아당긴 덕에 힐라리아의 몸이 에벤에셀에게로 쏟아지듯 기울어졌다. 장막처럼 늘어진 힐라리아의 붉은 머리카락 사이로 햇살이 비쳐들었다.

"놀랐잖아요."

"그랬으면 이리 안겨보세요. 놀란 가슴을 달래드리려 하니."

힐라리아가 새초롬히 에벤에셀을 노려보다가 입술을 달싹였다.

"호색한."

"내가?"

에벤에셀이 재밌다는 듯이 웃었다.

"흥! 그럼 누구겠어?"

힐라리아가 에벤에셀을 가볍게 밀어내고는 몸을 일으켰다. 에벤에셀이 키득거리곤 힐라리아를 쫓아 움직였다. 뒤에서부터 힐라리아를 끌어안고는 그녀의 어깨에 쪼듯이 키스했다.

"그래서 싫습니까?"

"그렇담 어떡할 건데요?"

"다시 유혹해야지요."

에벤에셀이 힐라리아의 손을 끌어당겨 입을 맞췄다. 손바닥에 깊이 입술을 눌렀다 떼고는 예쁘게도 웃는다. 힐라리아가 넘어가지 않고는 못 배길 만큼. 그의 입술이 손등을 타고 다시 팔등을 지나려 할 때였다.

"저어……."

"무슨 일이지?"

에벤에셀이 나른한 목소리로 반문했다. 막 힐라리아를 침대 위로 밀어 넘어뜨리려던 참이었다. 눈치 없는 시녀장이 얼른 물러갔으면 좋겠다. 에벤에셀을 기대감 어린 눈으로 보고 있던 힐라리아도 문으로 시선을 던졌다.

"일리가 애타게 찾습니다, 마마. 긴급한 일이니 당장 뵈어야 한다고 하도 간청해서……."

난처한 듯한 첼로스테의 말에 힐라리아가 에벤에셀의 어깨를 가볍게 밀어냈다.

"가봐야겠습니다."

"그대가 필요한 건 저들뿐만 아니라 나도 마찬가지야, 힐."

나지막하게 속삭이며 에벤에셀이 힐라리아의 손바닥에 볼을 비비며 애교를 피웠다. 물론 그런다고 해서 힐라리아가 에벤에셀에게 넘어간 건 아니었다. 그의 이마에 입을 맞춘 힐라리아가 에벤에셀을 다시금 밀어냈다.

"쉬이. 금방 돌아올게요. 여기에서 기다리고 있어."

"그냥?"

"아니. 이건 벗고."

힐라리아가 농밀한 손길로 에벤에셀이 입은 가운을 만지작거렸다. 결국, 이번에도 힐라리아에게 두 손, 두 발 다 든 에벤에셀이 한숨을 내쉬곤 힐라리아를 일으켜주었다. 그녀를 따라 가운을 걸쳐 입으며 에벤에셀이 말했다.

"나도 따라갈 겁니다."

"음?"

힐라리아가 가운을 입으며 고개를 갸웃했다.

"다른 날은 몰라도 오늘만큼은 반드시 따라나서야겠군요."

"어째서?"

"벗고 기다리라고 말해줬으니까."

에벤에셀이 달콤하게 웃자 힐라리아가 그의 어깨를 밀어 다시 눕혔다.

"당신은 오늘 휴일일지 모르지만, 나는 이번 주말은 매우 바빠. 그러니 얌전히 굴어야지. 방해하면 혼내줄 거야."

힐라리아가 검지를 세워서는 까딱까딱 흔들고는 침실의 문을 열었다. 발을 동동 구르던 첼로스테와 케이티가 차례로 들어왔다. 에벤에셀의 시선이 힐라리아를 집요하게 쫓았다. 단 한 순간도 놓치기 싫은 것처럼.

***

힐라리아가 곧은 자세로 복도를 걸었다. 매번 걸었던 길인데…….

'이상해.'

힐라리아가 저도 모르게 에벤에셀을 두고 온 침실 쪽을 돌아보았다. 이건 불안한 기시감이었다. 방금 전까지만 해도 에벤에셀과 장난을 주고받고 함께 누워 있던 따뜻한 침실에서 차가운 현실로 내동댕이쳐진 기분이었다.

힐라리아가 다시 시선을 앞으로 고정시켰다. 몇 걸음 더 걷고 나서야 힐라리아는 이 불쾌감이 어디서부터 기인했는지 깨달았다.

'일리가 급하게 나를 찾아왔다고?'

그는 애초에 의지를 가진 자가 아니었다. 그는 헬레나미아의 힘으로 의지를 조종당하고 있는 처지였다. 언제고 자신의 영달을 위해 나라를 팔아먹을 작자이니 작금의 전쟁이 끝날 때까지는 기네비어에서 억류하기로 했다. 그런 일리가 직접 찾아오다니. 이건 일리를 억압하는 힘이 약해졌다거나 헬레나미아가 그녀를 찾는다는 뜻과 일맥상통했다.

힐라리아의 걸음이 점점 빨라졌다.

"마마!"

뒤쳐진 케이티와 첼로스테가 그녀를 불렀지만, 힐라리아는 거의 뛰어서 응접실에 도착했다. 정원에 있어야 할 일리가 방 안을 서성이며 힐라리아를 기다리고 있었다. 힐라리아의 창백한 얼굴을 발견한 일리의 주변에 새파란 기운이 일렁였다.

"……어머니."

힐라리아가 거친 손길로 문을 닫았다. 금빛 정령들이 너울거리며 방을 밀폐시켰고 힐라리아의 푸른 눈에 금빛이 서렸다. 힐라리아의 조치가 끝나기 무섭게 일리를 숙주 삼고 있던 푸른 나비가 날개를 움트며 빠져나왔다.

[힐라리아. 이렇게 건강한 모습을 보게 되어 기쁘구나.]

"……저도 보고 싶었어요, 어머니."

[할 이야기도 들을 이야기도 많지만, 힐. 지금은 그게 중한 게 아니구나.]

힐라리아가 푸른 나비 쪽으로 바짝 다가섰다. 나비의 날갯짓이 거세졌다.

[자카리족에 마법사가 태어났다. 그들은 길리어스를 납치해갔지. 그들이 길리어스를 빌미로 무엇을 요구할지는 보지 않아도 뻔해. 분명 윈프리드로 통하는 길목을 요구할 게야.]

"길리어스가……."

힐라리아의 뺨에 힘이 들어갔다.

[놀라지 않는구나.]

헬레나미아가 조금은 허탈하게 웅얼거렸다. 힐라리아는 마법사라는 말에도 조금도 동요하지 않고 있었다. 마법사. 분명 힐라리아가 미래를 보고 와서 전해준 이야기 속에서는 없었던 존재. 그럼에도 불구하고 힐라리아는 미리부터 알고 있었던 것처럼 침착하다.

힐라리아가 방 안을 서성였다. 신경이 팽팽하게 당겨진 것 같았다.

'길리어스가…….'

힐라리아는 마치 헬레나미아의 말을 듣지 못한 것처럼 굴었다. 그만큼 머릿속이 복잡했다. 그런 힐라리아를 헬레나미아가 나지막이 불렀다.

[힐. 힐라리아.]

"아……. 어머니."

[무슨 생각을 하고 있는진 모르겠으나, 혼자 짊어져선 안 돼. 홀로 해결할 수 있는 일이 아니다. 길리어스만의 문제가 아니라는 걸 알고 있지 않니. 마법사는 네가 상대할 수 없는 존재야, 하니…….]

"……마법사가 깨어난다는 걸 알고 있었어요. 기네비어를 멸망시킨 건 다름 아닌 그 마법사였죠. 기네비어의 피와 죽음이 땅을 적시고 나서도 마법사는 멈추지 않았어요. 기네비어의 피를 원동력 삼아 수백 가지의 마법진을 그렸었죠."

힐라리아가 의자에 앉았다. 여전히 허공에 정지해 있는 나비에서는 헬레나미아의 목소리가 흘러나오고 있었다.

[왜 말하지 않았지?]

"말한다고 해서 대비할 수 있는 존재가 아니니까요."

힐라리아가 어둡게 잠긴 목소리로 대답했다. 순수한 자연의 힘을 다루는 정령술사와 사악한 어둠의 힘을 다루는 마법사는 상극이었다. 그리고 헬레나미아의 힘이 약화된 현재로선 마법사를 상대할 정령술사는 존재하지 않았다. 자카리족에 마법사가 있다는 사실을 안다고 해서 많이 약해진 헬레나미아는 할 수 있는 일이 없었다. 차라리 모르는 쪽이 더 속 편할 거라고 생각했고 홀로 이 비밀을 알고 있는 것을 택했다. 혼자 해결할 요량으로.

한데 결과가 이것이다. 오랜만에 느껴보는 긴장감이 힐라리아를 휘어 감았다. 힐라리아가 말라오는 입 안을 찻물로 적셨다.

"알고서 두려움에 떠는 것보다는 그냥 모르는 편이 낫다고 생각했어요."

[……길리어스는 어떻게 됐었니?]

"그때 자카리족은 굳이 인질을 필요로 하지 않았어요, 어머니. 그들에겐 세바스찬의 카르탈이 있었고 그를 고문하는 것만으로도 수많은 정보들을 알아낼 수 있었죠. 그들에게 기네비어의 약점을 알아내는 건 일도 아니었어요. 많은 피가 흘렀고 바닥엔 말라붙은 피만이 남았었죠. 길리어스는…….'

힐라리아가 입술을 깨물었다.

너무 이르다. 마법사가 모습을 드러내는 시기까지는 4개월 정도 남아 있었다. 그 전에 황궁을 정리하고 기네비어에 합류해 마법사를 처치하는 게 힐라리아의 계획이었다. 물론 힐라리아는 마법사를 물리칠만한 힘이 없었다. 하지만, 한계를 개방하고 모든 힘을 끌어 올린다면?

누구보다 가능성이 있었다. 죽음을 각오한다면!

[죽이진 않을 거다. 기네비어 공국의 문을 열기 위한 인질이 될 테니. 마법사를 이길 수 있는 건 지금 한 명뿐이야, 힐라리아.]

헬레나미아의 말에 힐라리아가 천천히 고개를 들었다. 지금으로선 힐라리아가 가장 최선의 방법이었다. 마법사는 절대로 평범한 힘으로는 이길 수 없는 존재였으니. 힐라리아가 묵직하게 끄덕였다.

"……제가 해요, 어머니."

하지만, 헬레나미아는 힐라리아의 말을 바로 부정했다.

[아니, 네가 아니다. 힐라리아.]

"그러면……."

[우리에겐 가장 강력한 우군이 있지 않니. 황제에게 이야기를 꺼내보렴. 무조건 우릴 도울 거야.]

그러고 보니. 힐라리아가 눈을 가늘게 떴다. 그동안 헬레나미아에게 묻고 싶었는데 연락할 방도가 없어 묻지 못했던 질문들이 수두룩했다.

"에벤에셀이 최상위 정령의 힘을 가지고 있었어요, 어머니. 다름 아닌 물의 힘이었죠. 하지만, 물의 정령들은 어머니의 권속. 모르실 리가 없잖아요. 에벤에셀의 존재를 눈치채고 계셨나요?"

[⋯⋯그 아이를 낳도록 도운 것이 나였단다, 힐라리아. 에벤에셀은 엘라임의 자손이지.]

힐라리아의 손에서 힘이 빠졌다. 엘라임. 엘라임이라 함은 헬레나미아의 정령이었다. 어떤 일로 모든 힘을 소진하고 깨지 못할 잠에 빠졌다고 알고 있었다. 한데 그녀의 자손이었다니? 엘라임이 잠에 빠져든 것이 에벤에셀을 낳았기 때문이었어? 인간의 아이를 낳기 위해 정령이 인간이 되었으니 어쩌면 당연한 결과였다. 그러면 에벤에셀은 은혜를 원수로 갚은 거였나? 기네비어를 산제물로 바쳤으니. 머릿속이 더 복잡해졌다.

[황제는 아직 아무것도 몰라. 하지만, 이걸 가져가보렴.]

힐라리아의 앞에 푸른 구체가 생겨났다. 힐라리아가 그쪽을 향해 손을 뻗었다. 힐라리아의 손바닥에 툭 소리를 내며 떨어진 것은 어디서 많이 본 펜던트였다. 눈꽃 모양의 펜던트.

[엘라임이 나와 에벤에셀에게 남긴 거였지. 이것을 가져가면 에벤에셀도 알아챌 거야.]

힐라리아가 펜던트를 꾹 쥐었다. 에벤에셀이 항상 목에 걸고 다니던 것과 똑같은 거였다. 힐라리아가 펜던트를 쥔 손에 힘을 주었다. 분명 에벤에셀이라면 마법사에 대적할 힘을 가지고 있을 것이다. 힐라리아가 푸른 나비를 향해 입술을 달싹였다.

"걱정 마세요, 어머니. 잘될 거예요."

에벤에셀이 불가능하다면 힐라리아가 나서면 된다. 원래 계획대로.

***

에벤에셀도 짙은 정령의 힘이 스틸로즈 궁에 내려앉는 것을 느꼈다. 에벤에셸이 미간을 찌푸리고는 벗어두었던 가운을 다시금 걸쳐 입었다. 왠지 주말 휴가는 이대로 끝났다는 미묘한 예감이 들었다. 에벤에셀이 점점 가까워지는 힐라리아의 구두 소리에 귀를 기울였다. 열린 문으로 힐라리아가 들어왔다. 창백하게 질린 얼굴이 절로 걱정이 될 정도였다.

"……무슨 일이에요?"

힐라리아가 천천히 에벤에셀을 향해 다가왔다. 자신의 침실인 것처럼 힐라리아의 침실을 차지하고 있던 에벤에셀이 그녀에게 시선을 고정시켰다. 힐라리아가 에벤에셀의 어깨를 가볍게 붙든 채로 손가락을 벌렸다. 그녀가 주먹에 담고 있던 목걸이의 펜던트가 구르는 것처럼 떨어졌다.

에벤에셀이 힐라리아의 손목을 천천히 붙들었다.

"어머니께서 주셨어요, 에벤에셀."

"기네비어 공왕비가?"

"네, 맞아요."

"……내 어머니를 도와주셨다는 게 공왕비셨군."

에벤에셀이 힐라리아에게서 목걸이를 건네받았다.

아주 오래 전, 에벤에셀의 생모가 죽음 같은 잠에 빠지기 직전 에벤에셀에게 걸어주었던 목걸이와 똑같았다.

'이 목걸이는 한 쌍으로 만들어졌단다, 에벤에셀. 하나는 내 친우에게 주었다. 그 애가 언젠가 너를 찾아오거든 나라고 생각하고 대해주렴.'

에벤에셀이 주먹을 쥐었다.

"에벤에셀, 나는 과거에 있었던 일은 잘 몰라요. 하지만, 한 가지는 알죠. 기네비어가 위험에 빠졌고 길리어스가 자카리족에게 납치당했어요. 에벤에셀, 정식으로 요청할게요. 기네비어 공국을 위해 싸워줘요. 내 가족들을 구해줘……."

힐라리아가 에벤에셀의 볼에 손을 얹었다.

"과거의 은혜를 갚아, 에벤에셀. 진심으로 당신의 도움이 필요해요."

힐라리아의 손 위에 에벤에셀의 손이 겹쳐지고 그가 나지막이 속삭였다.

"쉬이. 괜찮아, 힐라리아."

에벤에셀이 힐라리아의 손을 토닥이다가 그녀의 허리를 끌어당겼다. 의자에 앉은 에벤에셀의 품으로 쓰러진 힐라리아를 그가 받아 안았다. 에벤에셀이 희게 질린 힐라리아의 볼에 키스하며 말했다.

"네가 원하는 대로 해줄 테니 그런 얼굴은 하지 마."

힐라리아가 질끈 눈을 감았다. 오만했다. 이미 미래는 뒤바뀌었는데 모든 걸 통제할 수 있다고 믿었다. 그리고 그 대가로 길리어스가 자카리족에 납치되었다. 자카리족은 땅 위의 해적과 다름없었다. 그들에게 끌려간 길리어스가 무슨 꼴을 당하고 있을 줄 알고. 스스로가 아픈 건 참고 견딜 수 있어도 사랑하는 사람들이 그런 꼴을 당하는 건 한시도 견딜 수 없으리만치 힘든 일이었다. 에벤에셀이 힐라리아의 뺨에 다시금 키스했다.

"마법사가 움직이기 시작했어요. 내가 예상했던 것보다 빨라서……."

비밀의 방에 들어갔다 나온 후로 회복된 지 얼마 되지 않았다. 그러다 보니 원래 가진 힘의 반절도 발휘하기 힘들었다.

힐라리아가 몰아치는 감정에 겨워하는 사이 에벤에셀이 생각에 잠겼다. 이 작은 몸에 얼마나 많은 것을 짊어지고 있는 것인지, 힐라리아의 눈동자에는 가끔 아득한 슬픔이 맺히곤 했다. 이것이 그 단서일까. 에벤에셀이 힐라리아를 좀 더 품 안으로 끌어들였다.

마법사라. 자카리족에 마법사의 명맥이 끊긴 지 오래 되었다고 들었는데. 힐라리아의 긴장이 어느 정도는 이해되었다. 지금으로선 마법사를 대적할 수 있는 자는 이 나라에 에벤에셀뿐이었다.

"괜찮아, 힐. 내가 해줄게. 원하는 대로 길리어스를 구해오지. 이리 와."

에벤에셀이 힐라리아의 머리카락을 쓰다듬어 주었다.

처음으로 보는 약한 모습도 물론 사랑스럽다. 하지만, 힐라리아는 힐라리아다운 게 좋았다. 에벤에셀이 힐라리아를 품에 숨기듯이 완전히 끌어안았다. 세상으로부터 그녀를 감추려는 것처럼.

***

"괜찮아요?"

힐라리아가 점심 식사를 이어가다가 고개를 끄덕였다. 벌써 몇 번째 묻는 건지 모르겠다. 힐라리아가 식기를 내려놓고 텅 빈 접시를 보여줄 때까지 에벤에셀은 몇 번이고 물었다. 하지만, 길리어스와 기네비어가 위기에 처했는데 넋 놓고 있을 새가 없었다.

"정말로 괜찮아요, 나."

에벤에셀이 힐라리아의 뺨을 손끝으로 쓰다듬었다. 여전히 체온이 낮은데도 괜찮다고 성화다. 정말 제 몸에는 무심하기 짝이 없다. 에벤에셀이 눈가를 슬쩍 찌푸리고는 힐라리아의 접시에 자신의 음식을 덜어주었다.

"더 먹어요, 힐라리아. 이제부터 일정을 소화해야 하잖아."

그건 힐라리아의 고집이었다. 힐라리아가 못 이긴 척 포크를 다시 들어 올리는 것을 확인하고 나서야 에벤에셀도 식사를 이어가기 시작했다. 폭풍 전야 같은 날카로운 평화가 두 사람 사이를 스치고 지나갔다.

자카리족의 동태를 살피기 위해 헬레나미아의 정령들이 그곳을 향했다고 들었다. 길리어스를 데려간 이후로 무슨 이유에선지 얌전한 자카리족의 위치를 찾기 위해 물의 정령들이 초원과 사막을 이 잡듯이 뒤지고 있단다.

힐라리아가 스스로를 다잡았다.

지금은 할 수 있는 일을 해야 할 때였다.

Chapter 9.
다음을 위한 준비

오후, 힐라리아의 시간을 독점한 것은 라리나 시벨로프였다.

황태후의 초대를 받아 입궁했다던 라리나는 돌아가는 길에 힐라리아의 스틸로즈 궁에 들렀다. 아주 자연스럽게.

"초대해주셨던 게 기억나서 이렇게 들렀어요. 실례가 된 건 아니겠죠?"

말갛게 웃는 얼굴이 눈이 부실 정도였다. 미리 연락을 받아 기다리고 있던 힐라리아가 부드럽게 미소 지었다. 평소와 다름없는 모습이었다.

"아니에요, 라리나 영애. 이리로 들어와요."

"반에이크 공! 빨리요, 빨리!"

라리나가 그녀의 뒤를 쫓아오던 사람을 재촉했다. 라리나는 홀로 외출하는 것을 허락받지 못했지만 반에이크를 끌어들였다. 시벨로프의 과보호 속에서 그녀는 무서운 것 없이 힐라리아의 궁을 방문하는 지경에 이른 것이다.

물론 반에이크는 수도 없이 말렸다. 힐라리아 황비께서는 바쁜 분이니 다음에 방문하는 게 좋을 것 같다, 황비께서는 사실 손님맞이를 별로 좋아하시지 않는다, 사실 황비께서는 병중이신 것 같다. 말도 안 되는 변명들을 늘어놓으며 라리나를 저지했지만, 그녀는 해맑음으로 무장한 독불장군이었다. 반에이크가 허탈한 얼굴로 라리나의 손에 이끌려 스틸로즈 궁으로 밀려왔다. 힐라리아가 웃는 낯으로 그를 맞이했다.

"반에이크 공, 오랜만이에요."

"……그간 잘 지내셨습니까?"

"네. 반에이크 공도 잘 지냈나 보군요. 두 사람, 잘 어울려요."

반에이크의 얼굴에 빗금이 갔다. 정말로 그렇게 생각하는 건가? 힐라리아가 붉은 입술을 말아 올리곤 반에이크를 스쳐 지나갔다. 반에이크가 허탈한 숨을 내쉬었다. 그리하여 최대 정적이라 일컬어지는 시벨로프와 기네비어의 딸들이 마주 보고 앉게 된 것이다. 반에이크는 될 수 있다면 이 상황을 정말로 피하고 싶었다. 물론 뜻대로 되진 않았지만.

***

라리나를 배웅한 황태후가 마른세수를 하고는 자리에 털썩 주저앉았다.

"이모님께서는 여전하시군요."

네이선의 말에 황태후가 긴 한숨을 내쉬었다. 라리나의 해맑음에 한참을 시달린 탓에 짙은 탈력감이 몰려들었다. 황태후가 느긋한 얼굴로 찻잔을 기울이는 네이선을 힐끗 보고는 입술을 달싹였다.

"그대 할아버지께서 라리나라면 싸고도시니 뭘 어쩌겠어요."

황태후의 목소리에는 힘이 조금도 남아 있지 않았다.

'대체 왜 힐라리아 황비와 어울리면 안 됩니까?'

'그녀는 우리와는 다른 노선을 걷는 사람이에요. 그리 좋은 사람도 아니고요.'

'좋은 사람 같았는데. 배울 것이 많은 사람 같았어요.'

'그걸 어떻게 장담합니까?'

'아버지가 편견을 가지고 사람을 대하는 건 나쁘다고 말씀하셨어요. 제가 직접 겪어보고 판단할래요.'

라리나와 오늘 도돌이표처럼 나누었던 대화가 귀에 웅웅 울리는 것 같았다. 시벨로프 백작은 막내딸에게 세상에 둘도 없는 호인처럼 보이고 싶은가 보다. 수도 없이 좋은 말들을 라리나에게 읊어댄 덕에 라리나는 어린애처럼 이 세상을 아름답게만 봤다. 황태후가 긴 한숨으로 심신을 다스리고는 네이선에게로 관심을 돌렸다.

"그나저나. 베아트리체 영애와는 잘 지내고 있는 건가요?"

"그런 것 같습니다."

"이번 주말에도 사적인 만남을 가지기로 했나요?"

다 큰 아들의 연애사에 관심을 표하며 황태후가 재차 물었다. 베아트리체가 쥐고 있는 방직 사업과 의상실이 수도에서 큰 돈을 벌어들이고 있었다. 베아트리체를 잘 구슬려 그녀가 벌어들이는 돈을 황태후에게 보태게 해야 한다. 네이선이 속 모를 얼굴로 생긋 웃자 황태후가 못마땅하게 말했다.

"오스발트는 수도 없이 내게 돈을 요구하죠. 전쟁을 준비하기엔 오스발트와 사리프, 에르킨은 약소하고 가난해요. 그들에게 보내는 무기도 전부 내가 대고 있어요. 그 돈이 어디서 나온다고 생각해요? 시벨로프가 유구한 시간 동안 쌓아온 재산들이 물처럼 흘러나가고 있어요. 네이선 황자, 이건 전부 그대를 위한 일이라는 걸 항상 상기해줬으면 좋겠군요."

네이선을 위한 일.

'욕심은 황태후께서 부리시고 명분은 내게서 찾으시는군.'

아무 대답 없는 네이선을 황태후가 부추겼다.

"네이선 황자?"

"당장 출궁해서 제너시스 후작가로 달려가겠습니다. 베아트리체 영애가 좋아할만한 꽃다발을 손에 들고, 듣기 좋은 말을 속삭이며 영애에게 주말 데이트를 신청하도록 하지요. 그리하면 될까요?"

황태후의 입술이 긴 호선을 그렸다.

"아주 완벽하군요. 이 아름다운 계절에 알맞은 꽃을 준비해가세요. 그런

세심함이 여자를 동하게 한답니다.”

네이선이 고개를 수그렸다. 아래로 감춰진 네이선의 표정은 그 누구도 볼 수 없었다. 꽁꽁 감춰진 속마음과 함께.

* * *

이 자리가 불편한 건 반에이크뿐인가 보다.

힐라리아와 라리나는 연신 웃는 얼굴로 대화를 나누고 있었다.

“그러면 황비께서는 평소에 어떤 활동을 즐기시나요?”

라리나의 물음에 힐라리아가 부채를 살랑이며 짙은 미소를 머금었다. 가을 하늘의 청명함이 창문을 통해 훤히 보였다. 힐라리아가 그쪽으로 시선을 둔 채로 부러 대답하는 시간을 끌었다. 고개를 갸웃하며 대답을 기다리는 라리나에게 힐라리아가 부드러운 목소리로 말했다.

“이번에는 경매에 참가해볼까 합니다.”

반에이크가 고개를 번쩍 들었다. 때마침 힐라리아가 고개를 돌렸고 동시에 반에이크와 눈이 마주쳤다. 청명한 가을하늘을 그대로 옮겨놓은 듯한 눈엔 서늘한 미소가 담겨 있었다. 그제야 반에이크는 힐라리아의 심사가 뒤틀려 있다는 사실을 알아차렸다.

힐라리아는 자꾸만 고개를 드는 음습한 마음을 억누르는 것만으로도 힘들었다. 황태후의 지원을 받은 오스발트가 주제도 모르고 자카리족을 부추겨 길리어스를 구금했다. 헬레나미아의 정령들이 길리어스의 행방을 쫓고 있었지만, 아직 별다른 소득은 없었다. 황태후는 힐라리아가 가진 것들을 하나씩 빼앗기 위해 무던히도 애를 쓰는 듯 보였다.

그렇다면 힐라리아가 가만히 있을 수 있겠는가. 착해빠진 라리나를 바닥까지 끌어내려 나라를 팔아먹고 권력을 추구하는 시벨로프의 진실을 마주 보게 할 것이다. 가족의 추악함을 마주한 라리나의 순수는 산산조각이 나버리겠지. 힐라리아가 던진 말에 라리나가 관심을 보였다.

"경매요? 어떤 경매가 열리나요?"

"아주 은밀하고 비밀스러운 경매지요. 초대받은 자만이 들어갈 수 있답니다. 아니면, 그 동행이나. 경매에 흥미가 있나요?"

"네! 한 번도 가보지 못했어요."

반에이크가 벙긋거리며 지금 이 상황을 어떻게 저지해야 하나 고민에 빠졌다.

"라리나 영애, 우리는 이만……."

"저도 가볼 수 있을까요?"

반에이크가 말리기도 전에 라리나의 말이 청명하게 울렸다. 힐라리아가 스스로 덫에 걸어 들어오는 희생양을 향해 상냥한 미소를 내보였다. 이미 힐라리아의 손아귀에 굴러떨어진 메일린 프로이턴과 경매장이다. 라리나의 자리를 하나 구하는 게 그리 어려울까. 힐라리아가 고개를 끄덕였다.

"당연한 것을요. 라리나 영애, 원한다면 내일 이른 아침 반에이크 공과 함께 수도 외곽의 캔드락 거리로 오시면 됩니다. 길은 반에이크 공이 알고 있을 거예요."

"어머. 반에이크 공이요?"

반에이크가 입술을 딱 다물고는 고개를 수그렸다. 짙은 한숨이 배어나는 피곤한 얼굴이었다. 힐라리아가 웃는 낯으로 고개를 끄덕였다.

"네. 반에이크 공도 경매에 관심이 많거든요. 오신다면 절대로 후회하지 않을 거예요, 라리나 영애. 볼 것들이 참 많거든요."

"와! 그런 곳에 초대해주시다니. 정말 감사해요, 황비 마마. 제가 무엇을 준비하면 될까요?"

"은밀한 곳이니……. 가면과 머리카락을 가릴 보닛을 준비해주시면 될 거예요. 아마도 반에이크 공께서 아버님 몰래 준비해주실 거예요."

"반에이크 공?"

"……분부 받들지요."

허탈한 목소리로 반에이크가 웅얼거렸다.

힐라리아와 반에이크의 눈이 다시 마주쳤다. 부채 너머로 보이는 예쁜 눈이 활꼴로 휘었다. 반에이크가 눈물을 참는 어린애처럼 이를 악물곤 몸을 뒤로 물렸다. 저 얼굴을 두고 감히 어찌 거절을 말하겠는가.

라리나가 신난 얼굴로 발을 동동 굴렀다. 한 치의 의심도 없이 깨끗한 라리나의 얼굴을 보며 힐라리아가 삐딱하게 웃었다.

* * *

"흐음."

"왜 그러십니까?"

에벤에셀의 시중을 들던 스베인이 물었다.

"그렇게 웃으시면 간담이 서늘합니다만."

덧붙이는 말엔 불만이 한가득했다.

"재밌는 일이 벌어질 듯해서. 힐라리아와 라리나 영애 사이에 모종의 우정이 성립할 것 같군."

"예?"

스베인이 그게 가능한 일이냐며 혀를 내둘렀다.

"힐라리아 황비께서 라리나 영애를 가만 두실까요?"

지금 기네비어에서 약속대로 보낸 기사들이 중간 지점쯤에 도착했다는 연락을 받은 참이었다. 에벤에셀은 무슨 생각을 하는지 제국 지도를 펼쳐놓고 깃발을 이리저리 세우고 있었다.

"힐라리아는 나쁜 사람이 아니야, 스베인. 지켜야 할 것이 많은 사람이지. 그녀를 먼저 건드린 건 황태후였으니 그에 대한 대가를 치루는 것도 그들의 몫이야."

"……꼭 라리나 영애에게 무슨 일이 벌어질 것처럼 말씀하시는군요."

"그건 두고 봐야겠지."

한참 지도를 쳐다보던 에벤에셀이 기네비어와 자카리족, 오스발트를 신중히 살폈다.

'마법사라.'

에벤에셀도 긴 시간 동안 자카리족의 동태를 살펴왔다. 자카리족은 오스발트의 개로 전락한 지 오래였고 초원 전사들은 긍지를 잃었다. 에벤에셀이 파악한 바에 의하면 이번 길리어스 사건에 개입된 마법사는 고작 10살 정도. 많아야 13살 정도 될 것이다.

어린애를 앞세울 정도로 궁지에 몰렸으니 자카리족은 길리어스라는 패를 적절히 쓸 수 있는 상황이 올 때까지 모습을 드러내지 않을 것이 뻔했다. 그게 긍지를 잃어버린 자카리족의 뻔한 수법이었다. 때마침 에벤에셀의 부름을 받은 게르홀트 경이 황제의 집무실 문을 두드렸다.

"들어오게."

예를 갖춘 게르홀트가 에벤에셀의 손짓에 그의 반대편 의자에 앉았다. 게르홀트가 넓은 테이블을 가득 채운 지도에 시선을 던졌다. 에벤에셀의 손이 느릿하면서도 명료하게 지도 위를 움직이며 깃발을 세우고 있었던 까닭이었다.

게르홀트는 황제 직속 비밀 정보국에 속해 있는 사람이었다. 총 세 개의 부서로 나뉘어 있는 정보국에서도 험하고 은밀한 일만 도맡아서 처리하는 3부서에 속해 있었다. 그래서 3부서에는 특이한 이능을 가진 자들이 많았는데, 그들 중에는 자카리족 출신의 마법사도 있었다. 그동안 종적을 감췄다 알려진 마법사들 중 하나가 정보국 소속이라는 건 아는 사람이 몇 없는 극비 중에 하나였다.

게르홀트가 지도에서 시선을 떼지 못했다. 아마 저 지도가 게르홀트에게 내려질 임무와 긴한 연관이 있을 것이 뻔했기 때문이라.

"자카리족이 길리어스 기네비어를 납치 및 구금하고 있다는 제보가 있었네, 게르홀트 경."

"그런 경우, 길리어스가 기네비어를 배신하지 않았을 수도 있지만, 길리어스가 기네비어의 기밀을 누설했을 가능성도 고려해야 합니다."

에벤에셀이 별다른 대꾸 없이 팔짱을 꼈다. 힐라리아는 길리어스를 추호의 의심도 없이 믿고 있는 듯했지만, 에벤에셀도 게르홀트의 의견에 동의하고 있었다. 길리어스가 만약 기네비어의 군사기밀이라도 누출했다면 그는 그곳에서 돌아오지 않는 편이 낫다. 기네비어뿐만 아니라 힐라리아의 명예를 깎아 먹을 테니.

에벤에셀이 눈을 가름하게 뜨고는 게르홀트에게 명을 내렸다.

"3부대를 이끌고 초원으로 가 길리어스를 추적하게. 아마 밀정이 남겨둔 흔적들을 쫓으면 그리 어려운 일은 아닐 거야. 길리어스가 어떤 선택을 했는지 잘 살펴보고 만약 그가 잘못된 길을 선택했다 하면."

에벤에셀의 새파란 눈이 짐승처럼 번뜩이며 게르홀트를 응시했다.

"사살하게."

게르홀트가 기사의 예를 취했다.

"예, 폐하! 명을 받들겠습니다!"

게르홀트가 에벤에셀을 뒤로하고 집무실을 떠났다. 스베인이 걱정스러운 얼굴로 에벤에셀에게 물었다.

"힐라리아 황비께서 좋아하시지 않을 겁니다."

"그렇다고 하더라도 짐은 황제로서의 결정을 내려야 하지. 힐라리아는 짐의 선택을 이해할 거야."

"그러시겠지요. 하지만, 이해와 용서는 다르지요."

"자네 말이 맞아. 그래서 짐은 아주 마음 깊이 기도하고 있다네. 길리어스가 그릇된 선택을 하지 않았기만을 말이지."

에벤에셀이 가벼운 미소를 지었다. 하지만, 지도를 내려다보는 눈빛은 무거웠다. 길리어스의 충정을 바라고 있다는 말은 진심이었다. 힐라리아에게 상처주고 싶지 않았다. 그녀의 미소를 잃으면 그 무엇도 의미가 없을 테니.

'그러니, 제발.'

에벤에셀이 입술을 말아 물었다. 황제의 고민은 그게 끝이 아니었다. 사리프에 심어둔 밀정들에게서도 연락이 왔다. 세 연합이 움직이고 있다는 소식이었다. 세 나라의 지도자들이 회동을 가졌고 윈프리드에 파견할 사절단을 꾸리고 있다고 한다. 사절단을 표방하지만, 정찰의 목적으로 오는 것이 뻔했다. 에벤에셀이 손가락으로 입매를 훑고는 스베인에게 명을 내렸다.

"스틸로즈 궁 주변의 경계를 강화하고 사절단을 맞이할 준비를 하게."

그들은 분명 힐라리아를 노릴 것이다. 세간의 관심이 황제의 오롯한 사랑을 받고 있는 힐라리아에게로 쏠리고 있었다.

***

손님들은 집으로 돌아가고 어스름이 내리깔리던 저녁 즈음이었다. 힐라리아는 새로운 초대장 위에 황비의 낙인을 찍었다. 힐라리아의 옆에서 책을 읽고 있던 에벤에셀이 책 너머로 눈을 내밀었다.

"그 초대장의 주인은 누구입니까?"

"제국의 혼란을 야기한 자 중에 한명이지요. 중요한 사람입니다."

에벤에셀이 옅은 웃음을 흘리며 몸을 일으켰다. 등 뒤에서 힐라리아의 어깨를 짚은 에벤에셀이 그녀의 목덜미에 짧게 키스했다.

"위험한 누군가를 초대하시려 하는군요."

에벤에셀이 힐라리아의 손에서 초대장을 떼어냈다. 하루하루 바쁘게 움직이는 그들이지만, 휴식은 필요한 법. 게다가 무던히 노력해도 에벤에셀의 눈에는 힐라리아의 동요가 전부 들여다보였다. 에벤에셀이 힐라리아를 끌어안았다.

"걱정되십니까?"

"제 걱정은 한두 가지가 아니지요."

힐라리아가 에벤에셀의 팔뚝을 끌어안고 그의 품에 고개를 기댔다.

"길리어스는 잘 있을까요? 길리어스는 위베르만큼이나 호전적인 사람입니다. 기네비어 사람들이 대부분 그렇지요."

에벤에셀이 별다른 대꾸 없이 힐라리아의 어깨를 보듬었다.

"오빠가 그 성격을 참지 못하고 스스로 목숨을 끊으면 어쩌지요? 기네비어에 피해를 끼치느니 차라리 그 길을 선택할 사람입니다."

힐라리아가 호흡을 가다듬었다. 자카리족의 한가운데에 떨어져 감금된 길리어스는 무슨 생각을 하고 있을까? 힐라리아가 만들어낸 격류에 길리어스가 괜히 휘말린 것만 같아 마음이 좋지 않았다.

"에벤에셀. 조금만 봐줘요."

에벤에셀의 움직임이 멎었다.

"당신이 나를 아는 만큼 나도 당신을 알아. 길리어스를 걱정하는 것보다 그의 배반을 걱정하겠지? 하지만, 그럴 사람이 아니야. 당신이 나를 믿는다면 조금만 길리어스를 봐줘. 길리어스는 가족과 나라를 사랑하고 기네비어만큼이나 윈프리드를 아끼지. 말은 거칠게 해도 순한 사람이야."

에벤에셀이 힐라리아의 머리 타래에 고개를 묻었다. 에벤에셀이 하고 있는 생각이 전부 힐라리아에게 읽히고 있다는 사실이 기쁘기도 하고 한편으로는 슬프기도 했다. 에벤에셀을 그만큼 알아준다는 게 기뻤고 힐라리아를 아프게 할지도 모르는 생각을 읽어낸다는 게 아팠다. 에벤에셀이 한참을 힐라리아와 호흡을 같이했다. 그의 품에 안겨서 눈을 감고 있는 힐라리아의 떨림을 모른 척하며.

"……항상 그대를 염두에 두겠다고 약속할게."

그게 에벤에셀이 할 수 있는 최선의 약속이었다.

***

한편, 자카리족의 진영.

길리어스가 모래바람이 밀려든 깔깔한 입 안을 혀로 훑었다. 이물질들을 퉤하고 뱉어내며 주변을 둘러보았다. 대체 무슨 수를 쓴 것인지 이제야 정신이 들

136

었다. 그는 기네비어의 기사들과 함께 줄줄이 엮여 함께 기대 앉아 있었다.

"이보게."

"이제 일어나셨습니까? 평소에도 잠이 많으신 건 알았지만⋯⋯."

"지금 장난이 나오나?"

"크큭. 이제 좀 적응이 되어서요. 다른 이들도 전부 멀쩡합니다. 자카리족
은 지금 쉬지 않고 사막을 떠돌고 있어요. 사막이라 추적이 쉽지 않을 겁니
다. 우리는 대부분 짐마차에 실려 다니고 있지요. 아무런 흔적도 남기지 못
하도록 감금되어 있는 겁니다."

"사막 위를 짐마차로?"

"바퀴가 아니라 저런 납작한 널빤지를 대어놓았더군요. 썰매처럼."

기사의 눈짓에 길리어스가 뻐근한 몸을 움직여 그가 앉아 있는 장소를
확인했다.

"여기가 어디쯤인지도 모른다는 거군."

"그렇습니다. 그저 사막인 것만 압니다. 자카리족은 반으로 나뉘어 이동
생활을 지속하고 있는데 초원에 머무는 자들과 사막에 머무는 자들로 나뉘
는 듯합니다. 초원에 머무는 자들은 기마부대, 사막을 떠도는 자들은 어린
아이들을 비롯한 여성들과 전사 몇몇입니다."

"그리 무장된 집단은 아니라는 건데."

"그렇습니다만. 이 쇠사슬을 끊을 괴력가가 우리 중에 없다는 게 문제지요."

"자네는 뭘 그렇게 자세히 아나?"

"왕자님."

"음?"

"왕자님만 이제 일어나셨고 다들 내내 깨어 있었습니다. 여태 편히 주무
셨으니 당연히 홀로 모르실만하⋯⋯. 으악!"

길리어스의 머리에 어깨를 받힌 남자가 엄살을 부리며 낄낄댔다. 기네비
어의 기사들은 조금도 두려운 기색 없이 지금 이 상황을 받아들이고 있었

다. 하긴, 전쟁을 하다 보면 언제든 겪을 수 있는 일이었다.

"다들 멀쩡해서 고맙군."

"왕자님도 멀쩡해주셔서 고맙습니다. 자, 이제 어떻게 여기를 탈출할지 머리를 굴려야겠군요. 이들은 오아시스에 머물 때나 걸음을 멈춥니다. 그리고 밤에도 걸음을 멈추지요."

"이 쇠사슬을 풀 방법을 찾아야겠군."

길리어스가 그들을 옭아매고 있는 굵은 쇠사슬을 눈짓했다.

"방법이 있는 사람? 이가 튼튼하다거나 뼈가 튼튼하다거나 혹은……."

길리어스의 말에 여기저기서 웃음이 터져 나왔다. 짐마차가 요란하게 들썩이자 밖에서 사람이 안을 들여다보았다.

"조용히 갑시다, 조용히."

혀를 끌끌 찬 자카리족 전사가 다시 멀어졌다. 일순 숨을 멈췄던 기네비어의 기사들이 다시 도란도란 대화를 나누기 시작했다.

"식사는 주나? 물은?"

"하루에 한 번이요. 보통 어린아이들이나 여성들이 오갑니다. 이 무리에 합류한 남성들의 수가 현저히 적어요."

"여기 미인계를 쓸만한 사람 있나?"

짐마차에 침묵이 흘렀다.

우락부락한 기네비어 남자들이 소심해지는 순간이었다.

***

다음 날 아침, 에벤에셀의 배웅을 받으며 힐라리아가 마차에 올랐다. 라리나와의 약속을 지키기 위해 경매장으로 가는 길이었다. 오늘 힐라리아와 동행한 건 제이나와 실로테였다.

"잘 지냈어요? 제이나와 실로테가 바쁘게 지낸다는 말은 들었는데."

"늦은 만큼 열심히 해야지요. 힐라리아가 만들어준 기회를 공으로 날리고 싶진 않아요."

제이나가 볼을 붉힌 채로 웅얼거렸다. 실로테도 심각한 얼굴로 말했다.

"이중장부를 작성하는 일이 이렇게 힘들다는 걸 이제야 알았어요. 탈세와 범죄도 부지런해야 하는 거군요."

실로테의 말에 제이나와 힐라리아가 동시에 웃음을 터뜨렸다. 실로테는 베아트리체가 하는 사업의 돈을 빼돌리기 위해 합의하에 이중장부를 작성하고 있었다. 황태후에게 구색을 맞춰줘야 하니 필요한 장부와 진짜 벌어들인 수익을 기록하는 장부였다. 황태후가 알고 있는 것들은 빙산의 일각에 불과했다. 고작 몇 달 만에 베아트리체는 한 도시의 연간 수익에 달하는 금액을 벌어들이고 있었다.

솔직히 말하자면 방직 사업과 의상실을 구상하기 시작한 건 아주 오래되었다. 힐라리아가 비밀의 방에서 나와 건강을 회복하는 내내 그들은 사업을 구상하고 초안을 잡아갔다. 그리고 아무도 몰래 초석을 닦아나가기 시작했다. 사람들은 단기간 동안 이만한 수익을 쌓아 올린 베아트리체를 칭찬했지만, 그만한 노력이 있었기에 가능한 일이었다. 힐라리아가 설핏 웃고는 가면을 고쳐 썼다.

"실로테가 있어서 내가 마음 놓고 다른 일에 집중할 수 있어요."

"달콤한 말만 해주시긴. 그래서, 라리나는 어땠나요?"

"라리나 영애는……."

힐라리아가 실로테와 제이나를 번갈아 보았다. 확실히 해맑은 라리나는 귀족 사회에서 독보적인 캐릭터였다. 만약 그녀가 시벨로프라는 유력한 가문의 딸이 아니었더라면 사교계에 녹아들지도 못했을 것이다. 힐라리아가 흐응, 콧소리를 흘리며 고개를 기울였다.

"착하고 좋은 사람이더군요."

"세상에. 그 말이 왜 이렇게 불안하게 느껴지지?"

실로테가 혀를 차고는 고개를 내저었다.

"베아트리체 영애는 오늘 어디를 향했나요? 네이선 황자가 데이트 신청을 했다는 소문이 파다하던데."

"아."

어제 네이선이 꽃다발과 함께 베아트리체를 찾아갔다는 소문은 이미 파다하게 퍼져 있었다. 힐라리아가 작게 웃음을 터뜨렸다.

"하필이면 꽃이었지요. 그게 문제였어요."

"그게 무슨……?"

"이건 비밀인데……."

힐라리아가 악동처럼 눈을 반짝였다.

"베아트리체는 꽃다발에 징크스가 있거든요. 항상 꽃다발을 받은 날은 데이트가 엉망이 되어버려서. 덕분에 베아트리체는 데이트 신청을 받아주지 않았다더군요."

"어머. 그런 징크스도 다 있나요?"

"공교롭게도요. 처음 꽃다발을 받았을 때는 구두굽이 부러졌고 두 번째에는 소매치기를 당했죠. 그다음엔 드레스가 철창에 걸려 찢어졌고 또 그다음엔……."

"세상에. 듣기만 해도 끔찍해요. 거기까지만 해도 될 것 같아요."

"그래서 베아트리체가 진저리를 치며 거절했다더군요. 하지만, 속사정을 모르는 이들은 곧 베아트리체가 네이선 황자를 싫어한다고 떠들어대겠지요."

그래서 베아트리체는 오늘 다른 곳으로 갔다. 힐라리아를 대신해서. 오늘 황태후 측 측근들이 사들인 무기를 일주일 내에 오스발트로 빼돌리려고 할 테니 그쪽으로 향하는 길목에 매복하고 기다리고 있었다. 제너시스 후작가의 사병들과 함께. 아마 한동안은 얼굴 보기 힘들 것이다.

"제가 듣기로는 베아트리체가 건강이 안 좋기도 하다더군요."

"건강이요?"

"세상에."

"별건 아니고 수두라고 들었어요. 전염병이라 일주일 정도는 집에서 두문불출하지 않을까요?"

힐라리아가 부러 말을 흘렸다.

"문병을 가야 할까요?"

"아니요. 전염병이니 그저 얼른 낫기를 기도하는 편이 나을 거예요. 실로테, 제이나."

"네?"

"음?"

"베아트리체가 와병 중이라는 소문이 사교계에 널리 퍼졌으면 좋겠어요."

두 사람이 눈을 동그랗게 떴다. 그리곤 이내 힐라리아의 말뜻을 알아차렸다. 베아트리체가 은밀히 일을 처리할 수 있도록 그녀의 행방을 소문 속에 감추자는 것을.

아마도 베아트리체가 아프다는 건 거짓일 가능성이 컸다. 네이선 황자가 데이트 신청을 하겠다고 나서니 그에 대해 적절한 소문을 흘리려는 게 뻔했다. 제이나와 실로테가 눈을 마주치고는 고개를 끄덕였다.

"안 그래도 내일 월요 바자회에 초청받아서 제이나와 함께 가려던 참이었어요. 이야기를 슬쩍 흘리면 적당하겠군요."

"힐라리아는 내일 안 가나요?"

"아, 나는 사실 사교 파티를 그다지 좋아하지는 않아요."

힐라리아가 어깨를 으쓱했다.

"사람들이 많으면 머리가 아파서."

정령들이 주워오는 소리들을 전부 듣고 있다 보면 귀와 머리가 동시에 아파오곤 했다.

"또, 나는 돌아오는 금요일에 티파티를 주최하는 것만으로도 벅찬 사람이에요. 그릇이 작거든요."

"와. 오늘 놀라운 소리를 여럿 듣는군요. 힐라리아의 그릇이 작다니."

세 사람이 동시에 웃음을 터뜨렸다. 그렇게 세 사람이 웃고 떠드는 사이에 마차가 목적지에 도착했다. 힐라리아가 먼저 내리고 제이나와 실로테는 마차 안에 남았다. 두 사람이 갈 곳은 다른 곳이었다.

"잘 살펴보고 와요. 나도 같이 가야 하는데."

"고작 공사 현장 확인하고 오는 건데요. 걱정하지 말고, 힐라리아는 힐라리아의 일을 해요."

실로테가 생긋 웃고는 문을 직접 닫았다. 그리곤 창문 너머로 홀가분하게 손을 흔들어 주었다. 마차가 새로운 목적지를 향해 달리기 시작했다. 두 사람이 향하는 곳은 새로운 형태의 연립 주택이 세워지고 있는 개발지구였다. 세 사람은 함께 그곳을 돌아보겠다는 핑계로 외출했고 힐라리아는 중간에 내린 것이다.

"이런 곳을 잘도 찾아내는군."

인적이 드물고 어두워서 서로의 얼굴을 알아보기 힘든 곳이었다. 그늘이 진 데다가 주변 건물도 높아서 해가 잘 들지 않았다. 힐라리아가 경매장에 발을 디뎠다. 그녀가 가장 늦었는지 안은 빽빽이 들어차 있었다. 힐라리아가 미리 라리나에게 이야기한 대로 라리나는 힐라리아가 알아볼 수 있도록 붉은 깃털을 보닛 위에 달고 있었다. 힐라리아가 그쪽을 향해 다가갔다.

"엇. 늦었네요."

"나는 위장이 필요했거든요. 이게 불법이라."

"불법이라니. 설레는 말인데요?"

라리나가 눈을 반짝이며 손뼉을 쳤다. 반에이크가 미간을 만지작거리며 눈짓으로 인사를 건넸다. 힐라리아가 고개를 끄덕이고는 단상 위로 올라오는 메일린을 향해 시선을 돌렸다. 수완 좋은 메일린 프로이턴은 그녀가 윈프리드로 밀반입한 무기들을 하나씩 꺼내기 시작했다.

경매가 진행됨에 따라 내부가 과열되었다. 젠트리 계급이 평생 벌어도 만져보지 못할 금액들이 오가고 보기에도 위험한 무기들이 낙찰되어 팔려 갔다. 힐라리아는 경매에 집중하는 척하면서 내내 라리나의 반응을 살피고 있었다. 반에이크의 팔을 생명줄처럼 붙든 라리나의 표정이 시시각각 하얗게 질려가고 있었다. 힐라리아가 회심의 미소를 지었다.

라리나는 때가 타지 않아 해맑을 뿐이지 시류를 읽지 못할 만큼 아둔한 사람이 아니었다. 지금 이곳에서 일어나고 있는 불법 무기 거래의 정황을 똑똑히 확인했으니 무슨 상황인지 유추하는 건 그리 어렵지 않을 것이다.

라리나는 숨을 죽인 채로 경매가 끝날 때까지 견뎠다. 힐라리아는 그녀가 던진 티끌이 라리나를 물들이는 것을 즐거운 마음으로 응시했다.

"힐라리아."

낮게 속삭이는 목소리에 힐라리아가 힐끗 그녀를 돌아보았다.

"이건, 이건……. 있어서는 안 되는 일이에요. 골동품이나 예술품이 아니라 무기잖아요."

"그렇지요."

"대체 어디로 팔려나가는 건가요? 사가는 자들은 무슨 목적으로……."

"나는 라리나가 충분히 알 거라고 생각했는데."

가면 너머의 연푸른 눈이 폭풍이라도 만난 것처럼 흔들렸다. 그 속에 담긴 동요를 힐라리아는 희열 어린 얼굴로 즐겼다.

"무기는 윈프리드에 머물지 않아요. 오스발트의 왕실로 흘러들어 가지요."

경매가 오가는 가운데 아무도 그들에게 관심을 주지 않고 있었다. 노래하는 것 같은 힐라리아의 음성에 라리나의 목울대가 울렸다.

"오스발트는……."

"알아요. 라리나의 어머니가 오신 곳이죠?"

"하지만, 오스발트는 시벨로프와 우호적인 관계를 유지하고 있어요. 어째서 이런 짓을……."

"잘 생각해봐요, 라리나."

힐라리아는 시종일관 여유로웠다. 라리나는 곧은 사람이다. 시벨로프 백작이 늘그막에 얻은 막내딸에게는 좋은 사람이라도 되고 싶었던 것인지 올

곧게 자랐다. 아니면 그저 타고난 성품일 수도 있었다. 그도 아니면……

힐라리아가 음습한 생각을 했다가 이내 지웠다.

아직 증명되지 않은 일이니까. 힐라리아는 라리나의 작은 얼굴이 수심에 잠기는 것을 즐거운 마음으로 지켜보았다.

***

힐라리아의 초대장이 네이선의 저택에 도착했다.

아무도 모르도록 은밀하게.

<이야기를 나누고 싶어요, 네이선 황자님.>

뒤에는 달콤한 유혹이 덧붙여져 있었다.

<나는 당신의 길이 되어줄 수도 있겠지요. 방황을 끝낼 때가 되지 않았나요?>

***

경매가 끝나고 먼저 자리를 벗어난 힐라리아를 라리나가 붙들었다.

"라리나 영애?"

"묻, 묻고 싶은 게 있어요."

힐라리아가 흔쾌히 고개를 끄덕였다.

라리나를 좇아오던 반에이크가 그녀의 등 뒤에서 멈춰 섰다.

"오스발트에 무기를 불법으로 판다는 건…… 혹시 내 언니가, 혹은 내 가문이……."

힐라리아를 붙든 라리나의 손에 힘이 들어갔다. 경매를 보는 내내 수도 없이 생각했다. 가면 너머에 감춰진 얼굴들이 누구일지, 대체 왜 오스발트가 이 많은 무기들을 필요로 할지 짐작하며. 오스발트와 사리프, 에르킨. 세 연합과 윈프리드 제국의 관계에 대해서도 고민했다. 라리나는 어렵지 않게 결론에 도달할 수 있었다. 윈프리드에는 나라를 팔아먹는 역도가 있다는 것을.

지금 라리나가 힐라리아로부터 얻고자 하는 건 확인이었다.

그녀의 생각이 맞다는 확인.

"윈프리드를 팔아넘겨 이득을 취하고자 한다는 건가요?"

아무리 생각해도 그 모든 생각에서 황태후와 네이선 황자를 떼어놓을 수가 없었다. 수심에 잠긴 라리나의 작은 얼굴에서 힐라리아가 가면을 벗겨냈다.

"왜 그렇게 놀라나요, 라리나 영애?"

"……."

"사람은 누구나 이기적이에요. 다른 사람의 커다란 상처보다 자신의 발가락에 박힌 가시가 더 아픈 법이죠. 그저 그런 거예요. 라리나의 가문은 그들의 눈엣가시를 제거하기로 한 것뿐이에요."

힐라리아가 라리나를 가깝게 끌어당겼다.

"그들에게는 에벤에셀이라는 눈엣가시가 너무 아파서 견딜 수 없을 지경이었을 테고. 그 가시를 제거하기 위해선 무엇이든 할 수 있었겠죠?"

"……누구나 그런 선택을 하는 건 아니에요."

라리나가 울먹이는 목소리로 중얼거렸다.

"대개 그렇죠. 하지만, 라리나의 가족은 보통의 사람들이 아니었나 봐요."

"왜, 왜……. 내게 이런 걸 알려주시는 건가요?"

힐라리아가 라리나의 눈물을 닦아주었다. 참, 악당이 된 것 같네. 라리나의 등 뒤에서 반에이크가 한숨을 내쉬는 모습이 보였다.

"그러면, 라리나 영애만 끝까지 아무것도 몰랐다면. 영원히 선택의 기회가 주어지지 않았다면……. 그게 더 나았을까요?"

힐라리아가 생긋 웃었다.

"나는 지금 라리나 영애에게 선택할 수 있는 기회를 주고 있는 거예요. 가시가 아프다고 명백한 악인이 될지, 아니면 그것을 의연히 참고 견디는 어른이 될지……. 전혀 몰랐다면 라리나 영애가 너무 억울할 것 같아서."

힐라리아가 라리나의 손을 떼어냈다. 그리곤 다정하게 라리나의 어깨를 토닥였다.

"내가 라리나 영애라면 많이 억울할 것 같거든요. 이건…… 라리나를 위해서였어요."

반에이크와 힐라리아의 눈이 마주쳤다. 흔들리는 반에이크의 녹안에 힐라리아의 얼굴이 투명하게 비쳤다. 그녀는 웃고 있었다. 지금 이 상황이 더할 나위 없이 즐겁다는 듯이.

'거짓말.'

반에이크의 소리 없는 말을 힐라리아는 어렵지 않게 읽을 수 있었다. 힐라리아가 어깨를 으쓱했다. 물론, 라리나를 위해서 이런 짓을 했다는 건 거짓말이었다. 황태후가 자꾸 주제도 모르고 힐라리아를 건드려대니 복수를 해준 것이다. 라리나가 힐라리아가 생각한 만큼 순수하고 착한 사람이라 천만 다행이었다.

라리나가 좀 더 많이 상처받았으면 좋겠다. 황태후가 그녀를 아끼는 만큼, 라리나가 황태후를 아프게 했으면 좋겠다. 힐라리아의 푸른 눈이 폭풍 전야처럼 고요하게 가라앉았다.

"라리나 영애. 내가 실수한 건가요?"

달콤한 물음에 라리나가 고개를 저었다.

"아니요. 아니요……. 마마님의 말대로 아무것도 모른 채로 쓸려갔다면 억울했을 거예요."

"그런데 왜 우나요?"

"모르겠어요. 그냥 눈물이 나요."

"……이만 가시죠, 영애. 시벨로프 백작께서 기다리고 계실 겁니다."

반에이크가 라리나 영애에게 손수건을 건넸다.

힐라리아가 반에이크를 가만히 주시했다.

'나를 비난하나요?'

힐라리아의 시선 속에 담긴 질문을 반에이크도 알아들었다. 반에이크가 어설프게 웃었다. 그럴 수 있을 리가 없잖아. 반에이크의 대답을 힐라리아도 어렵지 않게 읽어냈다. 수단과 방법을 가리지 않고 앞으로 나아가는 건 힐라리아나 반에이크나 똑같다. 애초에 반에이크는 힐라리아를 비난할 자격이 없었다. 그리고 자격이 있다 해도 반에이크는 언제, 어디서나 힐라리아의 편을 들었을 것이다. 반에이크가 마른세수를 하고는 라리나에게 말했다.

"가셔야 합니다, 라리나 영애."

아까보다는 좀 더 강경하게.

"……못 가겠어요."

라리나가 눈물 어린 눈동자를 반에이크에게로 돌렸다.

"내가 알았던 사람들이 아닌 것 같아요. 가장 가깝다고 생각했던 가족이 가장 먼 것처럼 느껴져요. 나는 대체 누구와 살고 있었던 걸까요?"

"영애, 일단 돌아가시면서……."

"안 갈래요."

"……예?"

반에이크가 고개를 치켜들었다. 놀란 건 힐라리아도 마찬가지였다. 그래도 그렇지 가출한다고? 이렇게 갑자기? 반에이크가 침을 꿀꺽 삼켰다.

'그렇다면 혹시 나와 가시겠다는 건가?'

그건 곤란하다! 정숙한 귀족 영애를 꼬여내 집으로 데려간 파렴치한이 되고 싶지 않았다. 당황스러운 상황에 반에이크가 손을 내저으려 할 때였다. 눈물을 씩씩하게 닦아낸 라리나가 힐라리아의 손을 조심스럽게 잡았다.

"저를 데려가 주세요, 황비 마마."

"……네?"

힐라리아가 라리나의 맹점을 찌른 것처럼 라리나도 힐라리아의 허점을 찔렀다. 힐라리아가 벙찐 사이에 라리나가 힐라리아의 옆에 바짝 붙었다.

"황비 마마의 옆에 머물게 해주세요. 그리고 나서 결정할래요."

"무엇을요……?"

"어떤 게 옳은지요. 제 신념을 지킬 수 있는 선택을 하고 싶어요. 그러기 위해선 제가 모르는 것들을 알아야 할 필요가 있다고 생각해요."

힐라리아가 두드린 알을 깨고 병아리가 나왔다. 그리고 그 병아리는 알에서 나오자마자 본 힐라리아를 어미닭으로 인식했다. 꼬꼬댁, 꼬꼬.

***

힐라리아와 함께 돌아온 라리나 시벨로프에 대한 소문이 고작 하룻밤 만에 사교계를 장악했다. 사람들은 이 이해 못 할 상황을 두고 갈팡질팡했고 혹자는 힐라리아가 황제를 버리고 시벨로프를 선택했다고들 했다.

올라오는 보고를 가만히 듣고 있던 에벤에셀이 날카로운 시선을 반에이크에게로 던졌다. 라리나에 대한 사안을 소문으로 접할 이유가 있을까? 그녀가 끼치는 영향을 직접 겪고 있는 사람이 여기 있는데.

에벤에셀이 손을 들어 비서관의 말을 멈추게 했다.

"반에이크 공."

그윽한 목소리가 반에이크를 나지막하게 불렀다. 시름에 잠긴 얼굴로 서류를 넘기던 반에이크가 고개를 들었다.

"예? 부르셨습니까?"

"약혼녀를 힐라리아에게 맡겨두신 것 같던데."

"예, 그렇습니다."

맡겨둔 게 아니라 라리나 본인이 따라간 거였지만, 이거나 그거나. 어제도 혼자 시벨로프에 소식을 전하러 갔다가 얼마나 시달렸는지. 지금도 머리가 띵했다. '라리나'라는 이름에 노이로제가 걸릴 것만 같았다.

"언제 데려가려 하십니까? 아직 사교계가 익숙지 않아 뭔가를 잘 모르시는 듯하여 드리는 말씀입니다. 게다가 밖이 익숙하지 않으시니 홀로 돌아가는 법도 모르시는 듯해서요."

쉽게 말해 가는 길을 모르는 것도 아닌데 돌아가려 하지 않으니 약혼자인 네가 어떻게든 데려가보렴, 이라는 뜻이었다. 완곡히 돌려 말하고 있지만, 치켜뜬 눈이나 삐뚜름한 입술이 에벤에셀이 단단히 짜증이 난 상태라는 걸 반증하고 있었다.

"……라리나 영애가 무슨 실수라도?"

"짐도 이런 경우는 처음이라. 감히 황비와 황제의 잠자리를 침범하다니."

"……예?"

"하."

에벤에셀이 어처구니없다는 듯 실소를 흘렸다. 이제는 당연한 일처럼 힐라리아의 침실에서 잠드는 것이 일상이 되었다. 매일 밤 함께 잠들고 아침이면 함께 일어난다. 여느 부부들처럼. 폭풍전야처럼 불안한 이 시국에 그건 힐라리아와 에벤에셀에게 꽤 중요한 의식과도 같았다.

그런데 그 일에 라리나가 끼어든 것이다. 희게 질린 얼굴로 베개를 끌어안고 힐라리아의 침실을 두드리던 라리나의 용기가 가상할 지경이었다.

"처음으로 집 밖에서 자보는 거라 무서워서 잠을 못 자겠다더군."

"아하하하하."

반에이크가 인위적인 웃음을 흘리며 고개를 돌렸다. 라리나가 성으로 들어온 게 좋은 것 같기도 하고. 힐라리아와 에벤에셀을 훼방 놓았다는 말에 반에이크의 기분이 한결 나아졌다. 그에 반비례하여 에벤에셀의 기분은 훨씬 안 좋아진 것 같지만.

"그래서 라리나 영애께서는 어디서 주무셨습니까?"

스베인이 왠지 모르게 창백한 얼굴로 물었다.

"힐라리아가 라리나 영애의 침실로 갔지. 이게 말이 된다고 보나?"

에벤에셀의 푸릇한 살기에 스베인이 동조했다.

"그렇지요! 이건 말이 안 되는 일이지요!"

스베인의 어깨가 부들부들 떨렸다. 드디어 황궁에 후계가 바로 설 거라는 믿음과 희망에 가득 차 있었던 스베인이다. 어처구니가 없는 훼방꾼에 심장이 벌렁거릴 지경이었다. 스베인이 후계자를 바라는 건 여러 가지 이유 때문이었다. 에벤에셀이 후계자가 없는 바람에 파렴치한 무리들이 득실대는 것 아닌가. 후계자가 태어나면 네이선 황자는 후계순위가 밀려난다. 그건 왕권의 안정을 뜻했다. 이렇게 중요한 순간에 라리나 끼었기라니.

"이건 무슨 수를 써야겠군요."

"무슨 수?"

"예, 폐하."

스베인이 결연한 낯빛으로 고개를 끄덕였다.

"시녀들에게 일러 귀신 소리라도 내게 할까요? 겁을 줘서 라리나 영애를 쫓아 보내는 겁니다. 그도 아니면……."

유치하기 짝이 없는 방법들이 스베인의 입술을 타고 흘러나왔다. 그것들을 가만히 듣고 있던 에벤에셀이 반에이크 공을 불렀다.

"반에이크 공?"

"예?"

오랜만에 즐거웠는데 왜 저렇게 음산하게 부른담.

"좋은 생각이 있는데 말이야."

"무슨 생각이신진 모르겠지만, 제게 좋지는 않겠군요. 흠."

"짐이 기밀을 빼돌려 시벨로프에 퍼다 나르는 것을 용서해주었지."

"예……?"

적당히 정보를 가려 시벨로프에 알리는 건 합의된 사항이었다. 시벨로프의 신임을 얻어 그들의 사람이 되기 위함이었다. 한데 갑자기 그걸 왜? 불안함에 반에이크의 눈가가 바르르 떨렸다. 대체 무슨 말을 하려고 이렇게 뜸을 들이는 거지?

"자네가 결혼을 앞당기면 되겠군."

"……."

반에이크가 황당함에 입술을 벌렸다. 지금 내가 들은 게 맞는 건가? 아니 내가 왜? 반에이크가 저도 모르게 버럭 소리를 질렀다.

"싫습니다! 영애를 귀가시키고 싶다는 이유로 제 인생을 마음대로 논하지 말아주세요!"

"왜 이러나. 사춘기 소년처럼."

에벤에셀이 못된 생각을 하는 얼굴로 씨익 웃었다.

***

에벤에셀과 반에이크의 대화를 엿들은 힐라리아가 작게 웃음을 터뜨렸다. 아무것도 모르는 순진한 토끼는 힐라리아가 내어준 다과에 홀딱 빠져 있었다.

"아름다운 곳에서 이런 다과라니. 황성은 좋은 곳인가 봐요."

라리나가 멍하니 웅얼거렸다. 이곳은 유리 온실이었다. 아침이 밝기 무섭게 궁을 구경해보고 싶다고 나서는 라리나를 유리 온실로 데려왔다. 에벤에셀의 심기가 불편하니 눈을 피하기 위함이기도 했다.

"라리나 영애의 마음에 든다니 나도 흡족하군요."

일리가 불만스러운 얼굴로 힐라리아의 무릎에 얼굴을 묻었다.

'자기가 정말 강아지라도 되는 줄 아는 건가?'

나중에 제정신으로 돌아오면 한참을 수치스러워하겠군. 그런 생각을 하며 힐라리아가 느른하게 누워 찻잔을 들어 올렸다.

의자를 없애고 두꺼운 러그 주변에 벌레를 쫓는 연기를 피웠다. 러그 위에 차려진 달콤한 다과들과 편하게 기댈 수 있도록 놓인 쿠션들이 독특한 분위기를 풍겼다. 구두를 벗고 편하게 기대 있던 힐라리아가 찻잔을 기울였다. 딱 알맞은 온도로 따뜻하게 우려진 허브차의 향이 코끝을 부드럽게 간지럽혔다. 그래서 조금은 마음이 누그러지는지도……

사실 라리나는 약간이나마 힐라리아를 닮았다. 사랑받고 자란 이들의 당연한 자신감이 특히나. 힐라리아는 누구도 자신을 미워할 거라고 생각하지 않는다. 그건 라리나도 마찬가지였다.

그렇기에 스스럼없이 반에이크 공과의 약혼을 결정하고 힐라리아의 궁에서 머물기로 마음먹었을 것이다. 아무도 그녀를 미워할 리 없으니까. 힐라리아로 인해 진실을 알았다고 하더라도 한평생 만들어진 그 생각이 바뀌진 않는다. 힐라리아가 그렇듯이. 힐라리아가 사르르 웃었다.

"황비 마마께서는 정말 예쁘신 것 같아요."

"라리나 영애도 마찬가지예요. 마음만큼 외양도 아름다운 분이죠."

"제, 제가요?"

힐라리아가 고개를 끄덕였다.

"비단결 같은 착한 마음씨에 불의를 참지 못하는 고운 심성을 지닌 분이시잖아요? 저는 첫눈에 알아보겠는걸요."

꿀처럼 단 말들을 흘리며 힐라리아가 목을 축였다.

아무런 의도도 없는 것처럼 자연스럽게.

"저는 그렇게 대단한 사람이 아닌데⋯⋯."

"이번에는 라리나 영애가 틀렸어요. 라리나 영애는 충분히 대단한 사람이 맞아요. 이렇게 용기를 내서 내 궁에 온 것만 해도 그래요. 아무도 생각하지 못했을걸요?"

"힐라리아 황비 마마만큼 멋있는 사람은 못 봤어요. 신념이 확실하고, 아름다우시고, 아무도 범접하지 못할 대단한 사람 같으시고. 그리고⋯⋯."

한참을 힐라리아에 대한 찬양을 늘어놓는 라리나의 손을 힐라리아가 부드럽게 쓸었다. 라리나의 연푸른 눈이 확장되었다. 생기발랄한 단발이 라리나의 턱 끝에서 찰랑였다.

참, 순진하고 착해빠졌지. 그러니 나 같은 승냥이들이 노리는 거 아니야. 황태후는 이런 사슴 같은 라리나를 밖에 내어놔서는 안 됐다. 게다가 반에이크 같은 늑대의 아가리에 라리나를 물려준 것도 위험천만한 짓이었다. 그로 인해 힐라리아가 라리나를 넘보게 되지 않았나.

"하지만, 나는 라리나처럼 착하고 부드러운 마음을 가지진 못했죠. 그건 라리나의 가장 큰 장점 아닐까요?"

부드럽고 유연하게. 너는 착하다는 말을 속삭이며 힐라리아가 상냥하게 웃었다. 그 말은 라리나를 옭아맬 것이다. 라리나는 자신의 착함과 순진함을 지키기 위해서 힐라리아가 원하는 선택을 하게 될 것이다.

"라리나는 정의롭잖아요."

힐라리아가 라리나의 손을 힘주어 잡았다 놓았다. 그 말은 아마도 라리나에게 큰 파랑을 일으켰음이 틀림없다. 수줍음에 고개 숙인 라리나를 보는 힐라리아의 푸른 눈이 짐승처럼 번뜩였다. 포식자의 눈빛이었다.

***

물론 라리나가 입궁했다는 소식은 황태후에게도 흘러 들어갔다.

황태후가 창백한 얼굴로 이마를 매만졌다.

"……네 이모가 정말 세상 물정 모르고 돌아다니는구나."

"할아버님께서 그렇게 키우셨으니 별수 있나요."

네이선이 여상하게 대답했다. 고상하고 아름다운 황태후의 얼굴에 근심이 어렸다. 네이선이 조소했다. 네이선으로 인해 저런 얼굴을 하는 걸 본 적이 없는데. 네이선은 항상 황태후의 버팀목이어야 했고 기댈 수 있는 사람이어야 했다. 오로지 네이선이 후계권을 가진 황자라는 이유에서였다.

황태후는 네이선이 제 나이처럼 구는 것을 용서하지 않았다. 네이선은 떼를 쓰고 장난이나 일삼을 나이에 공부를 해야 했고 또래보다 조숙하게 행동해야 했다. 뛰노는 것은 허락되지 않았고 친구들과 어울리는 것도 할 수 없었다. 네이선은 황태후에 의해 황제가 될 사람으로 길러졌다.

딱 거기까지의 효용 가치만 가진 이처럼.

네이선이 음습한 눈동자를 숨기기 위해 고개를 숙였다. 황태후는 자신이 완벽한 황제를 길러냈다고 여기겠지만, 아니다. 그녀가 길러낸 건 아직도 자라지 못한 어린애를 가슴속에 품은 채로 어른이 된 괴물이다.

그에 반해 라리나는?

"그 애가 언제 철들지 모르겠어요. 순진해 빠져서는. 그래가지고 이 전쟁터에서 살아남을 수나 있겠어요? 네이선. 라리나가 네이선보다 한 살 어리지요. 이모라고 생각하지 말고 동생이라고 생각하고 돌봐주세요."

라리나에 대한 이야기가 나올 때면 의례히 듣는 당부가 오늘따라 귀에 거슬렸다.

"네이선 황자?"

"……그리하겠습니다. 당연한 일을요. 라리나 이모님은 오랫동안 저택 밖으로 출입하지 않으셨으니 적응하기 힘드실 거라는 걸 압니다."

"그 애가 몸이 약해서 별수 없었죠. 네이선과는 달라요. 불쌍하고 안타까운 아이죠."

네이선과는 다르다. 그렇지, 네이선과는 다르지.

"라리나의 마음이 다치지 않게, 어떻게 스틸로즈 궁에서 데려와야 할까요? 어휴. 여우 같은 기네비어 계집 덕분에 우리만 고생이군요."

우리만 고생. 네이선더러 슬쩍 가서 라리나를 데려오라는 종용이었다.

고상한 압박에 네이선이 헛웃음을 삼켰다.

"라리나가 네이선을 좋아하니 가서 설득해보세요. 무슨 일이 있을 줄 알고 라리나를 거기에 두겠어요? 반에이크 공작이 실수한 게지. 어떻게 힐라리아 황비에게 그 아일 내어줄 수가 있어. 그는 별다른 이상 행동을 보이진 않고 있나요?"

"예. 반에이크 공은 충실히 맡은 바 임무를 수행하고 있습니다. 황실의 군사 기밀을 빼돌리고 있지요. 곧 대대적인 군사 개편이 있을 거라는 이야기도 그가 알아온 것이었지요."

새로운 기사단 창설로 인해 기사단에도 변동이 생겼다. 늘어난 병력을 전부 황실에 주둔시킬 수 없다는 이유로 기사단의 일부가 남부로 보내졌다.

그동안 고틀리프에 황태후가 돈을 쏟아부은 결실을 이렇게 보게 되었다. 고틀리프는 해상 병력을 윈프리드와 공유하는 바다에 주둔시켜 압박을 가해왔고 덕분에 한평생을 육지에 머물러 왔던 황실의 병력은 배에 올라타야 했다. 로마노프 앞바다에 새로운 범선이 떠올랐다는 사실도 확인했다.

"……그랬었지요."

황실이 어수선한 틈을 타서 새로운 기사단에 간자들을 몇 집어넣을 수 있었다. 확실히 반에이크 공은 자신의 몫을 해내고 있었다.

"쯧. 일하는 건 괜찮아도 남자로서는 영 아닌가 보군요. 라리나가 반에이크 공을 따라나서지 않은 것을 보니. 일단 반에이크 공에 대한 감시는 계속 이어가도록 하세요. 조심해서 나쁠 건 없으니까."

"네, 그렇게 할게요."

네이선이 순순히 대답했다.

"그리고 라리나는……."

"제가 한 번 찾아가보도록 하겠습니다. 이모님을 설득할 수 있을진 모르 겠지만요."

원하는 대답을 들은 황태후가 안도의 숨을 내쉬었다. 요새처럼 일이 술술 풀리는 적이 없었는데 라리나가 문제다.

'너무 어리게만 키워서.'

황태후가 옅게 혀를 찼다. 그 모습을 네이선이 물끄러미 바라봤다.

황태후는 네이선이 아무것도 모른다고 생각하겠지만, 그렇지 않다. 오히려 네이선은 황태후가 숨기기 위해 안간힘을 쓰고 있는 비밀까지 속속들이 알고 있었다. 라리나와 네이선의 출생의 비밀까지도.

네이선이 비릿한 미소를 머금었다.

황태후의 비밀이야말로 파렴치하지 않은가.

**

오후엔 실로테가 찾아온 덕에 힐라리아는 라리나로부터 풀려날 수 있었다.

"……황궁은 좋은 곳인 거 같아요."

"네?"

어처구니가 없었는지 실로테의 손에서 찻잔이 미끄러졌다. 라리나가 새하얗게 웃었다.

"황궁에 있으면 이렇게 언제든지 친구들을 만날 수 있잖아요."

"……예?"

내가 뭘 잘못 들은 건가.

"힐라리아 황비 마마와 실로테 황비 마마는 친구 아닌가요?"

왜 힐라리아가 이 여자를 남겨두고 도망쳤는지 알 것 같았다.

'머리가 꽃밭인가?'

실로테가 고요한 눈으로 라리나를 응시했다. 세상 물정을 아무리 몰라도 이 정도라고? 듣기로는 영특하다고 했는데. 다행히 라리나는 실로테의 기대에 부응했다.

"현 황제께서는 여자에겐 관심이 없으시다죠? 오히려 힐라리아 황비 마마 한 분만을 보고 계신다고 들었어요."

그렇지.

"그러니 권력 다툼도, 애정 다툼도 무의미한 거 아닌가요? 황제께서는 다른 이들에겐 조금의 여지도 주지 않으시니까."

영 멍청한 건 아니군그래.

그나마 다행이라고 생각하며 실로테가 고개를 주억거렸다.

"그러니까요. 그러니 친구도 될 수 있는 거 아닐까요? 누가 황제를 남편이라고 생각하겠어요?"

실로테가 혀를 내둘렀다. 아무렇지도 않게 불경한 말을 입에 담으면서 담대하게 웃는다. 아무도 자신을 해치지 못할 거라는 걸 아는 것처럼. 게다가 의외로 세태를 제대로 파악하고 있었다. 저 말이 맞다. 누가 황제를 남편이라 여기고 입궁하겠는가. 황제는 남자이기 이전에 황제인 것을. 과거의 실로테가 멍청했던 것이다. 황제를 남자라고 여겼었으니.

'그렇게 따지면 힐라리아가 정말 대단하군.'

그 냉벽 같은 황제를 남자로 만들었지 않았나. 하긴 누구라도 힐라리아에게 빠지지 않고는 못 배겼을 것이다. 그토록 매혹적인 향을 풍기고 있는데 못 알아보면 등신 천치지. 왠지 모르게 라리나를 향한 호의가 샘솟았다.

"라리나 영애의 말이 맞아요. 힐라리아와 나는 절친한 친구랍니다."

실로테가 홀가분한 얼굴로 환히 웃었다.

"그럴 줄 알았어요! 실로테 황비 마마도 정말 예쁘시거든요."

"어머."

라리나를 향한 실로테의 호감도가 증가했다. 라리나가 생글생글 웃었다. 아래로 내리깐 눈동자에 담긴 복잡한 감정은 숨긴 채였다.

***

실로테가 라리나를 맡아준 덕에 힐라리아는 잠시나마 라리나로부터 해방될 수 있었다. 하루 종일 힐라리아를 졸졸 쫓아다니며 이것저것을 묻는 통에 정신이 하나도 없었다. 라리나는 정의에 대해서 물었다. 정의롭다는 건 주관적인 것이지 객관적인 것이 아니다. 그렇다면 기준을 어떻게 세워야 하냐는 게 질문의 요지였다.

"하아."

어린애는 역시 힘들어. 힐라리아가 투덜거리고는 유리 온실의 문을 열었다. 아침에 확인해본 바에 의하면 일리의 힘이 회복되었다. 충분히 헬레나미아와 대화를 주고받을 수 있을 정도였다. 힐라리아가 문을 도로 닫는 순간 금빛 나비들이 날아올랐다. 금빛으로 일렁이는 힐라리아의 눈이 문 사이로 사라졌다. 힐라리아를 위해 나비들이 철통같은 경계를 섰다.

"일리."

힐라리아의 부름에 어슬렁거리며 정원을 산책하고 있던 일리가 고개를 획 돌렸다.

"주인님!"

강아지처럼 뛰어오는 일리의 머리를 쓰다듬어 주고는 그에게 힘을 주입했다. 힐라리아의 마력에 반응한 정령이 그의 목덜미에서 쑥 하고 빠져나왔다. 인형처럼 축 늘어진 일리의 몸이 공중에 떠올랐다. 힐라리아가 힘찬 날갯짓을 하는 나비를 보며 서늘한 목소리로 속삭였다.

"어머니."

힐라리아의 부름에 응하는지 나비가 푸른빛으로 타올랐다. 점점 크기를 키우는 나비의 주변으로 헬레나미아의 힘이 흩날렸다.

[힐라리아. 잘 있었니?]

"저는 늘 무탈합니다. 어머니는요?"

[나도 무탈하구나. 네 아버지가 안부를 전해달라는구나.]

"길리어스는……."

[여전히 아무 흔적도 찾지 못했다. 하지만, 너무 걱정하지 말렴. 힐, 그 아이는 강해. 분명 티타니아께서 굽어보고 계실 테니 무사히 우리 품으로 돌아올 거다.]

"황제께서도 이 일을 좌시하시지 않을 거예요. 정보국에서 사람이 내려간 걸로 알아요. 사막에서부터 초원까지. 자카리족을 낱낱이 파헤쳐서라도 그들을 찾아내겠죠."

그들을 데리고 돌아올 거라는 단언을, 힐라리아는 함부로 하지 않았다.

쓸쓸한 미소를 머금은 채로 힐라리아가 손을 뻗어 헬레나미아의 기운을 어루만졌다. 먼 고향에 떨어져 있는 어머니가 마치 곁에 있는 것처럼 느껴진다. 힐라리아가 헬레나미아의 기운에 고개를 기대고 눈을 감았다.

모든 게 힐라리아의 잘못인 것 같고 미래가 불안한 현실 속에서 그 온기는 힐라리아의 위안이 되었다.

[네 잘못이 아니다, 힐. 나라를 팔아먹는 간악한 자들의 잘못이지. 힐라리아, 네 신념을 의심치 말렴. 너는 항상 옳은 길을 걷고 있어. 이 어미가 가르친 대로 말이지. 나는 항상 네가 자랑스럽단다.]

힐라리아가 어린애처럼 고개를 끄덕였다.

[위베르가 곧 제도에 도착할 게다. 가뜩이나 호전적이니 네가 신경을 쓰렴.]

"위베르가 직접 오나요?"

[그렇게 되었단다. 위베르도 기네비어를 벗어나 너른 세상을 볼 필요가 있다고 여겼지.]

위베르가 온다니. 얼마 만에 보는 가족인 거지? 마지막에 작별 인사도 제대로 하지 못하고 떠나왔다. 그래서 그런지 더 오래 보지 못한 것만 같았다. 힐라리아가 고개를 번쩍 들었다.

"위베르 화는 풀렸나요? 절대로 떠나지 말라고 저를 말렸었는데."

[위베르가 화를 길게 내는 것 보았니? 게다가 네게는 더욱 무른 이 아니니. 걱정하지 말거라. 아마 내일모레쯤이면 도착할 거야.]

"오빠는 제가 챙길게요. 어머니, 몸조심하세요. 자카리족의 마법사는 잠자리 날개를 뜯어내는 어린애와 다름없어요. 즐거운 일이라면 무엇이든 하죠. 자카리족이 괴물을 키워낸 거예요."

[어린애와 다름없다는 건…….]

"아."

힐라리아가 쓸쓸하게 웃었다. 어찌 보면 마법사도 피해자였다. 오로지 그들의 핏줄을 타고 태어나는 마법사를 자카리족의 장로들은 새장 속에 가두

고 키웠다. 완벽한 통제 하에서 병기로 길러낸 것이다. 비윤리적이고 비인
도적인 그들의 행태는 어린아이를 괴물로 만들었다.

"어린애예요. 정말 어린애. 이제 11살이 되었으려나."

헬레나미아가 할 말을 잊은 듯 일리가 움직임마저 멈췄다.

"그래서 더 위험한 걸지도 몰라요. 순수한 만큼 잔인하거든요."

힐라리아가 눈을 질끈 감았다. 그녀의 발밑으로 굴러오던 기네비어 사람
들의 머리와…… 마법진에서 솟구친 사슬로 난자되었던 그들이 흘렸던 피.
기네비어 성을 붉게 물들였던 그날 밤이 마치 눈앞에 그려지는 듯했다.

그리고 그 중심에는 어린 마법사가 있었다.

'다 죽어! 죽으라고!'

발을 쿵쿵 구르며 안달이 나서는 입에는 커다란 사탕을 물고 있었다. 몸
은 자랐는데 아직 4살 언저리에 멈춘 것처럼 말은 어눌했고 정제되지 않은
마력만을 토해내고 있었다.

자카리족이 기른 마법사는 수많은 생명을 앗아가고도 조금의 죄책감도
느끼지 못했다. 마치 개미를 밟아 죽이는 어린아이처럼. 기네비어의 기사들
이 망설임을 접고 검을 들라치면 입을 벌리고 울음을 터뜨렸다. 귀가 웅웅
댈 정도로 큰 목소리로.

'으아아아앙! 아파! 아니야! 싫어어!'

자리에 주저앉아 발버둥을 치는 그 애를 어찌하지 못하던 이들은 결국
날개 뜯긴 잠자리 신세가 되어 죽어갔다.

힐라리아는 그 모든 것을 지켜보아야 했다.

[어른들이 아이들을 망친다고들 하지. 그건 그 애의 잘못이 아니다. 자카리족
의 잘못이지.]

"……황실에서 파견 나간 정보국 사람들 중에 마법사가 섞여 있는 모양
이에요. 듣자 하니 아주 어릴 때 자카리족에서 도망쳤다고 하더군요. 한
100년 전이었나."

에벤에셀에게 듣기로는 그랬다. 100년 전에 자카리족에게서 도망친 마법사가 정보국에 합류했다고. 힐라리아가 다녀온 미래에서는 보지 못했었다. 많은 것을 보았고 느꼈는데 아직도 힐라리아가 모르는 수많은 진실들이 미래에 숨겨져 있었다.

다만, 힐라리아는 에벤에셀이 기네비어를 저버리고도 수많은 전투에서 이길 수 있었던 이유를 이제야 알 것 같았다. 윈프리드도 적군만큼이나 많은 피를 흘렸지만, 매번 승리했다. 아마도 마법사가 있기에 가능한 일이었을 것이다.

[마법사의 수명이 길다더니 정말이었구나. 그자가 자카리족의 아이를 구해낼 수 있을 것 같니?]

"아니요. 그자는 아이를 구하러 간 게 아니에요."

힐라리아의 눈에 금빛 파도가 휘몰아쳤다.

"죽이기 위해 간 거예요, 어머니."

힐라리아의 목소리가 서늘하게 벼려졌다.

"마법사는 자신의 일족을 증오해요. 그리고 그들이 키워낸 괴물도 증오하죠. 마법사는 아이를 비롯한 자카리족 전부를 도륙할 생각이에요."

이 또한 에벤에셀에게 전해 들은 이야기였다.

'힐라리아. 나는 수많은 변수를 생각했어. 마법사가 자카리족을 몰살하는 데 성공한다면 기네비어의 식솔들이 설사 군사 기밀을 누설했다고 하더라도 목숨을 구할 수 있겠지.'

그건 에벤에셀만의 다정함이었다. 길리어스가 기밀을 누설했다면 즉시 처형당하는 게 맞았다. 하지만, 그것을 들은 귀가 사라진다면? 그가 힐라리아를 위해서라면 잔혹한 도살자의 가면도 얼마든지 뒤집어쓸 사람이라는 걸 이제는 안다. 에벤에셀은 항상 그만의 방식으로 힐라리아에게 상냥했다.

힐라리아가 길리어스에게 기회를 달라는 말을 어렵게 토해냈을 때, 에벤에셀 또한 한참을 망설인 끝에야 마법사의 이야기를 들려주었다.

'당신이 싫다 해도 어쩔 수 없어. 나는…… 당신을 잃는 게 더 무섭거든.'

그리고 힐라리아는 에벤에셀의 애정을 거부할 수 없었다. 그렇게 해서라도 힐라리아를 곁에 두고자 하는 에벤에셀이 오히려…… 사랑스럽다.

'나도 똑같은 족속이지, 뭐.'

한참을 침묵하던 헬레나미아가 말문을 열었다.

[……길리어스는 예로부터 티타니아의 축복을 타고난 아이라고들 했다. 사내아이가 붉은 여왕의 머리카락을 타고난 건 그 애가 처음이었거든.]

이미 아는 이야기였다. 기네비어 왕실에서는 한 번도 붉은 머리를 가진 남아가 태어난 적이 없었다. 붉은 머리는 항상 여아들이 독차지했다. 한데 길리어스는 신기하게 붉은 머리를 타고 났다. 힐라리아만큼이나 선홍색으로 불타오르는 머리카락이었다. 그래서 사람들은 길리어스를 티타니아의 보살핌을 받는 아이라고 불렀었다.

[그 애라면 어떤 기적이라도 일으킬 게야. 믿어보렴.]

헬레나미아의 목소리에는 기묘한 확신이 있었다.

"저도 그랬으면 좋겠어요. 어머니, 이만 가봐야겠어요."

유리 온실로 다가오고 있는 기척들이 느껴졌다.

나비들이 힐라리아에게 강렬한 경고를 보내오고 있었다.

[그래, 다음에 연락하렴.]

"저는 제 일을 하고 있을게요. 어머니도 제 걱정은 마시고 어머니의 일을 하세요."

힐라리아의 머리카락을 부드럽게 휩쓴 헬레나미아의 기운이 갈무리되어 사라졌다.

"주인님……?"

힐라리아가 대답 대신 일리의 머리를 토닥여주었다.

그와 동시에 유리 온실의 문이 열렸다.

"힐."

에벤에셀이었다.

"에벤? 여긴 어쩐 일이에요?"

힐라리아가 일리를 뒤로하고 에벤에셀에게로 걸음을 옮겼다. 직접 문을 열고 들어온 에벤에셀이 서늘한 시선을 일리에게 던지고는 힐라리아의 허리에 팔을 감았다.

"그대가 라리나 영애로부터 자유를 되찾았다고 하기에."

에벤에셀이 나른히 속삭이며 힐라리아의 이마에 부드럽게 입을 맞췄다. 그의 날카로운 시선은 여전히 일리에게 못 박힌 채였다.

"아. 라리나 영애."

"실은 그대가 필요해서 왔어요."

에벤에셀이 자연스럽게 힐라리아의 관심을 다른 곳으로 돌렸다. 힐라리아는 에벤에셀의 귀여운 공작을 알면서도 기꺼이 넘어가 주었다.

"내가 왜 필요한데요? 외로워서? 같이 식사할까요?"

"물론 힐라리아가 없는 시간은 항상 외롭지요."

에벤에셀이 힐라리아의 관자놀이에 키스하고는 그녀의 몸을 유리 온실 밖으로 이끌었다. 순순히 걸음을 옮기는 힐라리아의 볼에 잘했다는 듯이 짧게 키스했다. 달콤한 향내를 풍기는 살갗이 늘 그렇듯 유혹적이었다.

한 걸음 옮길 때마다 힐라리아의 살갗을 지분대는 입술에 그녀가 간지러웠는지 웃음을 터트렸다. 청량한 웃음이 깊어가는 가을의 공기를 갈랐다. 차가워진 날씨도 잊을 만큼 부드럽고 달달한 소리였다.

힐라리아가 에벤에셀의 목에 손을 얹고는 그를 끌어안았다.

"자꾸 감질나게 이럴 거예요?"

"보는 눈이 많잖아요, 힐."

"어머. 그런 거에 좌지우지되는 연약한 남자였나요?"

"난 그대에게 언제나 연약한 편이지."

"그럼 내가 강인해져야겠군요."

힐라리아가 에벤에셀의 얼굴 가까이 자신의 얼굴을 붙였다. 고작 손가락 한 마디의 틈만을 남기고 맞붙은 얼굴 사이로 더운 숨결이 오갔다. 가늘게 뜬 힐라리아의 속눈썹이 에벤에셀의 콧날에 스칠 지경이었다. 힐라리아가 나른히 속삭였다.

"키스해줄까요?"

에벤에셀이 수긍하듯 힐라리아의 허리를 좀 더 끌어당겼다.

밀착된 두 사람 사이에 기이한 열기가 피어올랐다. 주변에 내려앉았던 추위가 맥을 못 추고 녹아내릴 열기였다. 천 사이로 전해지는 체온이 뜨겁다. 맞닿은 살갗마다 불이 지펴지는 것 같았다. 힐라리아가 입술을 살짝 깨물고는 웃음을 터뜨렸다.

"얼마나?"

"그대가 자비로운 만큼."

힐라리아가 입술을 벌려 에벤에셀의 입술을 집어삼켰다.

마치 토끼를 잡아먹는 맹수처럼.

***

황태후의 종용에 못 이겨 네이선이 라리나를 만나러 왔다.

볼 때마다 느끼는 거지만…… 라리나, 네이선, 황태후, 마지막으로 시벨로프 백작 부인까지. 씨도둑은 못 한다고 판박이처럼 다들 닮았다. 라리나와 네이선 또한 이목구비를 빼다 박았다. 어디 가서 남이라고 해도 아무도 믿어주지 않을 것이다. 이래서 하나는 숨겨야 했던 거다.

네이선이 아무도 몰래 비릿하게 웃었다. 7년 전, 황태후를 낳은 시벨로프 백작 부인이 더 이상 아이를 낳을 수 없는 몸이 되었다는 걸 알았을 때. 네이선은 그들을 둘러싼 음습한 비밀에 대해서 알아차렸다.

황실에는 아직 고릿적의 말도 안 되는 미신이 남아 있어 쌍생아는 환영하지 않았다. 멀지 않은 과거에 마녀사냥을 자행했던 이력이 남아 있는 윈프리드니 그리 놀랍지도 않은 일이었다.

한데 황태후는 네이선과 라리나를 낳았다. 황제의 아이도 아닌 아이를, 황제의 아내가 되어 둘이나 낳은 것이다. 네이선이 오랜 방황 끝에서도 여전히 답을 찾지 못한 이유였다. 이미 무덤 속에서 백골이 되었을 알케스터 자작도 이 사실은 죽을 때까지 몰랐겠지.

그런데 그런 더러운 핏줄을 황태후는 뻔뻔스럽게도 황제로 만들려고 한다. 윈프리드의 핏줄도, 알케스터의 핏줄도 아닌 네이선은 평생을 부유초 같은 기분으로 살아오고 있는데 황태후에겐 고작 그런 것이 더 중요했다. 네이선이 아무것도 모르고 순진한 얼굴을 하는 라리나를 응시했다.

다행히 난 아이들 중에 라리나가 몸집이 작았고 황태후는 망설이지 않고 라리나를 시벨로프 백작가로 보냈다. 아무도 시벨로프 백작 부인의 출산을 의심하지 않을 정황을 미리 만들어둔 뒤였다. 수태한 태아가 쌍생아라는 진단을 내린 의사는 애초에 죽었으니 그렇게 영원한 비밀이 만들어졌다. 황태후가 입만 열면 '불쌍한 라리나'라는 말을 달고 사는 연유이기도 했다.

라리나는 쌍생아 동생이 아닌 한 살 어린 이모님이 되었다.

'개도 안 물어갈 족보가 이런 거지.'

유배지를 떠돌며 시정잡배들에게 배웠던 말이 이 상황에 너무 잘 들어맞는다. 갇혀 산 덕분인지 라리나는 다른 시벨로프와는 다르게 천진난만했다. 발코니 난간을 붙들곤 몸이 쏟아질 것처럼 허리를 숙인 지금도 그랬다.

"왜 그러시는데요, 이모님?"

"와. 와! 저게 어른의 연애라는 건가 봐요, 네이선."

"이모님께서도 이미 어른이신데요. 충분히 어른의 연애를 하고 계십니다."

반에이크 공의 얼굴이 하루가 다르게 수척해지고 있다는 소문이 돌고 있었지만, 네이선은 천연덕스럽게 시침을 뗐다.

"반에이크 공은 아무것도 몰라요. 내 손도 못 잡는 숙맥하고 무슨 연애를 한다고."

네이선이 헛웃음을 지었다. 손?

"반에이크 공이 퍽 마음에 드시나 봅니다?"

"새로운 것들을 알려주거든. 앗, 황자. 저기 보이세요? 오, 오…… 꺄!"

네이선이 라리나가 손가락질하고 있는 곳을 힐끗 보고는 한숨을 내쉬었다. 황제와 황비의 연애놀음을 훔쳐보다니.

"그러시는 거 불경죄에 해당됩니다. 다들 등 돌리고 모른 척하는 거 안 보이십니까?"

"하지만, 하지만…… 나 이런 거 실제로 보는 건 처음이란 말이에요."

라리나가 볼을 붉힌 채로 수줍게 속삭였다. 이러니까 시벨로프가 막내딸을 어떻게 키운 건지 모르겠다는 말이 나돌지. 라리나는 정말 자유롭게 자랐다. 사랑만 받아먹으면서. 엄마를 엄마로 알지 못하는 불쌍한 어린아이에게는 아무런 의무도 주어지지 않았다.

네이선과는 달랐다. 그와 달리, 라리나는 저택 안에서 하고 싶은 모든 것을 하며 자랐다. 그러니 해서는 안 되는 것들이 많은 바깥이 이해가 안 가는 것이다. 게다가 라리나는 자유롭게 정의롭지 못한 일을 비난할 수 있는 권리도 부여받았다. 그래서 네이선은 이따금씩 라리나를 볼 때면 추악한 열등감이 들곤 했다.

지금처럼.

"이모님. 그러다 들키시면 어쩌시려고."

"황자께서 구해주시겠지요. 아차."

무슨 할 말이 있는 것인지 한참을 발코니 난간에 매달려 있던 라리나가 환히 웃는 얼굴로 몸을 돌렸다. 네이선의 건너편에 앉아 무슨 심산인지 발을 동동 굴렀다.

"왜 그러세요?"

"네이선도 힐라리아 황비 마마를 알아요?"

"유명한 분이시죠. 제가 모를 리가 있나요."

안 그래도 라리나가 철없이 힐라리아 황비를 좇아 들어오는 바람에 힐라리아는 제도의 핫한 이슈로 또다시 급부상 중이었다. 사람들은 시벨로프가 라리나를 간첩으로 보냈다고들 하던데. 라리나가? 그녀를 아는 자들이라면 고개를 거세게 저을 일이었다. 라리나가 의자를 바짝 당겨 앉았다.

"정말 멋있지 않아요? 예쁘고 아름답고 우아하죠. 게다가 얼마나 영민하신지. 있잖아요, 내 일평생 그렇게 멋있는 사람을 보지 못했어."

라리나는 정말로 힐라리아를 향한 순수한 호의를 품은 것이다. 편한 인생이다. 부러운 인생이기도 하고. 네이선이 삐뚜름한 마음을 부드러운 미소 속에 숨겼다.

흥분해서 정원을 손짓하는 라리나를 저지하고는 네이선도 힐라리아가 있는 쪽으로 시선을 돌렸다. 라리나의 말대로 부족한 게 없는 사람이었다. 힐라리아는 쥐고 있는 것도 많았지만, 쥐고 있는 것을 적당히 활용할 줄도 알았다. 멍청하게 나가떨어지는 에라스모 백작과 올리비아 황비와는 다르다. 윈프리드의 어느 사내를 데려다놔도 힐라리아만큼 위협적이진 않을 거다.

"어때요? 네이선 황자가 보기에도 힐라리나 황비는 좋은 사람 같아요? 내가 보기엔 그렇던데."

"좋은 사람……. 확실히 힐라리아 황비께서는 좋은 사람이시지요. 그분은 자신의 선을 지키시거든요."

황태후처럼 나라를 팔아먹지도 않고 비윤리적인 짓을 자행하지도 않는다. 황태후의 부정의 산물인 네이선과 라리나와는 완연히 다르다. 네이선의 말을 곱씹던 라리나가 조금은 시무룩한 얼굴로 고개를 끄덕였다.

"내가 보기에도 힐라리아 황비 마마는 좋은 사람 같아요. 나도 알아요. 내가 무례한 짓을 하고 있다는 거. 하지만, 황비께서는 나를 밀어내지 못하시

더군요. 다가오는 사람을 밀쳐내는 것도 못 하시는 분인데 나쁜 분일 리가
요."

"라리나 이모님."

네이선의 눈빛이 침잠했다.

"고민이 많아 보이시네요."

"맞아요. 내가 태어나서 이렇게 맹렬히 고민하는 게 처음이라는 걸 누가
알아주겠어. 네이선 황자. 허심탄회하게 거짓 없이 대답해주면 좋겠어요."

"라리나 이모님을 걸고 약속드리지요."

라리나가 설핏 웃었다. 사실 이 궁에 온 이유에는 네이선도 포함되어 있
었다. 황태후 본인이 직접 나서지 않을 테니 반드시 라리나에게 네이선을
보내줄 것이다. 그렇다면 시벨로프 저택이나 황태후의 앞에서 나누는 이야
기보다는 좀 더 진솔한 대화를 나눌 수 있겠지.

라리나의 주변에서 네이선만큼 명료한 사람도 없었다. 막무가내처럼 보
였지만, 거기까진 계산을 한 것이다. 라리나가 심호흡을 했다. 묻고 싶은 것
도 많고 알아야 할 것도 많았지만, 가장 궁금했던 것부터.

"시벨로프가…… 윈프리드를 팔아 권력을 손에 쥐려고 하나요? 네이선
황자를 제물 삼아서."

제물 삼아서? 그런 단어는 처음 들어보는데.

네이선이 입매를 손으로 문질렀다.

"누가 그러던가요?"

"……힐라리아 황비가 그렇게 말하더군요. 네이선도 불쌍한 제물에 불과
할지도 모른다고."

불쌍한 제물……? 그 누구도 네이선을 두고 그렇게 지칭한 적이 없었는
데. 네이선이 헛웃음을 지으며 고개를 돌렸다. 다정하게 에벤에셀과 팔짱을
끼고 어디론가 향하고 있는 힐라리아가 멀리서도 돋보였다. 그녀의 붉은 머
리카락이나 화사한 옷차림 같은 것에 시선이 끌리는 게 아니다.

힐라리아는 본인만으로도 찬란한 빛을 내뿜고 있었다. 게다가 이리 착한 마음씨라니……. 보통 사람들은 네이선을 두려워하거나 부러워했다. 한데 불쌍히 여기고 있었다니.

"……그랬나 봅니다."

네이선의 목소리가 낮게 가라앉았다. 나조차도 내가 불쌍한 걸 모르고 있었는데, 당신은……. 네이선의 눈에도 힐라리아가 들어왔다. 오늘의 만남 끝에 반드시 힐라리아와 이야기를 나누고 돌아가야겠다는 생각이 들었다. 네이선이 좀 더 편하게 자세를 고쳤다.

"또 어떤 말씀을 하셨나요?"

"글쎄요……. 황비께서 꿈꾸는 세상에는 우리의 자리도 있다고 하시더군요. 한데 내 가족이 꿈꾸는 미래엔 황비의 자리는 없을 거라고."

틀리지 않은 말이다. 힐라리아는 의외로 솔직담백하게 라리나를 대하고 있었다. 그리고 그게 라리나의 환심을 더 사로잡았음이 틀림없었다.

'사람 다루는 데 도가 트셨군.'

라리나가 네이선의 손을 두드려 관심을 끌었다.

"그래서, 시벨로프와 황태후께서는 윈프리드를 팔아 네이선을 황제로 만들려는 게 맞아요?"

"그렇다고 하면 뭐가 달라집니까?"

부정이 아니다. 네이선의 대답에 라리나의 눈동자가 짙게 가라앉았다.

달라진다. 아주 많은 것들이 달라진다. 라리나를 구축하고 있었던 선한 세계가 송두리째 무너지는 것 같았다.

라리나가 어미 닭을 쫓아 세상 밖으로 걸음마를 시작했다.

***

힐라리아가 에벤에셀의 팔짱을 끼고 걸음을 옮기며 말했다.

"라리나와 네이선이 만났군요."

"저리 만나게 둬도 괜찮습니까? 라리나를 회유하려던 것 같았는데."

"내가요?"

"힐라리아가요. 그러니 궁에 방도 내어줬지."

"그런 의미는 아니었어요. 나는 그저 돌을 던지는 것뿐이에요. 황태후가 나한테 하고 있는 것처럼."

"내가 원한 대답은 그게 아니었어요, 힐."

에벤에셀이 힐라리아의 손을 가만가만 만지작거리며 속삭였다.

"그러면?"

"얼른 약속해. 내게도 비는 방 하나를 내어주겠다고. 물론, 당신의 방과 가장 가까운 곳이어야 해."

에벤에셀의 얼굴을 응시하던 힐라리아가 그가 한 말을 천천히 곱씹었다.

'그러니까. 그러니까 지금 당신……'

힐라리아가 에벤에셀의 앞을 막아서곤 그의 얼굴을 찰흙처럼 만지작거렸다. 이게 뭐람. 다 큰 성인 남자가, 위험하게만 보였던 그 남자가 이렇게 귀여울 줄이야. 힐라리아가 나지막이 물었다.

"질투해요? 그것도 라리나를 상대로?"

"……황제는 질투도 못 하겠어요? 오히려 더 위엄 있는 스케일로 합니다. 방을 내어주세요, 황비. 그리고 나와 밤을 보낼 때는 문을 잠가줘요."

에벤에셀이 힐라리아에게 한 걸음 더 다가가 부러 더 귀엽게 조르며 힐라리아의 손을 매만졌다. 힐라리아가 입술을 벙하게 벌린 채로 에벤에셀의 말을 들었다.

"와……."

"내가 유치해?"

힐라리아가 가만히 고개를 저었다.

"아니, 귀여워. 이대로 잡아먹고 싶을 만큼."

결국 또 두 사람의 발걸음이 멈췄다.

***

에벤에셀이 힐라리아를 찾아온 본연의 목적은 예상보다 훨씬 빨리 도착한 위베르 일행 때문이었다. 하지만, 마치 데이트라도 나온 것처럼 즐겨버린 덕에 힐라리아가 위베르에 대한 이야기를 들은 건 그들 일행이 도착해 늦은 점심을 해결하고 있는 식당 앞에서였다.

"힐라리아. 당신이 좋아할만한 일이 있어요."

"내가 좋아할 일? 맛있는 거라도 준비했어요? 아니면 직접 요리라도 하셨나? 이 곱디고운 손으로."

힐라리아가 장난스럽게 속삭이며 에벤에셀의 손에 깍지를 꼈다. 그러곤 자연스럽게 손을 들어 올려 부드러운 손등에 입을 맞췄다. 에벤에셀이 입매를 가리고는 작게 웃음을 터뜨렸다. 어떡해. 힐라리아는 매일이 색다르다.

그녀를 보는 에벤에셀의 눈에 다디단 웃음기가 어렸다. 하루가 다르게 커져가는 에벤에셀 스스로의 마음이 그를 안달 나게 만들었다. 사실 힐라리아는 항상 똑같다. 달라지는 건 에벤에셀의 마음이었다.

에벤에셀은 매일 다른 감정으로 힐라리아를 보고 있었다. 어제보다 오늘 더, 그리고 오늘보다 내일이 더. 어린애처럼 떼를 쓰고 조르고 매달리고 싶었다. 나만 보라고, 내 옆에만 있어달라고, 당신에겐 오로지 나여야만 한다고. 휘몰아치는 감정을 꾹 누른 채로 에벤에셀이 힐라리아의 볼을 부드럽게 쓸었다.

"……내가 사랑한다는 말을 했던가요?"

"오늘은 안 하셨죠."

힐라리아가 키득대며 대답했다. 하루에 딱 한 번. 입이 닳도록 말해도 모자라는 말이라 좀 더 아껴서 하루에 딱 한 번만. 에벤에셀이 힐라리아의 머리카락을 넘겨주며 속삭였다.

"사랑해요, 힐."

힐라리아 앞에서는 황제가 아닌 남자가 되어 에벤에셀이 정성스레 사랑을 속삭였다. 묵직하고 뜨거운 목소리였다. 그들이 그들만의 세상에서 빠져나온 건 기다리다 못한 스베인이 헛기침을 하고 나서였다.

"어흠, 어흠! 안에 손님이 계신 걸, 어흠! 아시는지, 어흠!"

스베인이 절대로 방해할 의도는 없다는 듯이 어색하게 말했다.

"손님?"

힐라리아가 눈을 동그랗게 떴다.

"실은 내가 당신을 데리러 간 이유가 있었어요."

에벤에셀이 식당으로 향하는 문 위에 손을 얹었다.

"기네비어에서 손님이 오셨거든요."

"기네비어에서……?"

힐라리아가 낮은 탄성을 내질렀다. 성격 급한 위베르가 쉬지도 않고 말을 달린 게 분명했다. 하루 만에 국경도 뛰어넘는다는 기네비어의 말을 혹사시켰으니 당연한 일이었다. 힐라리아가 자신도 모르게 상기된 표정으로 에벤에셀의 팔등을 잡았다.

"손님이 힐라리아를 애타게 보고 싶어 하셔서요."

사실 힐라리아를 데리러 간 목적이 이게 맞았는지는 확실히 모르겠지만, 아무렴 어떤가. 에벤에셀이 힘을 주어 문을 열었다. 왁자지껄하던 내부의 소란이 단번에 가라앉았다.

"공주님!"

"세상에, 우리 공주님이야! 무탈하셨군요!"

"어디 다치신 덴 없으시고?"

기네비어에는 황제가 피를 마신다는 괴소문까지 돌고 있으니 그들의 반응은 당연했다. 기사들이 허기진 배를 채우기 위해 뜯던 칠면조 다리까지

내던지고 벌떡 일어났다.

"다들 잘 지냈어요?"

기네비어를 여기에 옮겨놓은 것 같았다. 신분의 고하 없이 한데 모여 식사를 즐기고 이야기를 나눈다. 웃음이 끊이지 않으며 누구도 외롭지 않은 그런 곳이 기네비어였다. 말은 안 했지만, 내심 그리웠나 보다. 힐라리아의 목소리가 한 톤 정도 높아졌다. 그리고 힐라리아를 만나는 걸 가장 고대하던 사람이 있었으니.

"흑."

흑? 여기서 그게 나올 소리야? 에벤에셀이 삐뚜름한 시선을 상석으로 돌렸다. 얼굴을 커다란 두 손에 묻고 있는 한 장정이 보였다.

"오빠, 울어?"

"또 우십니까?"

"아기가 따로 없으시네."

여기저기서 야유가 터져 나왔다. 하지만, 아무도 어색해 보이지 않는다. 이 우스꽝스러운 장면이 일상이라는 듯이 말이다. 그를 단숨에 지나쳐간 힐라리아가 위베르를 향해 달려가는 것이 보였다. 티 없이 밝은 얼굴로 웃으면서 위베르의 등을 쓸었다.

"왜 울고 그래. 위베르, 여기 봐봐. 나 멀쩡하다니까?"

"하, 하지만…… 몸도 약한 애가…….."

"괜찮아. 아주 건강하다고."

물론 중간중간 일이 있긴 했지만, 지금은 건강하니까. 힐라리아의 말에 붉어진 눈을 슬쩍 들었다가 위베르가 도로 손바닥에 얼굴을 묻었다.

"정말 위험한 선택이시긴 했습니다. 그러다 다치시면 어쩌려고요!"

"맞습니다, 공주님. 이렇게 드센 사람 많은 제도에서 상처라도 받으실까 봐……."

"위베르 님이 하루에 한 번씩 우셨다고요!"

"이 울보!"

고자질하는 기사들 사이에서 힐라리아가 위베르의 등을 토닥였다. 스베인이 에벤에셀의 뒤로 쓰윽 나타나 의아한 듯이 물었다.

"혹시 기네비어에 공주님이 둘 있는 건가요?"

"무슨 말도 안 되는 소리야."

"그러면 몸도 약하고 마음도 연약한 공주님이 어디 계시는지⋯⋯?"

스베인이 정말 모르겠다는 듯이 심각한 얼굴로 물었다.

"자네가 몰라서 그래."

에벤에셀이 팔짱을 끼고는 스베인을 힐끗 보았다.

"힐라리아는 심약하고 부드러운 사람이네."

"예?"

스베인이 잘못 들었다는 듯이 귀를 문질렀다.

"마음이 약해 함부로 사람을 내치지도 못하지. 게다가 어찌나 다정한지."

"예?"

아니, 이 사람아. 이건 아니지. 아무리 콩깍지가 씌였다고 해도⋯⋯. 스베인이 혀를 차며 고개를 내저었다. 이 블라디슬라프가 힐라리아의 손아귀에 툭하고 떨어졌는데 어떻게 저렇게 파렴치한⋯⋯ 말을 할 수가 있는 거지?

성에 온 지 고작 몇 달 만에 일어난 변화였다.

올리비아는 쇠락했고 황태후도 힐라리아의 눈치를 살핀다.

사람들은 셋 이상 모이기만 하면 힐라리아 이야기를 했고 어떻게든 그녀에게 줄을 대기 위해 안달이었다. 게다가 힐라리아는 황제의 마음까지 치마폭에 쓸어 담지 않았던가? 제도의 유력가는 전부 힐라리아의 손아귀에 있으니 윈프리드가 힐라리아로 인해 좌지우지된다 해도 모자라지 않았다.

아⋯⋯. 사랑에 빠지면 다들 저렇게 변하는구나.

"흐어어어엉! 힐, 힐. 정말 걱, 걱정했어⋯⋯."

눈물, 콧물을 흘리며 힐라리아의 허리를 끌어안는 위베르를 본 에벤에셀이 저도 모르게 한 발 앞으로 내디뎠다가 멈췄다. 이를 아드득 갈며 주먹을 쥔 에벤에셀이 한숨을 삼켰다. 그래, 오랜만이니까. 좀 더 참아보자, 에벤에셀. 너는 인내심이 짧은 사람이 아니잖아. 처음으로 힐라리아의 가족을 만나는 자리다. 상견례를 망칠 순 없지. 에벤에셀이 스스로를 설득하며 초조하게 손가락으로 허벅지를 두드렸다. 하나, 둘, 셋, 넷……

***

힐라리아와 위베르가 회포를 풀고 있던 그 시각.

밖에서 오들오들 떨고 있는 사람도 있었다. 베아트리체의 동그란 금안이 평소의 생기를 잃고 추위에 질렸다.

"으, 으. 북부가 이렇게 춥다고……. 왜, 왜 말을 아, 안 해줘서……."

이를 달달 떨며 베아트리체가 몸을 감싸 안았다. 작은 몸집이 2배로 보일 정도로 두툼한 솜옷을 걸치고 있는데도 뼛속까지 추위가 파고들었다. 여기까지 베아트리체를 보낸 힐라리아가 원망스러워질 정도로 추웠다.

"이, 이 정도로 뭘, 뭘 춥다고 그러세요……."

베아트리체를 쫓아온 제너시스 후작가의 수종기사가 덜덜 떨며 말했다. 베아트리체가 어처구니없다는 듯이 기사를 흘겼다. 그들은 지금 오스발트로 가는 길목에서 잠복하고 기다리고 있는 중이었다. 경매가 끝나고 저쪽에서 움직이기 시작했다는 말을 듣자마자 미리 점찍어 두었던 거점에 매복했다.

추운 날씨에 내리는 눈. 하루면 흔적들이 전부 덮여버리기에 이런 범죄를 저지르기 아주 적합했다. 게다가 무기를 도난당했다고 한들 애초에 불법 무기 밀매의 증거물인 데다가 오스발트에 유출하던 무기였다. 어떻게 신고를 하겠는가! 아마도 황태후 홀로 전전긍긍 속을 끓이겠지.

베아트리체가 발개진 코끝을 찡긋거리며 절벽 아래를 주시했다. 그동안 베아트리체가 연구해온 마법진이 저 아래에 잔뜩 그려져 있었다.

마법사와 정령술사들이 사용하는 마법진은 근본부터가 달랐다. 마법사는 마력을 이용해 무에서 유를 창조하는 마법진을 그리지만, 정령술사들은 자연 그대로를 이용했다. 마법진이 발동되면 기이할 정도로 웃자란 나무뿌리들이 그들을 옭아매고 헤집을 것이다.

이 주변에 나무가 많아 다행이었다. 이렇게 광범위한 마법진을 그려본 건 처음이라 조금 설레기도 했다. 베아트리체가 차게 식은 손을 소매에 넣고 꼼지락거렸다.

"그런데 이렇게 능력을 쓰셔도 되는 겁니까?"

제너시스의 기사단장이 걱정스러운 얼굴로 물었다.

이번 임무를 제너시스 후작으로부터 하달받으며 그동안 감춰져 왔던 베아트리체의 능력에 대해서 전해 들었다. 비밀 유지를 위해 이번 일에 차출된 기사는 고작 30명 남짓이었다. 전부 제너시스에 충성 서약을 하고 기사가 된 자들이었다. 그들은 이번에 새롭게 비밀 유지 서약을 해야 했다.

기사단장의 물음에 베아트리체가 씨익 웃었다.

"네. 괜찮아요. 저들은 모든 일이 마무리될 때까지 구금될 예정이거든요."

베아트리체의 눈이 장난기로 반짝였다. 기사단장이 우려하고 있는 건 분명 아직도 남아 있는 마녀사냥의 잔재일 것이다. 여전히 사람들의 마음속에는 마녀들에 대한 두려움이 짙게 남아 있었다. 누군가 능력을 쓸 수 있다는 소문이 퍼지면 다시 마녀사냥이 부활할지도 모른다.

하지만.

'새로운 세상을 만들 거야. 정령술사가 더 이상 마녀라 불리지 않고 예전처럼 어디에서나 살 수 있는 세상으로. 기네비어는 마녀들의 요람이면서 동시에 감옥이었지. 더 이상 그런 좁은 곳에 가둬두지 않을 거야.'

힐라리아가 그렇게 말했으니 분명 머지않은 미래에 그렇게 될 것이다. 다시 기네비어의 문이 열리고 정령술사들은 자유를 되찾게 되겠지. 그렇게 되면 가장 먼저 어머니를 모시고 기네비어로 달려갈 것이다. 오랜 세월 떠나온 고향을 그리워했던 어머니를 위해.

"더 살기 좋은 세상이 올 거예요."

단단한 베아트리체의 음성이 찬 바람 속으로 흩어졌다.

*　*　*

한편, 오스발트에서는 세 왕국의 지도자들이 비밀리에 모였다. 에르킨, 사리프, 오스발트. 이 연합을 주도하는 건 오스발트의 곤드레스 왕이었다.

"이제 곧 거사를 치르게 되겠군요. 이 좁은 땅덩이에 만족하지 않아도 되는 겁니다. 아래로 뻗어 내려가 영토를 확장하고 윈프리드를 나눠 먹게 될 테니."

"그날을 생각하면 가슴이 뛰어 잠이 오질 않습니다. 오랜 세월 내 조상님들의 염원이었으니."

"사람들은 더 이상 우리를 약소국으로 기억하지 않을 겁니다."

간단한 안부 인사가 오가고 곤드레스가 오늘의 모임을 주도한 이유를 화제로 꺼내들었다.

"모든 일엔 만전의 준비가 필요한 법이지요. 황태후의 탄신연 때는 황비가 독에 당했다는 이유로 구금당해 아무것도 하지 못했으니 이번에야말로 제대로 정찰대를 보내야 할 시기입니다."

"정찰대요?"

"그렇습니다. 그들의 동태를 직접 살피고 올 자들이 필요해요. 황실의 분위기, 드나드는 사람, 그들의 병력. 모든 정보가 부족합니다."

"윈프리드의 황태후가 우리에게 협력하고 있지 않습니까."

"그것만으로는 역부족이지요. 황태후는 이미 정치권에서 뒤로 밀려나 있지 않습니까. 황태후가 전해주는 정보에는 한계가 있어요."

"흐음……."

"해서 사절단을 파견할까 하는데."

"사절단을?"

"예. 오스발트에서 쓸만한 자들을 골라 보내려 합니다. 똑똑하고 검술이 출중한 자들을 골라서요. 은밀한 일을 맡길 만큼 믿을만한 자들이 오스발트에 있습니다."

그건 바로 곤드레스, 자신이었다. 곤드레스는 본디 돌아다니는 것을 좋아하는 자유영혼이었다. 왕이 되는 바람에 이렇게 눌러앉게 되었지만. 대신 윈프리드로 영토를 확장하는 것에 위안삼고 있었다. 한데 이런 기회가 오다니 놓칠 리가 있나.

'나만큼 믿을만한 자가 어디 있어.'

오스발트가 혀로 입술을 핥았다. 황태후로부터 힐라리아 이야기를 듣고 나니 그 이름을 어디서 들었는지 기억났다. 독으로 쓰러졌다던 황비의 이름도 힐라리아였다. 그때는 황족이 독에 당했으니 황실이 소란스러운 건 당연하다고 여겼다. 한데 그게 아니었다니.

윈프리드 황제의 심장을 쥐고 흔드는 여자라는 사실을 알았다면 오스발트로 귀국하기 전에 반드시 그 여인을 보고 돌아왔을 텐데. 강렬한 호기심이 곤드레스를 뒤흔들었다. 힐라리아 황비에 대해서는 그때 드문드문 전해 들었다. 그냥 여자가 아니라 제왕의 여자라고들 했었다. 황제에게 걸맞은 이는 힐라리아뿐이라고. 그저 떠도는 소문이라고만 생각했는데 정말로 황제를 치마폭에 쓸어 담다니. 두 눈으로 확인하고 싶었다.

"나쁘지 않은 제안입니다. 윈프리드도 급변하고 있어요. 우리를 대비하지 않았을 리 없습니다. 게다가 윈프리드 황제도 속내가 검은 남자이니 다른 수를 꾸몄을 수도 있어요. 황태후가 알아내지 못한 사실들을 점검할 필요가 있습니다."

"저도 동의합니다. 사실 황태후와 우리는 생각하는 바가 다르지 않습니까."

에르킨의 왕이 서늘하고 음습한 미소를 지었다.

황태후가 생각하는 것처럼 세상은 녹록하지 않았다. 황태후는 제도 이북의 땅을 그들에게 내어주겠다고 약속했지만, 그것으론 모자라다. 넓은 윈프리드의 땅을 왜 굳이 황태후와 나눠 먹기 해야 하는 거지? 세 나라가 나눠 먹기도 모자란데. 제도 이북으로 만족할 거였으면 처음부터 전쟁을 벌일 생각도 않았을 것이다. 세 나라의 왕은 황태후 몰래 합의했다. 윈프리드를 통째로 삼켜 세 덩이로 나눠 먹자고.

 "그 여자도 무슨 꿍꿍이속일진 모르는 일이지요. 아들을 황제로 만들기 위해 혈안이 된 여자 아닙니까."

 "맞습니다. 분명 우리 몰래 딴생각을 하고 있을 거예요. 그러니 우리도 대비를 해야 합니다."

 "그러면…… 사절단으로 보낼 이들을 뽑아야겠군요."

 곤드레스가 씨익 웃었다. 그렇게 세 왕의 만장일치로 곤드레스의 윈프리드 행이 결정되었다. 물론 에르킨과 사리프의 왕들은 곤드레스가 직접 윈프리드에 갈 심산이라는 건 짐작도 못 하고 있었다.

 '분명 붉은 머리라 하였지.'

 아예 본 적이 없을 줄 알았는데 생각해보니, 목격한 적이 있었다. 두 눈이 멀 정도로 선명한 붉은색이었다. 그 여자가 힐라리아였군. 멀리서 스쳐 지나가며 본 것뿐이었는데도 이렇게 기억에 남는 여자였으니 가까이서 보면 더하지 않을까? 묘한 기대감이 물씬 피어올랐다.

 힐라리아 기네비어 윈프리드.

 이번 전쟁의 전리품으로 아주 적당한 여자였다.

Chapter 10.
힐라리아의 한 걸음

힐라리아에게 위베르의 등장은 꽤 고무적인 일이었다.

"어린애처럼 울긴."

힐라리아가 들뜬 목소리로 위베르의 팔을 다정하게 두드렸다. 엉엉 울던 위베르를 도로 자리에 앉히고 힐라리아와 에벤에셀도 앉았다. 힐라리아는 위베르의 곁에, 에벤에셀은 조금 떨어진 조용한 자리에.

거대한 식탁이 다시 음식들로 가득 채워지고 거대한 홀이 사람들로 북적였다. 에벤에셀은 그 가운데에서 스베인이 들고 온 급한 서류를 뒤적이고 있었다. 간간이 환히 웃고 있는 힐라리아를 힐끔거리며.

'어린애처럼 웃는군.'

힐라리아의 말대로 기네비어 사람들은 어린애 같은 면이 있는 것 같았다. 위베르나 힐라리아나. 분명 별일 아니다. 겨우 몇 달 떨어져 있었던 가족을 만난 것이다.

'저렇게 좋을까?'

에벤에셀에겐 이해할 수 없는 일이었다. 지금 나이엔 까마득한 어린 시절에 어머니를 잃었다. 아버지는 아버지이기 이전에 황제였기에 에벤에셀이 제대로 된 부성애를 느껴본 일도 없다. 황제는 사랑했던 여인에게서 태어난 에벤에셀을 귀여워해주었으나, 그뿐. 그 이상 아무것도 바라지 않았다. 에벤에셀이 황제로부터 받은 부성애는 고작 그것이었다.

게다가 황태후로 인해 잃을뻔한 황위를 되찾은 건 에벤에셀 스스로의 힘이었다. 선황의 유지를 좇는 자들을 규합했고 모자란 인원은 정령들로 충원했다. 에벤에셀이 엘라임으로부터 물려받은 방대한 힘이 크나큰 역할을 했다. 그가 겪어온 그런저런 기억들은 가족애를 느끼게 하기에는 약간 부족했다. 그러다 보니 신기했다.

'울고, 웃고.'

한데, 아주 이상한 일이다. 이해하진 못하겠는데…… 여느 때보다도 환히 웃고 있는 힐라리아를 보니 따라 웃게 된다. 딱딱하게 굳어 있던 에벤에셀의 입꼬리가 씰룩거렸다. 얼음으로 만들어진 벽처럼 단단하게 굳어 있던 에벤에셀의 마음이 빈틈을 내보이며 녹고 있었다. 그걸 스베인도 알아차렸다.

"좋으십니까?"

"음?"

에벤에셀이 무슨 말이냐는 듯이 눈썹을 치켜올렸다.

"웃고 계시지 않습니까."

"짐이?"

"예, 폐하가요."

"그럴 리가."

에벤에셀이 자신의 얼굴을 손바닥으로 쓸었다. 웃긴 일도 없는데 내가 웃고 있다고? 물론 커다란 덩치로 어린애처럼 훌쩍거리는 위베르가 조금 웃기긴 했다. 기네비어의 기사들이 뒤엉켜 농담처럼 주고받는 말들이 어처구니가 없어 실소가 나올 법도 했다. 하지만, 웃고 있다고? 웃기다고 생각하지 않았는데. 당황한 듯 보이는 에벤에셀에게 스베인이 말했다.

"사람 같아 보이십니다, 폐하. 이전보다 훨씬 보기 좋으세요."

사람 같아 보인다라. 에벤에셀이 설핏 미소 지었다.

그 스스로도 자신의 정체를 명확하게 확신할 수가 없었다. 인간이 된 정령의 몸에서 태어났으니 인간의 태를 입었고 그럼에도 정령의 힘을 타고 났다. 그가 쓰는 건 정령술이 아닌 정령의 힘이다. 에벤에셀은 정령들과 계약을 맺고 그들을 부리는 게 아니라 정령들의 충성을 받는다. 정령들의 내면에 본능처럼 각인된 두려움과 경외에 따라.

'그런 내가 인간 같다고.'

누군가가 에벤에셀에게 확연한 정의를 내려준 것 같았다.

아, 나는 사람이구나 싶었다.

"좀 더 웃으시고 행복하셨으면 좋겠습니다. 복잡한 일들이 전부 끝났을 때도 그렇게 좋은 얼굴을 보여주시면 충직한 저도 좀 더 행복해질 것 같네요."

"……힐이 항상 짐의 곁에 있어준다면 그리될지도 모르지."

예전에는 꿈도 꾸지 않았던 감정들이 자꾸만 에벤에셀의 내부에서 꿈틀거리고 있었다. 전부 힐라리아로부터 기인된 것들이니 그녀가 있어야 한다. 에벤에셀은 무의식중에 알아차렸다. 힐라리아가 다름 아닌 에벤에셀의 행복 스위치를 켜는 트리거라는 것을.

"그런 낭만적인 말씀을 하시다니. 이 스베인이 지금 죽어도 여한은 있겠지만, 걱정은 조금 덜 수 있겠네요."

"자네 점점 반에이크 공을 닮아가는 걸 아나?"

스베인이 뭐라 반발하려 할 때였다.

"에벤에셀."

힐라리아가 에벤에셀을 불렀다.

어느새 에벤에셀 앞에 서 있던 힐라리아가 그의 어깨를 톡톡 두드렸다.

"힐?"

"많이 바빠요? 음. 토지계획서. 새로 개간할 영지에 대한 서류네요? 아, 농지로 개간하려는 거구나."

힐라리아가 서류를 한 번 쓱 훑어보고는 에벤에셀의 손에서 빼앗았다. 놀란 스베인의 입이 벌어졌다. 황제의 손에서 서류를 저렇게 빼앗는다고? 으, 그러다 혼나세요……. 스베인이 저도 모르게 어깨를 움츠렸다. 분명 곧 에벤에셀의 입에서 성난 소리가 튀어나올 게 뻔했기에.

"흐음. 그렇게 급한 서류가 아니잖아요. 그렇죠?"

하지만, 스베인의 예상과는 달랐다.

"왜 이러실까."

에벤에셀의 목소리는 여전히 봄날처럼 부드러웠다.

힐라리아가 귀엽게 서류를 등 뒤에 감춘 채로 미소 지었다.

"나는 당장 당신이 있어야 해요. 위베르에게 당신을 보여주고 싶어. 당신은 내 가족이잖아요."

힐라리아의 말에 에벤에셀이 입술을 달싹였다. 가족? 누군가가 에벤에셀을 그런 카테고리로 묶어준 것이 얼마 만인가 싶다.

'힐라리아와 내가 가족.'

핏줄로 이어진 운명 공동체. 그 틈에 에벤에셀을 끼워준 것이다.

"응? 가족 맞잖아. 에벤에셀, 그러니까 같이 가요."

참, 예쁜 말만 골라서 하지. 사람 마음 홀리는 덴 선수다. 만약 힐라리아가 사치를 일삼고 나라의 근간을 뒤흔들 악녀였다고 해도 에벤에셀은 기꺼이 흔들려줬을 것 같았다.

"그거 아나?"

"음?"

"당신이 윈프리드를 사랑하는 착한 사람이라 다행이야."

"그게 무슨 소리예요?"

"그대가 원했으면 내 황좌를 그대에게 기꺼이 넘겼을 것 같아서."

힐라리아가 작게 웃음을 터뜨렸다.

"나를 사랑한다는 말로 알아들을게요."

에벤에셀이 홀린 것처럼 힐라리아를 따라 몸을 일으켰다. 힐라리아가 무용지물이 된 서류를 스베인에게 떠넘겼다. 어벙한 표정으로 입을 벌리고 있던 스베인이 힐라리아를 따라가는 에벤에셀을 응시했다. 왠지 엉덩이 부근에 흔들리는 강아지 꼬리를 본 것도 같다. 스베인이 침침한 눈을 깜빡였다.

'뭔가 잘못 봤나······.'

***

네이선은 오랜 시간 라리나와 시간을 보내며 힐라리아를 기다렸다. 힐라리아가 스틸로즈 궁으로 돌아온 것은 늦은 오후 5시경이었다. 그녀가 응접실로 들어오는 것을 본 네이선과 라리나가 몸을 일으켰다.

"힐라리아 황비 마마!"

라리나가 환히 웃으며 힐라리아를 맞이했다.

"아. 라리나 영애."

"어딜 다녀오세요? 기분이 좋아 보이시네요."

"만날 사람이 있어서 다녀왔어요. 그런데 라리나 영애의 손님도 있는 것 같군요."

"네이선 황자가 걱정이 되었는지 저를 찾아왔어요. 황태후께서 집으로 돌아가는 게 좋겠다는 말을 전해달라셨다더군요."

라리나의 옆에 가만히 서 있던 네이선이 살짝 미소 짓고는 예를 취했다. 보통 황후에게나 취하는 인사법이었는데 그것을 하는 네이선이나 받아들이는 힐라리아나 조금의 동요도 보이지 않았다. 힐라리아가 눈을 가늘게 뜨고 네이선의 얼굴을 응시했다.

'무슨 생각을 하는 거지, 네이선?'

황태후를 닮은 네이선의 연푸른 눈은 생각보다 무감했다. 웃는 얼굴을 표방하고 있지만, 속으로는 다른 생각을 하는 눈이었다. 힐라리아가 뒤쪽을 향해 손짓했다.

"케이티? 첼로스테는?"

"바쁜 일이 있어 자리를 비웠습니다."

"그렇군. 케이티, 라리나 영애의 드레스를 봐드리렴. 의상실에 연락해 새로운 드레스를 맞춰드려. 내 궁에 머무실 동안 입으실 드레스 정도는 내가 책임져야지 않겠니?"

"어머! 그렇게 안 해주셔도 되는데."

두 손으로 볼을 감싼 채 어린애처럼 좋아하는 라리나를 보며 힐라리아가 고개를 작게 저었다.

"당연한 일입니다, 라리나 영애. 이 정도도 못 해드리면 황실의 위상이 무너질 거예요. 케이티?"

"라리나 영애. 이리로 오시지요."

전혀 예정에 없던 일이었지만, 케이티가 유연하게 말했다. 힐라리아가 네이선 황자와 단둘이 할 말이 있다는 것을 알아차린 까닭이었다. 케이티가 라리나를 데리고 나가고 응접실에는 네이선과 힐라리아만 남았다.

"이렇게 초대에 응해주시는 건가요? 아니면, 제가 넘겨짚은 걸까요."

"자리를 비우신 것 같아 기다렸습니다, 황비 마마."

"오실 줄 알았다면 금세 돌아왔을 텐데요."

힐라리아가 마음에도 없는 말을 다정히 건네며 네이선의 건너편에 앉았다. 그리고 나서야 네이선도 앉았다. 완벽하게 힐라리아를 네이선의 윗사람으로 대하는 예우였다.

"네이선 황자께서는 재밌는 분이시군요."

"저는 그저 세상의 흐름에서 뒤처지고 싶지 않을 뿐이지요. 황비께서는 지금 모든 흐름의 중심에 서 계시니 그만한 예우를 해드리는 것뿐입니다. 다른 의도는 없어요."

"그렇게 부끄러운 말씀을 하시다니. 저를 너무 좋게 봐주시는군요."

힐라리아가 손짓을 하자 시녀들이 테이블을 새로 세팅했다. 식은 다과들을 치우고 새로운 다과를 차렸다. 쌀쌀해진 날씨에 걸맞은 따뜻한 차와 단밤이 들어간 타르트였다.

"이제 충분한 다과가 준비된 것 같고. 이야깃거리도 충분하죠. 라리나 영애가 돌아올 때까지는 시간이 남아 있으니……."

힐라리아가 생긋 웃었다. 짙푸른 여름 바다를 담은 눈에 빛이 고였다. 네이선은 그 눈을 마주하는 순간 소문의 진상을 알아차릴 수 있었다.

'마녀야, 마녀. 사람을 한순간에 홀리지.'

'황제로도 모자라서 온갖 후궁들까지 홀렸다며? 그뿐이야? 시종, 시녀, 귀족들 가리지 않는대.'

'네이선 황자. 황자께서도 조심하셔야 합니다. 힐라리아 황비는 정말 마법이라도 쓰는 것 같으니.'

저 눈이었다. 눈. 풍부한 감정과 색채를 담고 있는 눈. 총명하게 반짝이는 눈에는 말로 형용할 수 없는 아름다움이 서려 있었다. 힐라리아가 내뿜는 생기에 압도될 지경이었다. 네이선이 헛웃음을 지었다.

'어째서…….'

항상 가장 좋은 것은 에벤에셀의 차지인 건지. 사람들은 한낱 네이선을 위해 목숨을 걸진 않을 것이다. 하지만, 힐라리아의 사람들은? 사지에 뛰어들어 온몸을 불태우는 한이 있더라도 스스로를 불태울 것이다. 그건 힐라리아가 마녀라서가 아니다. 힐라리아의 신념과 정의, 온기에 홀려 자각 없이 뛰어드는 것이지. 힐라리아가 멍하니 그녀를 보는 네이선에게 말했다.

"아. 여기서 나눈 이야기는 절대로 밖으로 새어 나가지 않을 테니, 무슨 이야기를 해도 괜찮아요. 은밀하고 비밀스러운 이야기도 좋아요."

"……은밀하고 비밀스러운 이야기라면."

"예컨대, 베아트리체와 네이선 황자 사이의 연애사라거나."

힐라리아의 눈이 곱게 휘어졌다. 연애사라니. 그렇게 달콤한 단어로 정의할 수 있는 사이였던가. 뜻밖의 전염병에 걸려 앓아누웠다는 베아트리체는 무슨 생각으로 네이선과 결혼을 결정한 걸까. 듣기로는 황태후와 모종의 이야기를 나눈 이후로는 힐라리아 황비와 베아트리체 영애 사이에 연락조차 오가지 않는단다.

황태후는 그게 당연한 거라고 말했다. 황태후가 힐라리아보다 더 좋은 것을 약속했으니 베아트리체도 자신의 이익에 따라 결정한 거라고.

"베아트리체를 오랫동안 보지 못해 보고 싶었거든요. 나는…… 황자께서 베아트리체와 저 사이에 다리가 되어주실 수 있을 거라고 믿어요."

힐라리아가 찻잔을 어르는 손길이 마치 네이선 황자의 마음을 보듬는 듯했다.

"베아트리체 영애는……."

"좋은 사람이에요. 아마, 내게는 좋은 친구고 황자에게는 좋은 약혼녀가 되어주겠지요."

힐라리아가 단언했다.

"그렇게 좋은 사람이 고른 사람이 네이선 황자라고 생각하니 네이선 황자와도 친분을 쌓고 싶었죠."

"황비 마마, 저는……."

"음. 베아트리체 영애가 나보다 황자를 선택했을 때는 그만한 이유가 있었겠지요? 그 이유도 알고 싶고요."

네이선이 너털웃음을 터뜨렸다. 힐라리아의 말속에 숨은 뜻을 알아차린 까닭이었다. 베아트리체는 네이선과 힐라리아를 잇는 교두보가 될 것이며 네이선이 원한다면 언제든 힐라리아에게 비밀을 털어놓아도 된다는 부드러운 압박이었다. 네이선이 가진 패를 내놓는다면 힐라리아는 얼마든지 네이선을 품어주겠다는 강요이기도 했다.

"어디 가서 털어놓기 부끄러운 비밀이 있다면 그것을 털어놓아도 좋아요."

대체 당신은 어디서부터 무엇을 알고…….

힐라리아가 흔들리는 네이선의 눈동자를 직시했다. 네이선은 에벤에셀을 동경한다. 네이선은 황태후가 가진 정의가 틀렸다는 것을 안다. 네이선은 황태후가 아닌 에벤에셀의 편에 서고 싶었다. 그럼에도 네이선이 황태후를 버리지 못했던 것은 아무도 그를 붙들어주지 않았기 때문이다. 에벤에셀은 처음부터 네이선을 적으로 단정 지었고 아무도 그에게 손을 내밀지 않았다.

하지만, 이번엔 다르다.

힐라리아가 직접 네이선에게 손을 내밀었으니까. 이 손을 잡는다면 힐라리아는 네이선의 아픔을 보듬어줄 좋은 친구가 되어주겠다는, 설레도록 따뜻한 제안이었다. 네이선이 떨리는 손으로 자신의 머리를 매만졌다.

"황비 마마……."

"나는 당신의 좋은 친구가 되어줄 수 있어요. 왜냐하면 나도 완전무결한 인간은 아니거든."

힐라리아가 아무렇지도 않은 것처럼 여상하게 말을 이어갔다.

"나는 집착이 심해요. 아주아주 심하죠. 내 거라고 여기면 그걸 놓지 못한다니까? 어떻게 보면 욕심이 많은 거죠. 갖고 싶은 건 꼭 얻어야 하고……. 그게 좋은 건 아니잖아요. 그렇죠?"

"제가 가진 비밀은 많이 무겁습니다. 그렇게 가볍게 털어놓을 수 있는 게 아니에요, 황비 마마."

"그럼 어때. 나처럼 툭하고 털어봐요. 좀 더 무거운 비밀을 들려줄까요? 나도 그런 게 있어요."

힐라리아의 눈동자가 즐겁게 반짝였다. 네이선 황자가 힐라리아의 의도대로 흔들린다. 황태후와는 다른 네이선의 인간적인 면모를 자극하는 작전은 통했다.

"사실 비밀이 아주 많은 편이죠. 네이선이 먼저 이야기해준다면 나도 얘기하죠. 하나에 하나씩. 공평하게."

"……제가 먼저입니까?"

"내가 먼저 제안했으니까요."

네이선이 마른 손으로 입매를 쓸어내렸다. 힐라리아가 초대했을 때 이런 이야기를 나누게 되리라곤 생각지도 못 했는데. 생각보다 인간적이고 매력적인 사람이었다. 힐라리아에겐 그가 가진 비밀의 무게를 가볍게 만드는 힘이 있었다. 힐라리아가 생각에 잠긴 네이선을 느긋하게 응시했다. 그는 감쪽같이 모르겠지만, 지금도 힐라리아는 비밀을 하나 숨기고 있었다.

[그 비밀 이야기 나도 알고 싶은데, 힐.]

바로 이것. 앙큼하게도 비밀스러운 대화를 엿듣고 있는 남자.

[명심해둬. 질투에 미친 황제가 무슨 짓을 할 수 있는지 말이야.]

아, 미치겠다. 너무 귀엽잖아. 힐라리아가 진심으로 웃고 말았다.

***

에벤에셀이 성마른 표정으로 손가락을 입술에서 떼어냈다. 에벤에셀이 누그러뜨린 기운 덕에 그의 곁에 얼마든지 머물 수 있게 된 나비들이 호기심 가득한 모습으로 에벤에셀 근처를 기웃거렸다. 나비들이 전해주는 이야기들이 에벤에셀의 귀를 쏙쏙 파고들었다.

[제가 가진 비밀은 많이 무겁습니다.]

[좀 더 무거운 비밀을 들려줄까요? 나도 그런 게 있어요.]

그런 비밀을 왜 네이선에게 털어놓는 거지? 내가 아니라. 작은 불만이 에벤에셀의 내부에 피어올랐다. 힐라리아의 비밀을 들어야 하는 건 네이선 따위가 아니라 에벤에셀이었다. 결국 에벤에셀은 걸음을 멈춰 서야 했다. 새로 창설된 기사단을 직접 살피러 가러 가는 길이었는데…….

"왜 또 멈추세요? 오늘따라 자꾸 멈추시는데……. 그런다고 일정이 미뤄지지는 않습니다. 이번에는 아무것도 없는데 왜 그러세요?"

스베인이 에벤에셀을 작은 목소리로 닦달했다.

"누가 자꾸 내 발길을 붙드는 걸 어쩌나."

에벤에셀이 소리 없이 입술을 달싹였다. 그의 눈에만 보이는 금빛 나비가 알았다는 듯이 날개를 파닥이며 하늘을 향해 날아올랐다. 에벤에셀의 시선이 나비를 쫓았다. 약간은 집착적인 면모를 내보이며.

***

힐라리아가 옅게 웃었다. 어찌 안 웃을 수가 있나.

[자꾸 이러면 착한 남편도 삐뚤어지는 법이야, 힐.]

착한 남편?

'귀여운 남편은 알겠는데 착한 남편은 모르겠는데.'

에벤에셀이 곁에 있었으면 귀여운 볼이라도 깨물어줬을 텐데. 음, 그 아래일 수도 있고. 힐라리아의 붉은 입술에 웃음이 고이는 걸 네이선이 멍하게 응시했다. 네이선에게 은밀한 비밀은 없고 수치스러운 비밀은…… 있는 편이다. 네이선이 아니라 황태후로 인해 생겨난 비밀.

황태후는 자신의 이익을 위해 황족으로서의 품위를 잊고 나라를 팔았다. 황태후는 윈프리드의 황태후가 아니라 오스발트의 사람이 된 지 오래였다. 오스발트의 왕, 곤드레스에게는 순순히 고개를 숙이고 돈과 정보, 무기를 퍼다 나르면서 에벤에셀은 업신여긴다. 정당한 황제는 에벤에셀 윈프리드가 맞는데도 불구하고. 대체 무엇이 황태후를 그렇게 뻔뻔하게 만드는 걸까?

그뿐이랴. 황실의 핏줄도 잇지 않은 네이선을 황제로 만들려고 하고 자신의 욕심을 채우기 위해 라리나를 버렸으며. 네이선이 깊고 무거운 한숨을 내쉬었다. 알케스터 자작을 죽였다. 예쁘게 웃고 있는 힐라리아가 듣기 좋은 이야기는 하나도 없는데 무엇부터 털어놓아야 할까.

'아…….'

네이선이 멈칫했다. 어디서부터 털어놓다니. 그건 절대로 누구도 알아서는 안 되는 비밀들이었다. 한데 힐라리아에게 홀려 그냥 속내를 전부 털어놓으려고 하다니.

'이래서 위험하다는 거구나.'

네이선이 얼굴을 쓸어내리고 한숨과 함께 말했다.

"다음에요. 오늘은 이른 것 같으니, 다음에 오겠습니다."

"비밀을 털어놓는 건 그리 어려운 일이 아니에요. 내가 그랬던 것처럼요."

"우린 오늘 처음 대화를 나누는 거잖아요."

"내가 너무 서둘렀나?"

힐라리아가 생긋 웃었다. 농밀한 눈빛이 네이선을 훑고 지나갔다. 지나칠 정도로 수많은 감정들이 농축된 눈빛에 홀린 네이선이 애써 눈을 돌렸다.

"……그렇습니다. 저는 나름 순진한 사람이라."

"그런 면에선 라리나 영애와 황자가 닮았군요."

힐라리아가 작은 암시를 던졌다.

"언제든 와요, 네이선 황자. 무엇이든 들어줄 테니."

네이선이 힐라리아를 힐끗 보고는 고개를 끄덕였다. 작전상 후퇴다. 힐라리아가 궁금하다는 옅은 마음으로 너무 위험한 곳에 발을 디뎠다. 고작 몇 시간 만에 그가 가진 패를 전부 털릴뻔했다. 이런 사람이 에벤에셀의 곁에 있다니.

'부럽군. 아주, 많이.'

이런 사람이 네이선의 사람이었다면, 그도 무언가가 달라졌을까? 어쨌든 다음에는 단단히 준비하고 와야겠다. 네이선이 오늘 겪고 느낀 힐라리아에 대해서 머릿속에 새겼다.

아무도 넘봐선 안 될 찬란한 태양.

그게 바로 힐라리아였다.

***

다행히 때마침 라리나가 돌아왔다.

힐라리아가 적당히 시간을 끌어준 케이티에게 눈빛을 보냈다.

'잘했어.'

'이 정도야 뭘. 유익한 시간 보내셨나 모르겠네요.'

힐라리아가 설핏 웃고는 라리나에게로 시선을 돌렸다.

"라리나 영애, 마음에 드는 드레스를 골랐나요?"

"네. 의상실에서 오신 분들이 참 친절하시더군요. 제 체형과 외모에 맞는 드레스들을 잘 골라주셨어요."

라리나의 볼이 발그레, 달아올랐다. 다행히 힐라리아의 갑작스러운 연락에도 의상실에서 사람이 나왔다. 그들은 원래 예약이 되어 있었던 것처럼 라리나를 잘 다독였고 힐라리아는 라리나에게 착한 사람이 되었다. 라리나의 눈에는 힐라리아를 향한 선망이 가득 담겨 있었다.

"라리나 이모님이 즐거운 시간을 보내셨나 보군요. 그럼 저도 이만 돌아가봐야겠습니다. 라리나 이모님이 돌아오시길 기다렸거든요."

"네이선 황자, 다음에도 와줄 거죠? 오랜만에 보니 좋군요. 아차. 황비 마마, 네이선 황자를 또 초대해도 될까요?"

그거야말로 내가 바라는 거지. 힐라리아가 고개를 끄덕였다.

"물론이지요. 저도 네이선 황자를 환영한답니다. 이 궁은 쓸데없이 넓고 저는 종종 심심하거든요."

물론 힐라리아의 일정은 항상 가득 차 있었다. 힐라리아를 만나고자 하는 사람들도 많았고 황비로서 처리해야 할 업무도 많았다. 하지만, 힐라리아의 가장 중요한 패가 되어줄 네이선에게 내어줄 시간 하나 없으랴.

힐라리아의 말에 네이선 황자가 웃는 얼굴로 화답했다.

"그리 말씀해주시니 다음에 또 찾아뵙겠습니다. 오늘은 이만."

정중한 인사를 건넨 네이선이 물러가고 힐라리아와 라리나만이 남았다. 아, 물론 정령들도 남아 있었다. 분명 에벤에셀은 오늘 새로운 기사단을 살펴보러 간다고 했었던 것 같은데 왜 이렇게 정령들을 귀찮게 하는 건지 모르겠다.

[라리나 영애에게는 제대로 이야기를 해두는 편이 좋을 겁니다.]

[황제의 질투를 가벼이 여기지 마십시오.]

[힐, 정말 이럴 거야?]

힐라리아가 고개를 작게 내저었다. 그 바쁜 와중에도 힐라리아에게 온 신경이 쏠려 있다는 게 느껴져서…… 사실 기분 좋았다. 어쨌든 지금 발을 구르고 있는 에벤에셀을 위해서라도 라리나에게는 강경하게 이야기해둘 필요가 있었다. 힐라리아가 다리를 통통 두드리며 의상실 직원들과 나눈 이야기를 재잘재잘 떠들어대는 라리나를 불렀다.

"라리나 영애."

"네?"

"나는 언제나 라리나 영애를 환영해요. 언제까지든 이 궁에 머무셔도 좋아요. 하지만, 말이죠."

"하지만?"

라리나가 고개를 갸웃했다.

경쾌하게 라리나의 단발이 목 부근에서 흔들렸다.

"이 궁엔 밤마다 찾아오는 사람도 있지요."

"그게 무슨……."

"황제께서 밤마다 제 침실에서 주무신다는 말이에요. 하여, 우리의 원만한 생활을 위해서 라리나가 잠을 혼자 자는 법을 배우는 게 좋겠어요."

힐라리아가 나긋나긋하게 말했다. 사실 에벤에셀이 그렇게 재촉하지 않아도 힐라리아도 라리나가 그녀의 침실에 난입하는 게 그리 좋지 않았다. 밤은 온전히 에벤에셀과 힐라리아의 시간이었으므로. 누구도 그 시간에 끼어들 순 없다. 힐라리아의 말에 라리나의 얼굴이 붉게 달아올랐다.

"어, 음. 그렇죠!"

"라리나 영애? 혹시 기분이 나쁘시다거나……."

"아! 아니에요. 그런 게 아니라……. 방금 저를 라리나라고 부르셨잖아요?"

그랬지. 조금 극적인 효과를 주기 위해서 이름만 불렀다.

그런데 그게 왜?

"라리나라고 부르신 건 처음인 것 같은데……. 우리 친해진 거 맞죠?"

"……아마도요?"

이런 캐릭터는 정말 처음이다.

'어처구니가 없군.'

힐라리아의 반응에도 라리나는 개의치 않았다. 그저 지금의 기쁨을 만끽하고 싶은 듯 두 손으로 볼을 감싼 채로 발만 동동 굴렀다.

"어떡해!"

"왜, 왜 그러시죠?"

당황스럽게 말이지.

"정말로 친구가 된 것 같잖아요. 힐라리아 황비 마마, 저는 친구를 가져본 적이 없어요."

라리나가 힐라리아를 부담스러울 정도로 반짝이는 눈으로 쳐다보았다.

"이제 우리는 친구가 된 건가요? 진짜 친구 말이에요. 친. 구."

몇 번이나 강조하지 않아도 알겠다. 라리나가 힐라리아와 친구가 되고 싶어 한다는 걸. 그리고 힐라리아는 이런 기회를 놓칠 사람이 아니었다. 힐라리아가 라리나를 향해 몸을 기울이곤 부드럽게 미소 지었다.

"라리나 영애, 아니. 라리나."

라리나가 고개를 끄덕였다.

"나는 아무나 궁에 초대하지 않는답니다. 라리나를 친구라고 생각했기 때문에 초대했던 거였어요. 이런, 내가 너무 앞서간 거였나요?"

케이티가 고개를 내저었다. 저런 기회주의자 같으니.

하지만 라리나는 그런 시선을 눈치채지 못하고 허둥지둥 말했다.

"아니요! 그러면 이제 힐라리아…… 라고 불러도 되는 건가요?"

"얼마든지요. 라리나가 언제 그렇게 불러주나 기다리고 있었어요."

힐라리아가 슬쩍 순진한 라리나를 농락하는 미소로 말했다.

"힐라리아……."

라리나가 눈물이 맺힌 눈으로 힐라리아를 불렀다. 처음 가져본 친구라니 그럴 만도 하지. 힐라리아가 좀 더 친밀하게 라리나의 손을 잡았다.

"울지 말아요, 라리나. 왜 울고 그래. 힘든 일이나, 어려운 일이 있으면 언제든 내게 말해도 좋아요. 우린 친구니까."

"친구……."

"그래요, 친구."

힐라리아가 라리나의 손을 토닥였다. 라리나가 자신의 손을 뚫어져라 쳐다보았다. 저택에 갇혀 지내느라 한 번도 가져보지 못했던 또래 친구다. 라리나가 네이선을 좋아하는 것도 그가 유일한 또래 가족이었기 때문이었다. 그리고 드디어 라리나에게도 친구가 생겼다.

같이 차를 마시며 일상적인 수다를 떨고 취미를 공유하고 함께 쇼핑도 하는 사이. 고민이 있으면 털어놓고 서로에게 조언을 아끼지 않으며 힘들 땐 위로해주는 사이. 그런…… 친구 사이.

'어떡해. 나 너무 행복하잖아.'

라리나가 힐라리아의 손을 맞잡았다.

"그러니 친구로서 부탁할게요."

힐라리아가 은밀하게 속삭였다.

"다시는 밤에 나를 찾아오지 않는 거예요. 약속해주겠어요?"

"네, 힐라리아. 정말로요. 황제께서 와 계실 줄은 상상도 못 했거든요."

"좋아요. 아, 한 가지 더 부탁이 있어요."

"어떤 부탁이지요?"

라리나가 무엇이든 들어줄 기세로 말했다. 부탁이라. 라리나에게 원하는 거야 수도 없이 많다. 그리고 언젠가 가장 중요한 부탁을 하게 될 날이 올지도 모른다. 힐라리아는 미래를 위해서 지금 보험을 들어둘 참이었다.

"다음에요. 나중에 내가 중요한 부탁을 할 때, 거절하지 말아줘요."

"그거야 당연하죠!"

당연? 과연 그게 당연한 일일까? 당신의 가족을 배신하고 홀로 남게 될 텐데. 라리나는 평생을 시벨로프 저택에서 자랐다. 그녀만큼 시벨로프에 대해서 속속들이 아는 자는 없을 것이다. 시벨로프의 비밀은 황태후의 비밀이었고 힐라리아는 그 비밀이 필요했다.

시벨로프를 비롯한 황태후를 실각시키기 위해서.

"약속 지켜요, 라리나."

"네!"

"대신 나도 라리나의 부탁을 들어줄게요. 그게 무엇이든."

순진한 라리나의 손을 꼭 붙든 채로 힐라리아가 새빨간 거짓을 속삭였다. 하지만, 한 가지는 약속할 수 있다. 무너진 라리나의 세상에 그녀를 혼자 두진 않겠다고, 그녀에게 마지막까지 손을 내밀어 주겠다고 홀로 다짐했다.

한 번 깨어진 순수를 두 번 깨는 게 무엇이 어려우랴. 라리나에게 모든 것을 기탄없이 보여줄 것이다. 이 세상과 황태후의 진실에 대하여. 그리하여 라리나가 최후의 선택을 앞두게 되었을 때 절대로 흔들리지 않도록.

세 왕국의 연합이 결성되었다지.

힐라리아가 바꾼 미래는 좀 더 빠른 속도로 변하고 있었다. 전쟁 또한 앞당겨질 것이다. 납치된 길리어스와 파견된 정보국 사람들. 서로의 눈치를 보며 명분을 찾기 위해 눈을 붉히고 서로를 탐색하는 시선들 앞에 라리나를 세우는 거다. 라리나가 그녀의 정의를 바로 세울 수 있도록.

"옳은 일이라면 말이에요."

힐라리아가 가여운 라리나에게 한 마디 덧붙였다.

"옳은 일? 내가 설마 옳지 않은 일을 힐라리아에게 부탁하겠어요?"

"그런 사람들도 종종 있는 모양이더라구요. 염치없이."

"어머. 친구가 귀한 줄 모르는 사람인가 봐요."

라리나가 자신은 절대로 그럴 리가 없다는 듯이 고개를 내저었다. 동경하던 사람과 친구가 된다는 게 얼마나 귀한 일인데. 힐라리아를 실망시킬 일은 하지 않을 것이다. 게다가 힐라리아는 빛이었다. 라리나에게 옳지 못한 부탁을 할 리가 없었다. 힐라리아와 친분을 가진 고작 며칠 동안에도 알 수 있는 사실이었다.

힐라리아는 자신의 앞으로 책정된 예산안을 풀어 빈민들을 구제하고 드레스를 사는 대신에 그들의 입으로 들어갈 곡식을 산다. 힐라리아는 그녀가 가진 힘을 휘둘러 사람들을 부리지 않는다. 그저 힐라리아의 빛에 이끌린 사람들이 그녀에게 복종하는 것이다. 라리나가 그렇듯이.

라리나는 힐라리아의 경계선 안으로 발을 들였다는 게 기뻤다. 힐라리아가 라리나의 가문과 척지고 있는 상태라고 하더라도 말이다. 이번엔 라리나의 가문이 잘못했다. 집으로 돌아가게 된다면 아버지와 언니를 설득해 이모든 일을 바로잡을 생각이었다.

아무리 욕심이 나도 나라를 팔아먹다니. 네이선을 황제로 만들기 위해 평생을 살아온 언니가 억울할지는 모르겠지만, 이번엔 그녀가 양보할 일이었다. 라리나는 아직 이 윈프리드에 대해서 모르지만, 한 가지는 확신할 수 있었다. 한 사람의 욕심으로 무너질 만큼 나쁜 나라는 아니라는 것. 게다가 황태후에게는 윈프리드의 제국민들을 전쟁으로 몰아넣을 자격이 없었다. 그녀는 오히려 그들을 지켜줘야 할 위치에 서 있었다.

'언니는 내 말을 잘 들어주니까…….'

아직 이 일을 바로잡을 기회가 남아 있기만을 바랄 뿐이다.

그런 라리나의 마음을 아는지 모르는지 힐라리아가 다정하게 말했다.

"라리나가 그런 사람이 아니라 얼마나 다행인지 몰라요."

그건 라리나의 내면에 단단한 못을 박아 넣는 한 마디였다. 라리나를 믿어주는 사람이 있다는 것. 그것도 가족이 아닌 친구가! 라리나가 흔들리는 눈으로 고개를 끄덕였다.

"나도, 나도요. 나도 다행이에요. 힐라리아와 친구가 될 수 있어서."

라리나는 아무것도 모르는 순진함으로 힐라리아의 손을 맞잡았다.

그게 어떤 미래를 초래할 줄 모르고.

***

그들의 대화를 엿듣던 에벤에셀이 만족스러운 미소를 지었다.

"즐거워 보이십니다?"

오늘따라 에벤에셀이 이상하다 싶어 스베인이 눈썹을 치켜올렸다. 불경하다는 걸 알면서도 염려를 지울 수 없는 것은 에벤에셀이 어디 에벤에셀 혼자만의 몸이던가. 그에게는 이 윈프리드라는 거대한 제국이 있었다. 후계도 없는 지금 에벤에셀이 무너지면 이 제국이 흔들린다. 네이선 황자? 황태후와 시벨로프의 손에 이 제국을 떠넘길 수는 없었다. 그들에게 이 제국은 고작 권력을 유지하는 도구밖에 되지 못하니까.

"괜한 걱정을 하는 것 같군."

"아니라고는 말 못 하겠습니다. 폐하, 어디 아프신 겁니까? 평소와 다른 모습을 이리 보이시니…… 게다가."

스베인이 주변의 눈치를 살폈다. 에벤에셀에게 보여줄 서류와 예산안을 급하게 정리하는 기사단의 행정관들은 그들에겐 관심도 없어 보였다. 스베인이 에벤에셀에게 작은 목소리로 말했다.

"게다가. 곧 있으면 선황후 마마께서 돌아가신 날이지요. 항상 그날만 되시면 이상 행동을 보이시니……. 저로서는 걱정될 수밖에요."

스베인의 말에 에벤에셀의 움직임이 멎었다.

'어머니가 돌아가신 날?'

그렇구나. 고작 3일이나 남았나. 그런데 그것을 잊고 있었다. 힐라리아를 생각하느라 미쳐서. 에벤에셀이 당혹스러움에 이마를 매만졌다.

"……혹, 잊고 계셨던 겁니까?"

"……."

에벤에셀의 반응에 스베인이 환히 웃었다. 오히려 그것을 바랐다. 에벤에셀의 이상 행동이 힐라리아로 인한 것이라면 차라리 낫다. 하지만, 여전히 과거에 갇혀 선황후를 애도하기 위한 것이라면……. 이제 그만 과거에서 벗어날 때도 되지 않았나. 선황후가 영면에 든 지가 언젠데. 산 사람은 살아야지. 스베인은 지금 이 순간이 더할 나위 없이 기뻤다.

정작 에벤에셀 본인은 충격에 빠져 있는 듯했지만, 그조차도 인간다워 보이고 좋았다. 매사 무심하여 인간 같지 않은 면모만 보이시더니.

"폐하께서는 어떠실지 모르겠으나, 저는 기쁩니다. 더 이상 폐하를 걱정하지 않아도 될 것 같아서요."

"스베인."

"힐라리아 황비 마마께 감사해야겠군요. 이건 전부 그분 덕 아닙니까?"

가뜩이나 힐라리아라면 쌍수 들고 환영하는 스베인이다. 이제는 힐라리아의 광신도가 될 지경이었다. 한층 들뜬 스베인의 목소리를 들으며 오히려 에벤에셀의 마음은 무겁게 가라앉았다. 어머니를 잊은 것에 대한 죄책감 때문에? 그럴 리가. 어머니께서는 에벤에셀이 그녀의 죽음을 극복하고 행복하게 살길 바라셨을 것이다. 차가운 현실에 혼자서 맞서지 않길 기도하셨겠지.

다만, 지금 이런 감정이 드는 건 한 가지 깨달음 때문이었다.

힐라리아를, 그녀를 어머니의 죽음을 잊을 정도로 사랑하고 있다는 것. 에벤에셀의 감정은 이전보다 무게를 더하여 그를 변화로 인도하고 있었다. 에벤에셀이 헛웃음을 지으며 얼굴을 쓸어내렸다. 그와 함께 당혹감도 쓸려가길 바랐으나, 그런 기적은 일어나지 않았다.

'이건 뭐…….'

빼도 박지 못할 멍청한 짓이라는 걸 아는데 멈출 수가 없다. 힐라리아도 에벤에셀에게 호감을 가지고 있는 건 안다. 그녀가 말은 안 해서 그렇지 에벤에셀을 좋아한다는 것도 안다. 하지만, 사랑은? 힐라리아에게 그에 대한 확답을 들은 적이 있었던가. 아무리 생각해봐도 없다. 늘 사랑을 고백하는 약자는 에벤에셀이었다.

힐라리아는 애정표현을 아끼지는 않지만, 말은 아꼈다. 그건 힐라리아가 말이 가지는 무게를 알고 있기 때문이리라. 잘 대처하고 있다고 생각했는데, 어느새 에벤에셀은 힐라리아라는 덫에 걸려 수렁으로 빠져들고 있었다. 달콤한 사랑이라는 이름의 수렁. 에벤에셀이 허망함에 한숨을 내쉬었다. 그런 에벤에셀을 스베인이 뿌듯하게 응시했다.

'다 크셨어!'

***

에벤에셀의 허망함과는 전혀 상관없이 제 3기사단 창설은 무리 없이 진행되고 있었다. 로마노프의 차남, 골리엇은 에벤에셀의 명에 따라 성에 남아 제이나를 지도하고 있었다. 거친 해적에 맞서 싸우기 위해 거칠고 강한 검법을 구사하는 로마노프다. 한데 제이나는 제 오빠에게 조금도 밀리지 않고 있었다. 근력이 아무래도 골리엇보다는 부족하지만, 그것을 빠른 속도로 무마하고 있었다. 벌침처럼 쏘아지는 가벼운 검에는 무거운 힘이 실렸다.

"잘하시는 거 맞죠? 제가 검에는 문외한이라."

스베인이 속닥속닥 물었다.

"짐이 보기에도 그렇군. 힐라리아의 짐작대로 제이나 황비가 검에 재능이 있었던 모양이야."

"다행입니다. 제3기사단 창설이 돈 낭비가 되지 않아서. 골리엇이 부단장으로 추천되었고 지금 지원자들을 받아 실력을 겨루기 위한 방법을 물색 중입니다."

"흐음."

"좋은 생각이 있으십니까?"

에벤에셀이 눈을 가늘게 뜨자 행정관들이 귀를 기울였다.

"검투대회를 개최하는 건 어떨까 싶은데."

"검투대회요?"

에벤에셀이 고개를 끄덕였다. 그렇게 해서 빠르게 실력자들을 가려 고용하는 게 어떨까 싶었다. 못해도 올해, 늦으면 내년. 전쟁을 앞두고 있는 지금 가장 쉽게 실력자를 선별할 수 있는 방법이 필요하다. 그리고 검투대회를 통해 서로 검을 맞대다 보면 서로에 대해서 많은 것을 알게 되고 나중에 합동 훈련을 할 때도 플러스 요인으로 작용하게 될 것이다.

"행정관들 생각은 어떻습니까? 지금으로선 최선이라고 사료됩니다만."

에벤에셀이 가식적인 가면을 둘러쓰고 친절하게 물었다.

"음……."

행정관들이 서로의 눈을 마주쳤다.

"그리 거창한 검투대회는 필요 없습니다. 장소와 상금, 그리고 판정단만 있으면 됩니다."

"……저는 동의합니다."

"저도 동의합니다."

기사단의 행정관들이 전부 에벤에셀의 의견에 동의했다. 아마도 저기서 열심히 훈련에 임하고 있는 제이나도 동의할 것이다. 에벤에셀이 흥미로운 얼굴로 제이나를 응시했다.

"……기사단장이 될 제이나 황비도 참전하는 건 어떻습니까? 물론, 준결승까지는 부전승으로 이름을 올리도록 하고요. 그녀의 실력을 앞으로 제이나 황비와 함께할 이들에게 보여주는 것도 좋을 듯합니다만."

"황비 마마는 귀족이십니다. 마음이 상하실 수도 있는 문제 아닐까요?"

"게다가 이미 기사단장의 자리가 확정되어 있사온데…… 혹여……."

"우승하지 못해도 좋습니다. 기사단장이 어디 검술만으로도 충분한 자리입니까? 제이나 황비는 그들이 못하는 것을 할 수 있는 사람이니 괜찮습니다."

"황제 폐하의 의중이 그러시다면……."

"이 모든 일은 힐라리아 황비에게 맡길까 합니다. 검투대회는 못해도 한 달 안에는 열려야 하니, 이번 일을 시작한 이에게 맡기는 게 나을 겁니다. 다들, 동의하시겠지요?"

이건 질문이 아니다. 동의를 구하고자 하는 게 아니라 동의하라는 압박이었다. 행정관들이 서로 눈을 마주쳤다.

'힐라리아 황비 마마라면…….'

'믿음직한 분이시지.'

'분명 잘 해내실 겁니다.'

이번 사안 또한 만장일치로 동의표를 얻었다.

**

오늘따라 에벤에셀이 이상했다. 평소보다 서늘하고 음울하달까?

어젯밤 힐라리아의 품에 고개를 묻을 때도 저런 얼굴이었는지 기억이 나질 않았다. 에벤에셀은 어제도 뜨거웠고 힐라리아를 한계까지 몰아붙였으며, 밤을 정염으로 불태웠다. 여전히 에벤에셀이 정성스레 입 맞췄던 살갗이 옷감에 쓸려 아려왔다.

그런데 아침 햇살 아래 드러난 당신은 대체 왜 그런 얼굴일까. 힐라리아가 에벤에셀의 기색을 살폈다. 집요했던 어제는 어디 가고 라리나는 더 이상 방해 않겠다던 약속을 지켰고 힐라리아와 에벤에셀은 둘만의 만족스러운 밤을 보냈다. 그런데 왜? 힐라리아가 동이 터오는 하늘을 가만히 보고만 있는 에벤에셀의 어깨를 쓸었다. 발코니에 기대 찬 기운이 묻어나는 어깨가 금세 따뜻하게 물들었다.

"왜 그래요?"

힐라리아가 다정하게 물었다.

"……시간이 흐르는 건 아무도 막을 수 없어요, 힐. 영원할 것 같은 어제도 지나가 버리고 나면 추억이 되어버리잖아요."

"에벤에셀? 오늘따라 감성적이네. 무슨 생각을 하고 있죠?"

힐라리아가 에벤에셀의 허리를 뒤에서 끌어안았다. 힐라리아의 손등 위에 에벤에셀이 손을 겹쳤다. 이제 이틀. 어머니가 돌아가신 날이 고작 이틀 후다. 시간이 흐르는 여상함이야 하루 이틀 일이 아니었지만, 지금 이렇게 마음에 여운을 남기는 이유이기도 할 것이다. 에벤에셀이 힐라리아의 손등을 쓰다듬으며 나직한 목소리로 속삭였다.

"힐, 사랑한다고 말해봐요."

"응?"

힐라리아가 에벤에셀의 등에 고개를 묻었다가 다시 도로 들어 올렸다.

"나를 사랑한다고 말해줘."

점점 작아지는 목소리에 힐라리아가 눈을 동그랗게 떴다.

"나는 당신 앞에서 자존심 따위 없어. 당신이 원한다면 무릎을 꿇고 애원할 수도 있지."

에벤에셀이 힐라리아의 손을 잡은 채로 몸을 돌렸다. 오렌지빛으로 물든 힐라리아의 하얀 얼굴이 다정하면서도 묘하게 잔인해 보여 에벤에셀이 씁쓸하게 웃었다.

"고작 그런 것들로 당신 마음을 얻을 수만 있다면 나는 기꺼이 그렇게 했을 거야."

"에벤에셀……?"

"힐, 당신은 나를 사랑하나?"

"갑자기 왜 그래요."

힐라리아가 어색하게 웃으며 붙들린 손에 힘을 주었다. 사랑한다는 말을 해달라니. 여태껏 에벤에셀은 힐라리아에게 감정적인 어떤 것도 바라지 않았다. 그저 해바라기처럼 힐라리아만을 바라보며 그녀를 기다려주었다.

에벤에셀이 좋다. 그가 사랑스럽다. 어쩌면 사랑하게 될지도 모른다. 마음이 싸르륵, 싸르륵 아파왔다. 어쩌면 사랑하고 있을지도 모른다. 하지만, 그게 뭐. 힐라리아가 에벤에셀의 손을 끌어당겨 손등에 입을 맞췄다. 그가 무슨 생각을 하는진 모르겠으나, 에벤에셀을 위로하고 싶었다.

"말이 중요해? 언어가 무슨 상관이야. 에벤에셀, 중요한 건 당신과 내가 함께하고 있다는 거야."

에벤에셀이 설움 섞인 한숨을 내쉬었다. 잔인하고도 아름다운 내 독재자. 나를 다정하게 안아주면서도 끝까지 사랑은 속삭여주지 않지.

에벤에셀이 힐라리아를 품으로 끌어들였다.

"……나는 이 전쟁이 끝날 때까지 당신을 사랑한다고 말하지 않을 거야. 내가 설령 당신을 사랑하고 있다고 하더라도 말이야. 나를 속이고 또 속일 거야. 나는 당신을 사랑하지 않는다고."

"힐."

에벤에셀의 숨결에 힐라리아의 머리카락이 흔들렸다.

그의 품에 안겨 힐라리아가 옅은 울음기가 밴 목소리로 말을 이었다.

"사랑하지 않아, 에벤에셀. 나는 당신을 사랑하지 않아."

그런데 왜 마음을 후벼파는 그 말이 다정한 사랑고백처럼만 들리는지.

"사랑하지 않을 거야. 절대로."

힐라리아가 스스로를 다독이듯이 다짐했다.

사랑해선 안 된다. 그런 감정에 휘둘릴 만큼 힐라리아는 여유가 없었다.

"그러니 나는 당신을 그런 알량한 말로 묶어두지 않을 거야."

그리고 에벤에셀에겐 힐라리아를 사랑하는 것보다 더 중요하게 할 일이 남아 있었다.

"당신은 내게 약속했지. 내 길의 끝에 윈프리드가 있을 거라고. 그 약속 지켜, 에벤에셀. 당신을 사랑하지도 않는 나로 인해 발목 잡히지 마."

에벤에셀의 심장이 쿵하고 내려앉았다. 에벤에셀의 손가락이 힐라리아의 머리카락 사이로 파고들었다. 그의 고민이 부질없게 느껴지는 순간이었다.

"……내일모레면 어머니께서 영면에 드신 날이야. 나는 그날이 되면 하루 일정을 비우고 어머니를 뵈러 가지."

힐라리아가 에벤에셀의 품에서 숨을 몰아쉬었다.

"같이 가줄래?"

에벤에셀의 말에 힐라리아가 숨을 멈췄다. 눈을 질끈 감은 채로 힐라리아가 그를 끌어안은 팔에 힘을 주었다. 에벤에셀의 어머니. 엘라임의 무덤. 인간의 삶을 마무리하고 정령으로서도 기나긴 잠에 빠져든 그녀의 무덤. 아마도 인간의 육신이 묻혀 있는 곳이겠지. 하지만, 사실관계가 어떻든 간에 에벤에셀이 그곳을 함께 가자고 청하는 마음을 알 것 같았다.

"당신…… 나 정말 많이 사랑하는구나."

"여태 몰랐어?"

에벤에셀이 바람 빠지는 소리를 내며 웃었다.

"아니. 알고는 있어도 매번 새로워서. 나는 당신의 사랑이 질리지 않을 것 같아."

힐라리아가 에벤에셀의 등을 토닥였다.

"같이 가자, 에벤에셀. 나를 데려가줘서 고마워."

그만큼 사랑해줘서 고마워, 에벤에셀.

말하지 않아도 에벤에셀은 힐라리아의 마음을 충분히 느꼈을 것이다.

***

드물게 에벤에셀은 조찬에 제이나와 실로테까지 초대했다. 블라디슬라프 본궁으로의 정식 초대였다. 물론 그 자리엔 힐라리아도 있었다. 그리고 상쾌하고 부드러워야 할 아침 식탁은 서늘하게 얼어붙은 채였다.

"그러니까, 그 일을 내가 맡으라는 건가요, 폐하?"

힐라리아의 말에 에벤에셀이 고개를 끄덕였다. 새벽에 있었던 일은 전부 잊은 것처럼 서로를 향해 날을 세운 그들 사이로 전기가 튀었다.

"……자꾸 제가 할 일이 하나씩 늘어나는 것 같은데, 착각일까요?"

"실로테 황비와 제이나 황비가 도울 겁니다."

에벤에셀이 대답 대신에 제이나와 실로테를 끌어들였다. 힐라리아와 에벤에셀의 대화에 끼기 싫어 고개를 숙인 채로 식사를 이어가던 제이나와 실로테가 고개를 번쩍 들었다.

"저, 저희가요?"

"네. 짐은 황비들의 능력이 이토록 출중하다는 점에서 아주 행복한 황제가 아닐까 싶습니다."

에벤에셀이 삐뚜름한 미소를 지은 채로 말을 이었다.

"힐라리아 황비가 주축이 되어 검투대회를 주관하시고 제이나 황비와 실로테 황비가 거들어주셨으면 좋겠습니다. 아, 물론 부탁은 아닙니다."

힐라리아가 손에 들고 있던 포크로 부드러운 연어살을 콱 하고 찍었다.

"아하."

힐라리아가 우아하게 허리를 펴고 앉았다.

바르르 떨리는 포크는 그녀의 손에서 풀려나 위협적으로 흔들렸다.

"또한, 제이나 황비께서 검투대회에 참가해주셨으면 하는데."

"아, 저는……."

"부전승으로 올라 준결승부터 참가해보시는 건 어떨지요? 그 정도 시간이라면 충분히 검술을 수련하실 수 있을 거라고 생각합니다만."

"저는 아직 모자랍니다, 폐하."

"제이나 황비."

에벤에셀이 턱을 괸 채로 나지막하게 그녀를 불렀다.

"부탁이 아니라니까요."

힐라리아가 테이블 아래로 그녀의 손을 더듬어 잡는 에벤에셀의 손등에 손톱을 박아 넣었다.

"못되셨네요. 그렇게 멋대로 구시다 크게 혼이 나실 일이 있을 겁니다."

"어떻게 혼내주시려고?"

낮게 웃음을 흘린 에벤에셀이 힐라리아 가까이로 얼굴을 붙였다.

"짐은 황비께서 해주시는 거라면 어떤 체벌이든 받아들일 준비가 되어 있는데."

분명 야하지 않은데 야하다. 귓불을 붉힌 실로테와 제이나가 고개를 푹 수그렸다. 힐라리아가 그린 듯이 웃고는 에벤에셀에게 속삭였다.

"어떤 벌을 줘야 할까, 응?"

힐라리아는 에벤에셀에게 조금도 져주지 않았다.

* * *

빛이 있으면 어둠도 있는 법. 에벤에셀과 힐라리아를 비롯한 황비들이 모여 있는 본궁과는 다르게 올리비아의 궁은 음습한 기운을 떨치지 못하고 있었다. 모든 권리를 잃고 실각한 올리비아의 곁에는 플뢰레트를 제외하고는 아무도 남지 않았다. 이른 아침부터 올리비아의 부름으로 그녀를 찾아온 첼로스테도 그 어두움에 동참했다.

"첼로스테."

옛날의 화려함은 잃고 퇴색된 올리비아 앞에서 첼로스테가 고개를 조아렸다. 더 이상 올리비아는 에라스모 백작의 금지옥엽이 아니다. 올리비아는 죄인의 딸이었다. 사람들은 올리비아가 목숨이나마 보전하고 있는 것이 황제의 자비라고 떠들어댔다.

'이게 다 힐라리아 그년 때문이야!'

올리비아가 씨근덕거리며 몸을 늘어뜨렸다. 소파에 나태하게 기댄 올리비아가 첼로스테에게 거만하게 손짓했다. 아직까지도 과거의 버릇을 버리지 못한 그대로였다.

"시킨 일은 잘 하였느냐?"

"예, 황비 마마."

"하하하하. 곧 있으면 힐라리아 황비도 몰락하겠구나."

올리비아가 입술을 길게 늘어뜨렸다. 그녀를 살려둔 것을 에벤에셀은 땅을 치고 후회하게 될 것이다. 올리비아가 가질 수 없다면 힐라리아도 가질수 없다. 그래서 힐라리아를 땅으로 끌어내릴 작정이었다. 한참을 만족스럽게 웃던 올리비아가 첼로스테에게 물었다.

"그런데 말이야, 너."

"예, 마마님."

"너는 어째서 나를 따르니? 다른 이들은 나를 버리기 바쁜데 말이야."

올리비아의 눈에 의심이 서렸다. 그동안 다른 이들은 전부 외면했던 올리비아를 첼로스테는 아주 정성스럽게 보살폈다. 그럴만한 이유가 더 이상 없는데도.

"……마마께서는 제게 넘치는 것들을 주셨습니다. 그런 것을 받았으면, 인간이라면 응당 보답을 해야지요. 저는 그 은혜를 잊지 않은 것뿐입니다."

그것으론 부족한 것 같았는지 첼로스테가 말을 덧붙였다.

"힐라리아 황비께서는 제게서 많은 것들을 앗아가셨습니다. 물론, 자존심도요. 하지만, 마마님께서는 제 자존심을 지킬 수 있을만한 보상을 해주셨지요. 그러니, 제가 마마님을 따르는 건 당연한 일입니다."

"그래?"

"네, 그렇습니다."

올리비아가 턱을 문질렀다. 하긴. 그럴 만도 하지. 다들 힐라리아의 권력에 기생하고 있는 거지 진심으로 그녀를 사랑하는 사람이 어디 있겠는가? 만약 올리비아가 힐라리아보다 더 많은 것을 가진 귀족의 자녀였으면 에벤에셀도 올리비아를 사랑해줬을 것이다.

기네비어 공국은 탄탄한 입지를 다지고 있었고 막대한 부를 축적했다. 게다가 자카리족으로부터 윈프리드를 지켜낸 공을 인정받아 명성도 높아지고 있었다. 그런 가문에서 태어난 힐라리아에게 고작 에라스모 백작가에서 태어난 올리비아가 비교나 되겠는가.

'이건 다 아버지 때문이야!'

올리비아가 이를 아드득 갈았다. 게다가 그 알량한 가문을 유지하지도 못하고 죄인으로 낙인찍히고 재산마저 몰수당하지 않았던가. 그것만 아니었다면, 첼로스테 말고도 많은 이들을 매수했을 것이다.

'그랬으면 더 움직이기 수월했을 텐데.'

아버지 때문에 모든 걸 망쳤다. 더 이상 다른 이들을 매수하는 것도 힘들고…….

"드레스가 이게 뭐야! 더 깨끗하고 화려한 건 없어?"

장신구나 드레스를 사는 것도 어려워졌다. 블라디슬라프의 재정부는 각박하게도 올리비아의 앞으로 예정되어 있던 예산안을 전부 빼앗아갔다.

그게 죄인에 대한 대우라나.

'쩨쩨하기는!'

덕분에 올리비아는 새 옷도 맞추지 못한 지 오래다.

"정말 이래저래 마음에 드는 게 없어!"

올리비아가 드레스를 탁하고 쳤다. 입고 있는 드레스가 신상이 아니라고 골질을 하는 것이다. 한참을 구시렁거리는 올리비아를 빤히 지켜보던 첼로스테가 조용히 말을 꺼냈다.

"힐라리아 황비 마마의 드레스룸에는 입지 않은 새 드레스와 아직 포장도 뜯지 않은 구두들이 널려 있습니다. 그것들을 활용해보는 건 어떨까요?"

"뭐? 내가 거지야?"

짝- 올리비아가 신경질적으로 소리치며 첼로스테의 뺨을 올려붙였다. 첼로스테가 천천히 숨을 골랐다. 터진 입술을 타고 흐르는 핏물을 닦아내고는 첼로스테가 자세를 다시 바로 했다.

"죄송합니다, 황비 마마. 저는 그저 놀고 있는 것들이 아까워서요. 게다가 힐라리아 황비보다는 마마님의 고귀한 기품에 어울릴만한 물건들이 도처에 널려 있는 터라."

"뭐……?"

"힐라리아 황비가 가진 것은 많아서 전부 값비싼 것들이니 제 주인을 찾아가는 게 마땅하다 여겼습니다. 심기를 어지럽혀 드렸다면……."

"잠깐만. 잠깐. 새 거라고?"

"예? 예. 아직 뜯어보지도 않은 상자들이 쌓여 있습니다."

"들키면?"

"그럴 리가요. 힐라리아 황비는 저를 믿고 있습니다. 저를 의심할 리도 없는 데다가 물건의 양이 많아 한두 개 없어진다고 해도 알아채지 못할 겁니다."

"그래……?"

그런데 그 많은 게 힐라리아의 드레스룸에 있다는 거지?

심술이 난 올리비아가 입술을 삐죽였다.

"그럼 쓸만한 것들을 가져와봐. 내게 어울릴만한 것들로."

올리비아가 선심 쓰듯 말했다.

"예, 저를 믿어주세요."

첼로스테가 생긋 웃었다.

***

과거의 상처를 떠올리게 하는 소문이 골목길을 중심으로 퍼지기 시작했다.

"마녀가 돌아왔다며?"

"마녀?"

"그래. 예전에 사람들을 저주해서 죽였다는 못된 것들 있잖아."

"세상에! 이 나라가 어떻게 되려고!"

사람이 셋 이상 모이면 마녀에 대해서 떠들어댔다. 실체를 모르는 마녀는 그들의 소문 속에서 덩치를 키우고, 구체화되었다.

"마녀가 어떤 사람들인데?"

"모르지, 나도. 그냥 이상한 주술을 쓰는 여자들이래."

"주술? 저주 같은 거 말이야?"

"그렇다니까!"

일반적이지 않은 힘에 대한 두려움이 차곡차곡 쌓여갔다.

먼 옛날에 그랬던 것처럼.

"붉은 여왕께서 전부 몰살한 거 아니었어?"

"숨은 마녀들을 어떻게 찾아내셨겠어. 그건 불가능하지, 이 사람아."

"밤늦게 나돌아 다니지들 말어. 애들 단속하고. 마녀들이 젊음을 위해 애들을 잡아먹는다잖아!"

"으, 끔찍해라."

북쪽에서의 일을 끝내고 눈에 띄지 않는 여행객의 모습으로 수도로 돌아오던 베아트리체가 발을 멈췄다. 저잣거리 사람들이 전부 마녀에 대해서 이야기하고 있었다. 베아트리체가 얼굴을 가리고 있던 복면을 끌어 내렸다. 그와 동시에 역시나 여행객 행세를 하던 제너시스 후작가의 기사들이 경계를 세우며 검집 위에 손을 얹었다.

"마녀라고 하셨어요?"

베아트리체가 좌판을 펼쳐놓고 과자를 팔고 있던 여자에게 물었다.

"그래요, 마녀. 지금 그 이야기로 제국이 들썩이고 있다오."

"조심해야겠네요. 되게 무서운 사람들이라면서요. 제가 할머니께 들은 건데, 마녀들은 동물의 피로 마법진을 그린대요."

"뭐어? 점점 끔찍해지는구만. 아가씨도 조심해요. 큰일 날라."

"네. 감사합니다. 이 과자 포장해주세요."

베아트리체가 꿀에 절여진 과자를 손가락으로 가리켰다. 신나게 과자를 포장하는 상인을 보며 베아트리체가 다시 복면을 올렸다.

'흠. 움직이기 시작했나 보군.'

참, 지긋지긋한 오명이었다. 마녀라는 단어는.

마녀가 아니라 정령술사. 그들은 사람을 저주하지도 해치지도 않는다. 정령들은 그들의 술사를 공격하는 자들만 공격한다. 육식을 종종 하는 힐라리아의 나비 정령들도 아무나 공격하지 않는다. 오히려 정령들은 그 어떤 생명체보다 자연에 가까운 존재들이었다. 한데, 마녀사냥 당시의 황제는 자신의 실책을 덮기 위해 헛소문을 퍼뜨렸고 사람들은 황제의 말을 철석같이 믿었다.

만약 티타니아가 모든 책임을 지겠다고 불쌍한 희생자들을 끌고 기네비어로 숨어들지 않았다면, 정말로 정령술사의 씨가 말랐을지도 모를 일이다. 베아트리체의 금안이 어둡게 가라앉았다. 황제는 자신의 실책을 덮기 위해 명성이 드높은 티타니아의 말을 들어주었다. 기네비어의 사람들이 허락 없이 경계를 넘지 않는 대신 그들의 땅을 공국으로 인정받았다. 마녀사냥에 앞장섰다고 알려졌던 티타니아 기네비어는 죽음으로부터 정령술사들을 구해냈다. 하지만 그 숭고함에도 불구하고 지금, 과거의 망령이 다시 몸을 일으키고 있었다.

"이제 어쩔 생각이지, 힐라리아."

베아트리체가 먼 곳으로 시선을 던졌다. 힐라리아가 있을 궁을 향해.

***

에벤에셀은 힐라리아에게 부탁했던 대로 그의 어머니를 보러 가는 길에 그녀를 대동했다. 그들을 환영하듯 날씨가 화창했다. 비도, 거센 바람도 없었다. 묘지 앞에 서서 힐라리아가 한참을 망설이다 입술을 열었다.

"……날 좋을 때 가셨네요. 춥지도 않고, 덥지도 않을 때."

"위로예요?"

"네. 이럴 땐 무슨 말을 해야 할지 모르겠어서. 어색했나요?"

힐라리아가 에벤에셀의 손을 꼭 잡은 채로 그와 눈을 마주쳤다.

"약간?"

"그래도 봐줘요. 내 최선이었어. 그럼, 이럴 땐 어떻게 하는 게 좋아요? 응? 원하는 대로 해줄게."

힐라리아의 다정한 속삭임에 에벤에셀이 나지막한 웃음을 터뜨렸다. 에벤에셀이 약한 모습을 보일 때 더없이 자비로워지는 힐라리아가 귀엽다.

"나를 벌하겠다던 당찬 당신은 어디 가고."

"아, 그거야……."

힐라리아가 왜 지금 그런 이야기를 꺼내냐는 듯이 눈을 굴렸다. 안 그래도 실로테에게 한참을 들들 볶였다. 다음부터 그런 말을 할 거면 실로테와 제이나를 부르지 말라나. 게다가 순한 제이나마저 실로테의 손을 들어주었다. 순진한 사람들 같으니.

"나는 자비로운 사람이라서요. 벌할 땐 벌하고 안아줄 땐 안아주죠."

에벤에셀이 힐라리아를 끌어당겨 그녀의 허리에 손을 감았다.

"애쓰지 말아요, 힐라리아."

"음?"

"당신이 함께해준 것만으로도 내겐 커다란 위안이니. 한 번도 누군가를 데려온 적이 없었거든요."

"항상 당신 혼자였어요?"

"언제나."

왜 이렇게 약한 모습을 보이고 난리야.

힐라리아가 입술을 삐죽이며 에벤에셀을 향해 손을 뻗었다.

"이리 와요."

"힐라리아?"

"좀 더 가까이, 이리로. 당신의 체온이 내게 느껴지도록 가까이 와요."

에벤에셀이 힐라리아의 이마에 키스했다. 말한 대로 이곳에 누군가를 데려온 건 힐라리아가 처음이다. 돌아가신 어머니에게 소개시켜 드리고 싶었던 사람이 힐라리아뿐이었다는 말이다.

'어머니, 내 사람이에요.'

그녀가 듣고 있을지는 모르겠지만, 에벤에셀이 속으로 말을 건넸다. 죽을 때까지도 에벤에셀을 걱정했던 어머니였다. 억지로 인간의 형상을 갖춘 정령이었던 탓에 사체조차 남기지 못하셨다. 눈앞에서 물방울이 되어 흩어지던 어머니의 모습이 아직도 생생했다.

에벤에셀의 아버지는 슬픔에 잠긴 채로도 그런 허망한 끝을 예감했었다는 듯이 태연하게 행동했다. 가짜로 그녀의 사체를 꾸미고 관에 눕혔다. 사람들은 황제가 만들어낸 인형을 죽은 황후라고 생각하고 땅에 묻었다. 결국 이 안에 든 것은 세월에 썩어 사라질 인형이었지만, 그래도 매년 이곳을 찾았다.

에벤에셀에게도 기댈 곳이 필요했기에.

'어디에 계실지 모를 나의 어머니, 보고 계시나요?'

이건 에벤에셀이 간직하고 있었던 가장 감성적이고 인간적인 면모였다. 정령의 몸으로 인간과 사랑에 빠졌던 어머니를, 에벤에셀을 낳기 위해 정령의 삶을 포기하고 인간이 되었던 어머니를 에벤에셀도 사랑했었다. 그렇기에 남들에게 냉벽이라고 불리는 에벤에셀조차도 어머니를 그리워했다.

황제로 태어나 황제로 죽었던 에벤에셀의 아버지와는 다르게 어머니는 오로지 에벤에셀의 부모로 살다 갔으니 당연한 일이었다.

'절대 외롭지 말라고 하셨죠. 누군가를 사랑하라고 하셨었잖아요, 어머니. 제가 어머니 소원을 들어드리게 되었어요. 사랑에 빠졌거든요.'

한참을 말없이 서 있기만 하는 에벤에셀의 가슴팍에 힐라리아가 고개를 기댔다. 무슨 생각을 하고 있는진 모르겠지만, 외로워 보이는 에벤에셀에게 체온을 나눠주고 싶었다.

'바라신 대로 행복해질 수 있을 것 같아요. 이 사람과 함께라면…….'

힐라리아와 함께라면 이 긴 생이 짧게만 느껴질 것만 같았다. 그 여정을 힐라리아와 함께하고 싶었다. 에벤에셀이 나아가는 길의 끝에 힐라리아가 있다면 더할 나위 없이 행복하겠지? 그녀와 일상을 사는 거다. 함께 잠을 자고, 같은 침대에서 일어나고, 식사를 하고, 그들을 닮은 아이를 낳고. 남들이 사는 것처럼. 특별하지 않고 평범하게.

'그렇게 될 수 있게 어머니가 도와주세요.'

***

길리어스가 몸을 뒤챘다. 곰만 한 장정들을 한곳에 가둬두다니. 제대로 운신하기 힘든 몸이 찌뿌둥했다.

"언제까지 여기 있어야 하는 걸까."

"글쎄요."

"저 꼬맹이는 언제까지 입을 꾹 다물고 있을 거래?"

"그것도 글쎄요."

길리어스가 팔과 다리에 구속구를 찬 채로 웅크리고 앉아 있는 아이를 힐끔힐끔 보았다. 자카리족의 아이처럼 보이는데 그들과 같이 갇혀 있었다. 그 이유가 궁금해 슬쩍 말을 시켜봐도 새카만 눈으로 쳐다보기만 할 뿐 대꾸가 돌아오진 않았다.

"자넨 아는 게 뭐야?"

길리어스를 삐딱한 눈으로 보는 부하를 묶인 발로 걷어차 주고는 길리어스가 목을 스트레칭 했다. 분명 이유가 있으니 저 어린애를 저렇게 혹독하게 가둬놨을 텐데 짚이는 바가 없었다. 길리어스가 엉덩이를 움직여 아이의 옆으로 다가갔다. 뭐라고 말을 걸어보지? 멍하니 허공만 보고 있는 아이가 반응하는 건 하루에 딱 한 번. 먹을 게 올 때였다.

아이는 기네비어의 포로들과 같은 식사를 하고 같이 잠을 잤다. 울지도 않고 보채지도 않는다. 그저 감정을 잃은 것처럼 무표정하게 허공을 보는 게 아이의 일과였다. 짧게 자른 머리와 마른 팔다리로는 성별도 가늠하기 힘들었고 자카리족 사람들은 왠지 모르게 아이를 두려워하는 것처럼 보였다. 이렇게 조그맣고 마른 아이를 두려워한다라.

"애야."

"……."

"꼬마야."

"……."

길리어스가 헛기침을 하고는 인내심 있게 아이를 불렀다.

"요셉?"

"그, 그거 내 이름……."

엇! 반응했다. 얼마 전에 밥 주던 여자가 아이를 부르던 이름을 기억해두길 잘했다. 길리어스와 아이에게 관심이 없던 다른 기사들이 고개를 홱홱 돌렸다. 지금 말한 거 맞지?

"네가 요셉이야?"

"우웅……."

아이가 풀이 죽은 채로 고개를 끄덕였다. 손가락을 꾸물거리는 아이의 작은 머리통이 귀엽다. 손이 묶여 있어 쓰다듬어주지 못하는 게 아까울 정도로.

"너는 왜 여기 있어?"

"나, 나느은……. 위험해. 위험하댔어."

"응? 무슨 말이야."

"나느은……. 나는, 마법을 부릴 줄 알아. 이렇게, 이렇게!"

아이가 손을 작게 흔들었다. 길리어스의 얼굴이 어정쩡하게 얼어붙었다. 마법사? 그 빌어먹을 족속이 이 꼬마라고?

'찾았다, 내 원수.'

아 근데 이렇게 작은 꼬마일 건 또 뭐야. 나보고 어떡하라고!

길리어스가 소리 없는 비명을 질렀다.

***

에벤에셀 어머니의 기일은 조용히 스쳐 지나갔다. 황성은 평소와 다름없이 굴러갔고 아무도 선황후의 죽음을 기억하지 않는 것 같았다. 그저 쉴 새 없이 굴러가는 물레방아 같은 황성에서 에벤에셀과 힐라리아만이 자리를 비웠을 뿐이다. 사람들은 그들이 처음부터 없는 것처럼 굴었다.

그렇게 힐라리아와 에벤에셀은 누구의 시선도 닿지 않는 곳에 자리하게 되었다. 스틸로즈 궁의 판판한 지붕 위가 그 장소였다. 다락방의 창문으로 몰래 빠져나와 케이티가 챙겨준 바구니를 열었다. 바구니 안에는 두꺼운 담요와 지붕 위의 추위를 막아줄 숄이 들어 있었다. 에벤에셀이 바구니 안을 확인하고는 웃음을 터뜨렸다. 딱 그 나이 때의 청년처럼.

"힐라리아, 한두 번 지붕 위에 올라온 게 아닌가 본데요. 케이티가 바구니를 챙겨주는 게 보통 솜씨가 아니야."

"앗, 들켰네. 어릴 땐 일주일에 한 번은 지붕 위에 올라갔죠. 크면서 횟수는 줄었지만. 지붕 위만큼 사람들 시선을 피하기 좋은 곳이 없거든요. 음, 여기 있다."

바구니를 뒤지던 힐라리아가 삶은 계란을 꺼냈다.

방금 삶은 듯 뜨끈한 계란을 하나 에벤에셀에게 건넨다.

"따뜻하죠? 잠깐 가지고 있어요. 쌀쌀한 날씨엔 삶은 계란이 최고더라."

남은 계란을 꺼내 힐라리아가 익숙하게 까기 시작했다.

"이런 일은 한 번도 안 해봤을 것 같은데."

"지붕 위에선 나 혼자니까. 이런 간단한 일은 스스로 할 줄 알아요. 내가 뭐 어린앤가."

"케이티가 살뜰히 챙기는 걸 봐선 아무것도 못 하게 했을 줄 알았거든. 게다가 당신이 어린애면."

에벤에셀이 힐라리아의 뺨에 가볍게 키스했다.

"나는 뭐가 돼."

힐라리아가 계란을 까다 말고 고개를 끄덕였다.

"듣고 보니 그러네."

노란 속살이 드러나게 계란을 반으로 쪼갠 힐라리아가 반쪽을 에벤에셀에게 건넸다. 이런 경험은 또 처음이다. 어머니가 돌아가시고 나서 한동안 권력 구도가 뒤바뀐 통에 황성에서 쫓겨나 성 밖에서 지낼 적에도 이런 여유를 부려본 적이 없었다.

평민들처럼 지붕 위에 앉아 일탈을 즐기는 것. 소소한 행복이었다. 에벤에셀이 고소한 계란을 입 안에 밀어 넣고는 손에 쥐고 있던 계란의 껍데기를 깠다. 그사이 힐라리아가 자신의 몫을 먹어치우고는 바구니 안에서 유리병을 꺼냈다. 뚜껑을 따니 시큼한 와인의 향이 훅하고 끼쳤다.

"와인?"

"꽤 잘 어울리거든요. 계란이랑, 바게트, 구운 치즈……."

힐라리아가 평범한 잔에 와인을 가득 따랐다.

"목을 축인다는 생각으로 마셔봐요."

에벤에셀이 순순히 힐라리아의 명령을 따랐다.

"이런 건 어디서 배워서는."

"나는 어머니한테 배웠죠. 나를 지붕 위의 세상으로 데려온 건 어머니였거든요."

힐라리아의 머리카락이 바람에 휘날렸다. 생긋 웃는 얼굴이 평소와는 다르게 천진한 숙녀처럼 보였다. 장난기 가득한 님프 같기도 했다.

힐라리아가 에벤에셀에게 잔을 내밀었다.

"이런 날은 취해도 괜찮아요."

"힐라리아."

"이런 날은 울어도 괜찮잖아요."

"……."

"왜 그렇게 아무렇지도 않은 얼굴을 해서 내 마음을 아프게 해요?"

힐라리아가 깊은 한숨을 내쉬었다. 오늘 아무런 일정도 없이 방에나 있을 계획이라는 에벤에셀을 끌고 이 지붕 위로 올라온 것도 그런 이유였다. 에벤에셀에게도 일탈이 필요하니까. 울지도 못하는 멍청한 에벤에셀. 마음이 아파도 말도 못 하는 황제 따위.

"여기는 높아. 아무도 엿보지 못하지. 이 자리엔 아무도 없고 당신이 사랑한다는 나밖에 없어."

힐라리아가 시선을 먼 곳에 두었다.

"설마 사랑한다는 내게도 당신 아픈 걸 숨겨야 해?"

"나는 진심으로……."

"괜찮다는 말할 거면 차라리 그 입 닫아. 그런 거짓말을 들어줄 기분은 아니거든."

"……."

에벤에셀이 말없이 와인을 마셨다. 힐라리아는 아무 말도 없이 그에게 바게트를 건네고 달짝지근하게 구워진 고소한 치즈를 건넸다. 에벤에셀이 그것들을 먹어 치우고 다시 술잔을 비울 때까지 힐라리아는 기다려주었다.

"정말로 괜찮았으면 그런 얼굴은 말았어야지. 내가 바보인 줄 알아?"

"입 맞춰도 돼?"

힐라리아가 고개를 끄덕였다. 그것이 당신에게 위로가 된다면 얼마든지. 에벤에셀이 고개를 기울여 힐라리아에게 키스했다. 몇 번이고 가볍게 닿았다가 떨어져 나가는 입술에도 힐라리아는 웃지 않았다. 평소였더라면 수도 없이 웃음을 터뜨렸을 텐데. 힐라리아가 에벤에셀의 뺨을 쓰다듬었다.

"울지 못하니까 웃지도 못하지. 당신이 아까 어떤 얼굴을 하고 있었는지는 알아?"

"……."

"세상에 혼자 남겨진 어린애 같았어. 당장이라도 왕하고 눈물을 터뜨릴 것 같았는데……."

순간, 에벤에셀이 기습적으로 힐라리아에게 키스했다. 아까와는 달리 깊숙이 얽혀드는 입술에 힐라리아가 숨을 들이켰다. 에벤에셀이 힐라리아의 허리를 바짝 끌어당겼다. 엉키는 숨결은 뜨거웠고…… 젖어 있었다.

힐라리아가 깜짝 놀라서 눈을 떴다. 그녀에게 입 맞추고 있는 에벤에셀이 눈을 감은 채로 소리 없이 울고 있었다. 속눈썹에 맺힌 눈물이 힐라리아의 얼굴로 톡톡 떨어졌다. 힐라리아가 눈을 질끈 감고 그를 마주 안았다.

'바보, 진짜 바보.'

어머니를 잃고 아버지를 잃었다. 그도 처음엔 이 세상에 홀로 떨어져 황태후와 네이선마저 상대해야 하는 어린애였을 것이다. 그의 편은 아무도 없고 힘들어도 안아주는 이 하나 없었을 테지. 에벤에셀이 아무런 이상 없이 이렇게 잘 자라준 것만으로도 감사해야 할 지경이었다.

어린애는 강한 척을 하기 위해서 눈물을 참고 또 참았을 테니 오늘은 울어도 되지 않을까? 정말 알면 알수록 아련한 남자다. 냉혈인간이라고? 이토록 인간적이고 연약한 에벤에셀을 몰라서들 하는 말이다.

"하아……."

입술을 떼어낸 에벤에셀이 힐라리아의 어깨에 고개를 묻었다. 동그랗게 말린 넓은 등이 오늘따라 좁아 보인다. 힐라리아가 그 등을 부드럽게 쓸었다.

"당신은 참 이상해."

"그게 하루 이틀인가."

힐라리아의 대꾸에 에벤에셀이 옅은 웃음을 터뜨리며 그녀를 끌어안은 손에 힘을 주었다.

"사랑해, 힐라리아. 내 온 영혼을 다해."

"……응. 알고 있어."

힐라리아의 대꾸에 에벤에셀이 이를 악물었다. 간헐적인 울음이 터져 나왔다. 오랜 시간 참아왔던 눈물을 전부 토해내는 것처럼.

* * *

오스발트의 사절단이 방문을 요청한다는 전령이 도착했다. 늦은 저녁을 함께하던 힐라리아도 에벤에셀에게 온 소식을 함께 전해 들었다.

"오스발트에서 사절단이라. 염탐꾼들이겠네요."

"스베인, 그들의 방문을 허락하고 숙소를 마련해주게."

"예, 폐하."

스베인이 물러가고 에벤에셀이 식사를 도로 이어가기 시작했다.

"그들을 들이게요?"

"상관없어. 오히려 반대로 그들에게서 정보를 캐낼 수도 있는 일이죠. 게다가 사절단에 속할 사리프의 귀족이 누군지 알고 있거든요."

"음? 어떻게?"

"당신의 나비를 빌렸거든."

"뭐?"

힐라리아의 손에서 삐끗한 식기가 투둑 떨어져 내렸다.

"내 나비 도둑이 여기 있었네…….."

어쩐지 '힐' 말고도 사라진 나비들이 있다 했더니.

"어떤 수를 쓴 건데요?"

"세바스찬 식솔들을 빼돌렸어. 그들을 노비로 죽이는 것보다는 훨씬 쓸모가 있는 선택이었지."

"나비들은 내 걸 쓰고?"

"……부부는 일심동체 아니겠습니까. 이제 힐라리아의 것은 내 것이고 내 것은 당신의 것이지요."

"와…… 이게 눈 뜨고 코 베인다는 거구나?"

힐라리아가 어처구니없다는 듯이 웃었다. 하지만, 기분이 나쁘지는 않았다. 이젠 에벤에셀이 하는 짓이 다 귀여워 보이니 이거 참 큰일이었다.

'에벤에셀에겐 말하지 말아야지.'

이런 비밀은 꼭꼭 숨겨두고 있다가 필요한 순간에 꺼내야 하는 법이다.

힐라리아가 표정을 숨기기 위해 고개를 살짝 숙였다.

"그 염탐꾼들이 무엇을 하러 오는지야 뻔합니다. 이 제국이 궁금하겠지요. 황태후로부터 얻는 정보에는 한계가 있을 테니."

힐라리아가 식기를 내려놓았다. 이건 아주 예민한 사안이었다. 황제의 기색을 살피니 조금도 분노한 것 같지 않았다. 힐라리아가 조심스럽게 물었다.

"황태후가 나라를 팔아먹고 있다는 사실을 알고 계셨습니까?"

"모를 리가 있겠습니까. 짐의 성에서 일어나고 있는 일인데. 뻔뻔하게도 내 면전 앞에서 제국을 팔아먹는 파렴치한이 짐의 계모이시지요."

"……왜 모르는 척 두고 보셨습니까? 아."

힐라리아가 알아차렸다는 듯이 입을 벌렸다.

"한 번에 시벨로프와 황태후를 뿌리 뽑을 명분이 필요하셨습니까?"

"황비께선 짐의 뜻을 알아주실 거라는 걸 알았지요."

에벤에셀이 힐라리아의 말에 동의했다. 그래도 한 나라의 황태후다. 높은 지위에 있는 사람을 끌어내리기 위해선 반드시 명분이 필요했다.

"이건, 위험할 수 있습니다. 황태후가 팔아넘기는 정보 중에 분명 폐하의 신상에 대한 정보도 있을 겁니다. 적에게 그만큼 노출되시는 거예요."

"압니다. 하지만, 적이 사활을 걸었는데 어쩌겠습니까."

에벤에셀은 그의 목숨을 걸고 위험한 도박을 하고 있었다.

"……폐하께서도 이번 일에 모든 것을 거셨군요."

힐라리아가 탄식처럼 내뱉었다. 항상 여유롭다고 생각했다. 에벤에셀은 언제나 동요를 내보이지 않았고 평온한 표정으로 모든 일에 대처했다.

"짐도 절박하거든요."

"……또 그런 표정으로 그런 말씀을."

힐라리아가 인상을 찌푸렸다.

"화를 내시는 건 어떻습니까?"

"화를 내면 그들이 달라집니까? 황태후가 욕심을 내려놓을까요? 달라지지 않습니다. 아무리 두드려도 열리지 않는 문처럼요."

정말 아무 일도 아닌 것처럼 에벤에셀이 나긋나긋하게 말했다. 마치 시도해 본 사람처럼 말한다. 황태후와 대화를 시도하고 그들을 용서해보려고 노력해본 사람처럼……. 힐라리아가 이를 악물곤 물었다.

"해보셨습니까?"

"수도 없이. 어린 시절의 짐은 순수했거든요. 하지만, 황태후는 자신의 이익에 눈이 먼 사람이었고 짐의 말은 들리지 않는 듯했습니다. 황태후의 정의는 권력과 재물에 있어요. 애초에 그런 사람이에요."

아, 또 웃는다. 힐라리아가 속상한 마음에 미간을 찌푸렸다. 에벤에셀이 안타까운 만큼 황태후가 더 싫어진다. 대단도 하지. 황태후 한 사람이 일으킨 일 좀 보라지. 나라와 제국민이 들썩이고 황제가 동요한다. 온 제국이 그녀의 악행을 막기 위해 움직이고 있었다. 전쟁이 앗아갈 것들에 대해선 조금도 고려치 않는 이기적인 황태후 때문에. 어떤 의미에서는 참 대단한 사람이었다. 모두 다 피해자였다. 황제도, 네이선도, 그리고 라리나마저도.

"제가 지켜드릴 겁니다."

"힐라리아가요?"

"네. 이번엔 제가 지켜드릴 거예요."

힐라리아가 다시 한번 다짐했다. 빌어먹을 황태후.

"좋습니다. 그리고 사절단이 오는 기간 동안 힐라리아 주변의 호위를 강화할 겁니다. 그들이 짐의 힐라리아를 훔쳐 가면 정말, 상심할 것 같으니 답답해도 참아주십시오."

부탁이나 제안이 아닌 명령이었지만, 전혀 강압적이지 않다. 힐라리아를 보는 상냥한 눈빛이나 그녀를 어르는 말투, 그 속에 담긴 애정까지.

힐라리아가 고개를 끄덕였다.

"폐하를 위해서라도 그리해야겠군요. 저도 압니다. 저는 매우 아름답고 매혹적이라 그들이 반해버릴지도 모른다는 걸요."

힐라리아는 나름 진지했는데 에벤에셀이 진심으로 웃음을 터뜨렸다.

보기 좋기는 한데…….

"웃으시라고 드린 말씀은 아닙니다만."

"압니다. 당신은 생각보다 훨씬 매력적이라는 걸 나도 알아요."

누그러진 말투로 속삭이며 에벤에셀이 건너편 힐라리아의 손을 잡았다. 그녀의 손등에 가볍게 키스하며 에벤에셀이 야살스레 웃었다.

"당신이 있어서 다행이야."

나도. 나도 그런 것 같아.

속으로 중얼거리며 힐라리아가 에벤에셀의 손을 맞잡았다.

***

힐라리아가 실로테와 제이나를 불렀다. 베아트리체가 제도로 돌아왔다는 소식은 들었지만, 그녀를 이 자리에 부를 수는 없었다. 공식적으로 베아트리체는 이제 황태후의 사람이었으니까. 그래서 오랜만에 모인 티타임에는 세 사람뿐이었다.

"……한 자리가 비니 이리 티가 나는군요."

실로테가 입술을 삐죽이며 말했다. 얼른 이 지긋지긋한 일들이 끝나고 일상이 돌아왔으면 좋겠다. 어느새 함께 어울리는 게 일상이 되었다. 제이나도 동의한다는 듯 고개를 끄덕였다. 힐라리아가 생긋 웃고는 입술을 열었다.

"오늘은 할 말이 있어서 그대들을 불렀어요."

"할 말?"

"무슨 일이 있나요?"

힐라리아가 가볍게 고개를 저었다. 그저 오늘은 힐라리아의 비밀을 고백하기 위해 두 사람을 불러들인 것이다. 오스발트 사절단이 입국을 앞두고 있었다. 에 벤에셀은 힐라리아에게 그녀가 할 수 있는 일이 있을 거라고 은근히 부추겼다.

'귀엽기는.'

그들에게 가까이 가지 말라고 경고해놓고는 이렇게 귀엽게 굴 필요가 있 나. 에벤에셀은 힐라리아를 동등한 동반자로 인정하고 있었다. 위험하다고 힐라리아를 모든 일에서 배제하는 게 아니라 그녀를 끌어들였다. 힐라리아 는 사절단 중 한 사람을 홀려 모든 비밀을 털어놓게 할 생각이었다. 그녀에 게는 나비가 있으니 그리 어려운 일이 아니다.

다만, 도움을 청할 수 있다면 더 좋겠지. 힐라리아는 그녀를 도와줄만한 이들로 제이나와 실로테를 골랐다. 그들을 완벽히 힐라리아의 바운더리 안 으로 들이려는 것이다. 긴장한 그들에게 힐라리아가 말했다.

"나는…… 그대들이 모르는 비밀이 있어요."

"아. 난 또 뭐라고."

"그렇게 아무렇지 않게 넘길 일은 아닌데."

힐라리아가 생긋 웃었다. 그녀가 손을 부드럽게 휘두르자 사람들의 시선 에서 몸을 감추고 있던 나비들이 응접실 가득히 나타났다. 금빛으로 일렁이 는 힐라리아의 푸른 눈이 도드라졌다. 금빛 나비들이 부러 만들어내는 거센 바람이 세 사람 사이를 가로질렀다. 제이나와 실로테가 놀란 얼굴로 벌떡 일어났다. 이, 이게 무슨 일이람!

"헙!"

"히, 힐라리아!"

"나는 아주 거대한 비밀을 가지고 있어요."

힐라리아가 평온한 얼굴로 속삭였다.

"나는 그대들이 말하는 마녀예요."

힐라리아의 오묘한 눈동자가 짐승처럼 번뜩였다.

아주 위험한 냄새를 풍기며.

***

실로테와 제이나는 힐라리아의 말이 진실이라는 걸 온몸으로 체감하고 있었다. 실내임에도 부는 바람과 문 앞을 막아선 케이티의 암묵적인 동의, 마지막으로 그녀들을 노려보는 야생의 눈빛.

힐라리아의 눈 색이 완전히 금색으로 변했다. 모든 힘을 개방한 힐라리아의 머리카락이 옅은 분홍색으로 물들기 시작했다. 인간이 정령의 힘을 전부 받아들이면 모습부터 변하기 마련이다. 인간의 그릇으로는 정령술사가 부리는 정령들의 힘을 전부 담기는 어려웠기에. 힐라리아가 몸을 일으켰다.

"내가 두려운가요?"

그녀로부터 풍기는 위압감은 평소의 배가 되어 그들을 짓눌렀다.

"히, 힐라리아……."

"두렵다고 생각하지 말고……."

힐라리아가 손을 뻗어 제이나와 실로테의 볼을 차례로 쓸었다.

"받아들여요."

거대한 자연의 힘이었다. 정령을 다루지도 못하는 한낱 인간이 받아들이기에는 벅차다. 힐라리아는 제이나와 실로테에게 힘의 실체를 보여주려는 것뿐이었다. 정령술사는 마녀가 아닌 존재라는 걸 일깨우기 위해서.

[위험해!]

힐라리아 주변을 맴돌던 나비가 에벤에셀의 목소리로 외쳤다. 물론 이 정도의 힘을 갑자기 개방하는 건 힐라리아에게도 부담이 따르는 일이었다. 하지만, 기꺼이 힐라리아의 편이 되어준 제이나와 실로테를 이해시키기 위해서 이 정도 위험도 감수 못 할까.

힐라리아가 베아트리체 다음으로 처음 가져본 친구들이었다. 만약, 실로테와 제이나가 힐라리아를 이상한 눈으로 쳐다본다면? 그들이 힐라리아를 마녀라고 밝고한다면. 어떻게든 그들의 입을 틀어막겠지만, 꽤나…….

'상처받을 것 같거든.'

이게 힐라리아의 이기심이라고 해도 좋다.

'그럼에도 그대들이 나를 이해해준다면 좋겠어.'

정령술사들이 위험한 존재가 아니라 그저 인간과 똑같은 자연의 일부라는 것만 알아준다면…… 황성에서 노력했던 그간의 시간들이 헛되지 않을 것 같다.

제이나와 실로테의 동공이 확장되었다. 넘실거리는 금빛의 아우라가 쏟아져 들어왔다. 영혼이 찬란한 빛으로 물드는 것 같았다. 달콤한 향기와 살갗을 스치는 부드러운 바람. 자연 그대로의 총 천연의 색깔들이 별처럼 빛났다. 그 가운데에 힐라리아가 서 있었다. 옅은 분홍빛 머리카락에 처음 보는 금안을 하고 있었지만, 힐라리아였다.

제이나와 실로테가 힐라리아를 향해 손을 뻗었다.

"왜, 왜 울어요……?"

실로테의 입술이 바르르 떨렸다. 가만히 서서 눈물을 흘리고 있는 힐라리아라는 존재가 왠지 가엾고 애틋하다. 힐라리아가 가만히 웃었다. 오랜 세월 핍박받아온 정령술사들의 눈물이 힐라리아 안에서 넘쳐흘렀다.

이건 힐라리아의 눈물이 아니었다. 마녀라고 손가락질 당하며 돌팔매질로 죽어야 했던 어느 누군가. 산 채로 끓는 솥단지에 던져졌던 또 어느 누군가. 불구덩이 속에 묶여 타들어가야 했던 또 다른 누군가.

그들의 눈물이었다. 마녀사냥의 희생양이 되었던 가엾은 정령술사들의 피맺힌 눈물이었다. 황실의 욕심과 자카리족의 마법사가 결탁하여 만들어낸 지독한 왜곡의 역사였다.

마녀사냥이 대두되기 전까지만 해도 정령술사들은 인간들 사이에 섞여 살았다. 그들은 인간들에게 기꺼이 정령들의 힘을 빌려주었다. 아픈 이들을 치료해주고 어린아이들의 친구가 되어주었다. 전쟁터, 재난현장, 사고현장. 어디에든 그들이 있었다. 항상 필요로 하는 이들의 근처에서 도움이 되었다.

한데 결과는 무엇이었던가. 당시의 황제는 자신의 실책을 무마시키기 위해 정령술사들을 새로운 희생양으로 삼았다. 이건 그들의 슬픔이었다.

제이나와 실로테의 귓가로 정령들의 노랫소리가 흘러 들어갔다. 그들이 끈 떨어진 인형처럼 쓰러진 건 다음 순간이었다.

"하아……."

힐라리아가 힘을 갈무리했을 땐, 케이티가 제이나와 실로테를 추스르고 있었다.

[……사람 미치게 하는 방법도 가지가지군.]

서늘하게 가라앉은 낮은 목소리가 힐라리아에게 속삭였다. 다시 인간의 모습으로 돌아온 힐라리아가 작게 웃음을 터뜨렸다.

"그래도 나를 사랑하잖아요, 그렇죠?"

[하아.]

"기억하죠? 내가 죽으면 당신 잘못이라는 거."

이런 못된 연인이 있나.

그럼에도 에벤에셀은 힐라리아에게 아무런 대꾸도 하지 못했다.

'귀여운 사람.'

조용해진 나비를 힐끗 보고는 힐라리아가 제이나와 실로테에게 다가갔다.

"괜찮은 거 같아?"

"네. 표정이 편안하시네요."

힐라리아가 저도 모르게 안도의 숨을 내쉬었다.

"다행이야."

"네……. 다행이네요."

케이티도 힐라리아를 따라 옅게 웃었다. 기네이버 공국에서 태어나 여태껏 힐라리아와 함께해온 케이티였다. 그녀에게도 정령술사의 피가 흐른다. 케이티가 눈가의 눈물을 닦아내고는 환하게 웃었다.

"마석 드세요. 그렇게 함부로 힘을 사용하시면 안 된다고 했죠?"

다시 잔소리꾼으로 돌아온 케이티가 힐라리아를 노려보며 마석을 척 하고 내밀었다. 힐라리아가 그것을 입 안에 욱여넣으며 생각했다. 별것 아니네. 비밀을 털어놓는 게 그렇게 어려운 일만은 아니라는 것을 깨달았다.

첼로스테, 실로테, 제이나. 벌써 세 사람째다.

'아, 그러고 보니.'

케이티가 제이나와 실로테를 카우치에 눕히는 것을 지켜보던 힐라리아가 물었다.

"첼로스테는?"

"바쁜 일이 있다고 자리를 비웠어요."

"그렇구나."

힐라리아가 독화처럼 붉은 미소를 머금었다.

***

몸을 일으켰다가 도로 털썩 주저앉았다가, 다시 일어섰다가 도로 앉는 에벤에셀을 스베인이 가만히 쳐다보았다.

"……화장실이 급하신 거라면."

"그런 게 아니야!"

에벤에셀이 소리를 버럭 내질렀다가 이마를 감싸 쥐었다. 저도 모르게 힐라리아에게 놀아난 분을 스베인에게 풀었다. 하아. 에벤에셀이 한숨을 내쉬며 몸을 늘어뜨렸다. 팽팽하게 긴장하고 있던 근육들이 느른하게 풀렸다.

"왜, 왜 화를 내십니까?"

스베인이 억울한 목소리로 물었다.

"제가 뭘 했다고……."

에벤에셀이 손바닥으로 얼굴을 덮었다. 이전보다 감정이 쉽게 드러난다. 에벤에셀을 이렇게 만들어놓고 앙큼한 힐라리아는 전부 에벤에셀 탓이란다.

'나를 사랑한 건 당신이니 그건 전부 당신 탓이죠.'

깔깔 웃는 얼굴을 보니 맥이 탁 풀리는 기분이라 전부 수긍하고 말았다. 에벤에셀이 허탈한 한숨을 연거푸 내쉬었다. 힐라리아에게 온통 농락당한 것처럼 복잡미묘한 기분인데……. 그런데도.

'보고 싶어.'

이 마음은 주체할 수가 없었다.

**

황태후가 비릿한 미소를 머금었다.

"반에이크 공."

사라진 에라스모 백작을 대신해 그 자리를 차지한 이가 참 마음에 든다. 무려 클라리넷 공작가의 후손 아닌가. 예전에도 클라리넷은 네이선의 손을 들었었다.

"예전 일은 잊고 이렇게 나를 찾아줘서 참 고마워요."

반에이크가 고개를 조아렸다.

"지나간 일은 하나도 기억나지 않습니다, 마마."

황태후는 궁지에 몰렸을 때 네이선만 버린 게 아니었다. 아들을 저버렸으니 당연히 그녀와 뜻을 함께했던 귀족들도 저버렸다. 그들은 대다수 처형장의 이슬로 사라졌고 클라리넷 공작가를 비롯한 몇몇만 살아남았다.

그런데 클라리넷의 반에이크가 황태후에게 힘을 보탠다니. 반에이크와 라리나의 약혼 소식이 번지기 무섭게 귀족들이 시벨로프로 줄을 대고 있었다. 이게 바로 대귀족 가문 클라리넷이 가진 힘이었다.

'적절한 선택이었어.'

라리나와 반에이크의 약혼을 주도한 것은 황태후였다.

에벤에셀을 견제할 이로 반에이크를 고른 것이다.

'친구의 배신이라.'

얼마나 짜릿하고 자극적이란 말인가. 에벤에셀의 일그러질 얼굴을 볼 날을 생각하면 설레서 잠이 오질 않았다. 게다가 자카리족의 수중에 떨어진 길리어스 기네비어라니. 그 대단한 힐라리아에게 목줄을 채운 것이다.

힐라리아는 점차 고립되어 가고 있었다. 반에이크, 베아트리체를 잃었고 라리나만이 그녀의 곁에 남았다. 실로테와 제이나? 걱정할 것도 아니다. 실로테는 반에이크를 이용해 포섭하면 되고 제이나는……. 로마노프는 지금 고틀리프와의 항전에 정신이 팔려 있을 터였다. 힐라리아에게 남은 것은 무엇인가. 알량한 에벤에셀 하나만이 남아 있었다.

"그래요……."

황태후가 나른히 대답하고는 생긋 웃었다.

"다시 이렇게 함께하게 되어 기쁘군요."

"저도 그렇습니다."

반에이크가 짧게 대답했다. 그리고 주머니에서 회중시계를 꺼냈다.

"그것은……?"

반에이크가 대답 없이 회중시계를 딸깍 열었다. 어차피 기억하지 못할 테니 대답할 필요도 없었다. 시벨로프 백작을 속이고 그뿐만 아니라 수많은 귀족들을 속일 수 있었던 반에이크의 무기였다.

이 회중시계에는 사람을 현혹하는 힘이 있었다. 욕망을 가진 이들은 모두 회중시계의 노예가 되어 움직이리라. 반에이크가 손가락을 움직이자 딸깍, 딸깍 소리가 났다. 정확히 세 번. 황태후의 눈에서 초점이 나가고 입술이 멍하니 벌어졌다. 반에이크가 길게 한숨을 내쉬었다.

"너구리 같은 노인네. 그만 손에 쥔 걸 내려놓을 때도 되었을 텐데."

비릿한 미소가 반에이크의 잘생긴 얼굴을 맴돌았다. 이 회중시계가 통하지 않았던 건 라리나뿐이었다. 더러운 욕망은 하나도 없는 순수한 영혼이라니. 시벨로프의 핏줄을 타고 그런 사람이 어떻게 태어났는지 모르겠다.

딸깍.

"앞으로 당신은 나를 완전히 신뢰합니다. 반에이크 클라리넷은 당신들을 위해 무엇이든 할 테니까. 그를 반역도들의 수장으로 삼으십시오."

딸깍.

"반에이크는 에벤에셀에게 뿌리 깊은 열등감을 가지고 있습니다. 그가 가진 것들을 탐내죠. 반에이크는 배은망덕한 사람이라 그렇습니다. 에벤에셀이 클라리넷 공작가를 구한 것 또한 치욕이라고 생각하죠."

딸깍.

자신의 욕을 주절주절 늘어놓으며 반에이크가 욕설을 내뱉었다.

'망할 에벤에셀!'

그의 손에 이런 저급한 마도구를 쥐여준 에벤에셀을 원망하며. 이건 정보국에서 만들어낸 물건이었다. 3부서에 있는 마법사가 만들었다나.

'그 찌질한 놈이 만들었으니 당연히 이 모양이지.'

반에이크가 이를 악물고는 시계를 다시 한번 눌렀다. 마지막이다.

딸깍.

"황태후 마마와 이렇게 시간을 가지니 기쁘군요. 마음이 단단해지는 느낌입니다."

반에이크가 자연스럽게 회중시계를 주머니에 집어넣었다.

황태후가 눈을 깜빡이며 자연스럽게 대답했다.

"반에이크 공이 그렇게 말해주니 고맙군요. 우리 앞으로 잘해봐요. 오늘 밤에 회합이 있는 건 알고 있죠?"

"네. 당연히 참석할 생각입니다."

"아버님께서 오늘 밤, 새로운 혁명군의 수장으로 반에이크 공을 추대한다는군요. 거사를 치룬 후에 가장 많은 공적을 가지게 되겠죠."

"감사합니다, 황태후 마마."

미소 지은 채로 반에이크가 황태후의 손등에 입을 맞췄다.

'혁명군? 반역도겠지.'

반에이크가 속으로 이죽거렸다.

"라리나의 남편이 될 사람으로 반에이크 공이 참으로 흡족스럽군요. 그 애가 철이 없어요. 지금은 힐라리아 황비와 가깝게 지내는 듯하지만, 곧 싫증을 내겠죠. 라리나를 잘 부탁해요."

"네, 마마."

그러니까, 라리나를 강제로 데리고 나올 생각은 없다는 거군.

'의외야.'

황태후가 네이선에게 했었던 그간의 행동들을 생각하면 라리나를 강제로 끌어내고도 남았을 텐데.

"그나저나."

황태후가 찻잔을 만지작거리며 작은 목소리를 흘렸다.

"네."

"힐라리아 황비에 대한 마음은 당연히 정리한 거겠죠?"

황태후의 눈빛이 서늘하게 가라앉았다. 그녀가 반에이크의 마음을 엿본 건 정말 우연이었다. 힐라리아가 독침을 맞고 쓰러지던 날, 황태후는 반에이크의 표정과 눈빛을 읽었다. 그건 사랑하는 여자를 다른 남자에게 빼앗겨야 하는 치욕과 질투로 범벅된 눈빛이었다. 반에이크의 동공이 확장되었다.

'다른 사람들한테도 들킬 거예요. 그러니 흘리지 말아요.'

실로테가 했던 경고가 목을 옥죄어왔다.

"그게 무슨 말씀이신지 모르겠군요."

반에이크의 부정에 황태후가 고개를 저었다.

"괜찮아요. 한때의 치기로 그대를 탓할 생각은 없으니. 다만, 반에이크 공. 앞으로의 일을 위해서라도 마음 단속 잘 하는 게 좋을 거예요."

황태후가 부드럽게 미소 지었다.

"내가 다른 마음을 먹기 전에 말이지요."

분명 제대로 최면에 걸려들었는데…….

'믿는 것과는 별개라 이건가?'

여러모로 대단한 사람이다. 반에이크가 혀를 내두르며 고개를 조아렸다.

"말씀, 명심하겠습니다."

어차피 접어야 하는 마음이다. 애초에 남은 희망이라곤 없는데 왜 사람 마음을 들쑤시는지. 황태후가 더 싫어졌다.

***

밤이 오는 건 금방이었다. 힐라리아의 카우치를 차지했던 실로테와 제이나도 정신을 차리곤 돌아갔다. 그들은 말없이 힐라리아의 두 손을 꼭 잡아줬을 뿐이다. 힐라리아는 제이나와 실로테를 쫓아가는 정령들에게 힘을 불어넣어주었다. 만약을 대비하여.

"시간이 참 빨리 흐르는 것 같아요."

힐라리아가 에벤에셀의 품에 기댄 채로 중얼거렸다. 에벤에셀은 이불로 몸을 돌돌 감싸고 있는 힐라리아를 뒤에서 감싸 안은 채였다.

"추운 것 같은데. 이제 밤이 되면 추워지는 날씨예요."

아무것도 관심 없다는 듯이 에벤에셀은 서늘하게 식어내린 힐라리아의 볼에만 입술을 맞댔다. 잠긴 눈으로 숲 너머 불빛이 점멸하는 시가지를 내다보던 힐라리아가 짧게 웃었다.

"지금 그게 중요해? 밖에선 무슨 일이 일어나는지 알 수가 없는데. 거기까진 내 나비도 따라가지 못해……. 지금 당신과 나는 목줄도 안 맨 늑대를 먹이 앞에 풀어놓은 꼴이라니까?"

"쉬이. 걱정하지 마, 힐라리아."

에벤에셀이 힐라리아의 머리에 키스했다.

"있었던 일이야. 그때의 내겐 정말 아무것도 없었지. 심지어 당신도."

"에벤에셀……."

"그런데도 살아남았잖아. 내가 의외로 운이 나쁜 편은 아니라니까."

힐라리아가 몸을 돌려 에벤에셀을 끌어안았다. 차게 식은 힐라리아의 어깨를 마주 안은 에벤에셀이 그녀의 머리에 턱을 기댔다.

"정말이야. 돌아가신 어머니께서 나를 살펴주시는 건지. 아니면, 신께서 나를 가엽게 여기시는 건지. 나는 항상 운이 나쁜 편은 아니었어."

"바보……."

"이것 봐."

에벤에셀이 고개를 숙여 힐라리아의 입술을 머금었다. 촉촉한 입술 사이를 잠시간 탐하던 에벤에셀이 나른히 속삭였다.

"당신도 내 곁에 있잖아. 그러니 나는 운이 좋은 편이야."

말도 안 돼.

그렇게 웅얼거리면서도 힐라리아가 에벤에셀에게 키스를 되돌려주었다.

"하아……. 그러면 침대로 가요. 감질나게 하지 말고. 응?"

"……."

에벤에셀이 말없이 등 뒤를 더듬어 발코니 문을 열었다. 그사이를 참지 못한 힐라리아가 에벤에셀의 셔츠 사이를 헤집으며 다시금 말했다.

"난 당신만 보면 벗기고 싶어……."

진짜 미치게 하네.

에벤에셀이 잇새로 내뱉곤 힐라리아의 입술을 집어삼켰다.

***

반에이크가 손에 쥐고 있던 회중시계를 엄지로 쓰다듬었다. 차가운 금속이 반에이크의 체온을 입어 미적지근하게 덥혀졌다. 버릇처럼 그것을 만지작거리며 반에이크가 시벨로프 저택으로 들어섰다. 으슥한 밤. 순찰을 도는 경비대들도 꾸벅꾸벅 졸고 있을 시간이었다. 왠지 이 시계를 손에 쥐여 주며 에벤에셀이 했던 말이 떠올랐다.

'짐이 설마 사랑하는 친구를 맨손으로 사지에 내몰 줄 알았습니까?'

사랑하는 친구는 개뿔. 반에이크가 힐라리아에게 품은 감정마저 악랄하게 이용하는 주제에. 그런데도 그 말이 지금 이 순간 위안이 된다. 반에이크가 어둠에 웅크리고 있는 시벨로프 저택을 가만히 노려보았다. 그런 그를 마중 나온 것은 놀랍게도 네이선 황자였다.

"반에이크 공."

"……네이선 황자."

"라리나 이모님이 자리를 비우셔서 제가 대신 마중 나왔습니다. 혹여 섭섭하시다면……."

"그럴 리가요."

반에이크가 회중시계를 주머니 깊은 곳에 숨기고는 미소 지었다.

"오늘의 주인공께서 직접 마중 나오셨는데 감사할 따름이지요."

"오늘의 주인공은 반에이크 공인 줄 알았는데요."

서로를 탐색하는 시선이 오갔다.

'에벤에셀의 하나뿐인 동생이라……. 보면 볼수록 느끼지만 전혀 딴판으로 생겼군.'

얼음송곳 같은 에벤에셀과는 다르게 따뜻한 봄날같이 생겼다. 네이선을 마주할수록 그 생각이 짙어졌다. 정말 한 핏줄을 타고난 게 맞나? 에벤에셀은 황제를 닮았고 네이선은 황태후를 닮았다고 해도…….

'흐음.'

네이선, 라리나, 황태후.

차라리 네이선과 라리나를 남매라고 해도 믿을 것 같았다.

'묘한데.'

반에이크가 의심을 품었다.

물론, 그사이 네이선도 반에이크에 대한 정의를 내렸다.

'라리나 이모님의 약혼자. 반에이크 공. 그리고……'

힐라리아 황비를 향해 모종의 마음을 품은 사람. 네이선 또한 황태후의 탄신연에서 목격하고 말았다. 쓰러지는 힐라리아를 보던 반에이크의 눈을. 체념과 애증. 황태후와 읽은 감정의 결은 달랐지만, 결론은 하나였다. 반에이크가 힐라리아를 마음에 담았다는 것. 네이선의 마음이 미묘하게 가라앉았다.

'에벤에셀로도 벅차건만.'

뭐? 네이선이 저도 모르게 한 생각에 놀라 혀를 깨물었다. 힐라리아는 이제 고작 한 번 본 사이 아니던가. 그런데 지금 무슨 생각을……. 한 번 더 이야기를 나눠보고 싶다는 게 전부여야 한다. 네이선이 당황스러운 마음을 추슬렀다. 매시간 힐라리아를 찾아가고 싶은 마음을 억누르고 또 억눌렀다. 생긴 호감은 수그러들 줄을 몰라서 네이선을 자꾸만 괴롭혔다.

'차라리 또 보고 나면 괜찮아질까.'

황성에서 버티고 있는 사람이다. 분명 황태후와 다르지 않을 것이다. 이익을 위해서라면 친자식도 얼마든지 버릴 수 있는 사람. 탐욕에 눈이 먼 사람. 네이선이 근시일 내에 한 번 더 힐라리아를 찾아갈 마음을 먹었다.

한참을 마주 보던 두 사람 사이의 침묵을 깬 것은 네이선 황자였다.

"……다른 분들께서 기다리고 계십니다. 들어가시죠."

"네."

여기저기 전부 들킨 줄도 모르고 반에이크가 신사적으로 웃었다.

Chapter 11.
밝혀지는 진실

어김없이 아침은 밝았다. 은밀하게 가졌던 회합은 어둠 속에 감춰졌고 그들은 가식적인 가면을 쓴 채로 일상으로 돌아왔다. 밤새 잠을 설친 힐라리아도 아침을 맞이했다. 카우치에 기대 앉아 힐라리아가 나비를 손끝으로 희롱했다.

"잘 해결됐어?"

[당연하지. 내가 누군데. 하아암―]

베아트리체가 길게 하품했다. 며칠 밤을 새운 탓에 하루를 넘게 자도 여독이 풀리지 않은 듯했다. 나비가 내려앉은 힐라리아의 손끝이 금빛으로 반짝였다. 힐라리아가 저 너머 나비에게로 힘을 불어넣은 것이다.

[까, 깜짝이야! 이렇게 힘을 막 써도 돼?]

"이렇게 응용도 가능하더라고. 그래도 기분은 한결 나아지지 않았어? 몸은 어때."

[좋긴 한데……. 조심해, 진짜! 어제는 실로테하고 제이나 앞에서 그 난리를 피웠다며!]

"그걸 어떻게 알아? 나는 말한 적이 없는 것 같은데."

[어제 밤을 틈타서 케이티가 다녀갔어. 한참 자고 있는데 문 두드리는 소리에

온 저택이 다 깼지 뭐야.]

그들의 대화를 힐끔힐끔 엿듣고 있던 케이티가 헛기침을 했다.

"크흠흠."

힐라리아가 케이티를 힐끗 보고는 고개를 갸웃했다.

"케이티가 왜?"

[왜겠어! 마석 때문이지. 가지고 있는 마석을 다 소비했다고 이러다 힐라리아 공주님 죽는다고. 얼마나 우는소리를 하는지.]

베아트리체가 툴툴거렸다.

"그랬어?"

힐라리아가 설핏 웃으며 케이티를 살폈다. 케이티가 부끄러운지 볼을 붉히고는 고개를 홱하고 돌렸다. 그러다 억울했는지 다시 힐라리아에게로 저벅저벅 다가섰다.

"다 황비 마마께서 조심성이 없으시니까 그렇지요! 왜 그렇게 힘을 막 쓰세요? 제가 볼 때마다 심장이 쪼그라들어서……. 어제저녁에 위베르 님도 다녀가신 거 모르시죠? 제가 말씀을 안 드려서 그렇지, 위베르 님께서 황비 마마의 힘이 느껴졌다고 무슨 일이 있는 거냐고 들들 볶으시는데……."

"아하."

힐라리아가 기대 있던 카우치에서 몸을 일으켰다. 케이티를 보는 힐라리아의 푸른 눈에는 예쁜 웃음이 한가득했다. 내 주변엔 귀여운 사람이 왜 이렇게 많은 거지?

"그래서 위베르하고 같이 나갔다 왔구나?"

"헙! 그걸 어떻게 아세요?"

"위베르의 입지가 위험한 건 알고 있는 거지? 함부로 밖에 나가면 안 되는데 말이야."

보는 시선이 좋지 않기에 위베르를 비롯한 기네비어 기사들은 황성에 묶여 있었다. 게다가 황태후가 눈을 시퍼렇게 뜨고 있었다. 고틀리프를 충동

240

질해 병력을 반 토막 내놨더니 기네비어의 기사들이 자리를 채웠다. 그러니 황태후가 가만히 있을 리가. 자카리족이 길리어스를 납치해간 이유 중엔 위베르를 묶어두기 위함도 있을 것이다. 케이티가 눈을 데굴 굴렸다.

"누굴 닮아서 이렇게 위험한 짓을 즐기는 걸까?"

"그, 그야……."

"위베르와 너, 둘 다 말이야."

"그거야……."

"으응?"

케이티가 눈을 질끈 감고는 외쳤다.

"위베르 님은 힐라리아 황비 마마와 한 핏줄인 이상 당연한 일이고! 저는 모시는 상전 닮아서 그런 걸 왜 제 탓을 하세요!"

아하.

[푸하하하하하하! 완전 맞는 말이잖아! 케이티 잘한다!]

저 너머에서 베아트리체의 응원이 쏟아졌다. 깔깔 웃는 베아트리체와 다르게 케이티가 울상으로 뒷걸음질 쳤다. 힐라리아가 어깨를 으쓱했다.

"마마……."

"위베르를 불러와, 케이티. 괜찮아."

베아트리체의 말이 맞다. 맞는 말인데 무슨 반박을 하겠는가.

[케이티하고 위베르가 너만 하겠어?]

그래. 나보단 낫지. 힐라리아가 스스로를 인정하곤 발을 동동 구르는 케이티에게 손짓했다. 케이티가 빠르게 방을 빠져나갔고 열린 문으로 첼로스테가 들어왔다.

"오랜만이야, 첼로스테."

"아……."

"그동안 바빴는지 얼굴 보기가 힘들더라구."

힐라리아의 서늘한 말에 첼로스테가 고개를 조아렸다.

"죄송합니다, 마마. 곧 인트로노 호수 주변에서 불꽃 축제가 열리는 것 아시지요?"

"벌써 그렇게 됐나?"

"네. 곧 추수가 시작될 테니까요. 신전에서 불꽃 축제 날짜를 낙점했습니다. 다다음주 월요일이래요."

"음……. 그러면 한 12일 정도 남은 건가?"

"네. 마마님. 그거 준비하느라 조금 바빴어요."

"고생했겠구나."

힐라리아가 고개를 끄덕였다.

"그래서 준비는 잘 끝났니?"

"네, 잘 마무리되었어요."

힐라리아와 첼로스테의 눈이 마주쳤다. 무감한 힐라리아의 푸르른 눈빛에 첼로스테의 어깨가 바르르 떨렸다. 따뜻한 실내에 있는데도 이상하게 오한이 드는 느낌이었다. 첼로스테가 재빠르게 다시 고개를 조아리고는 말했다.

"그래서 드레스를 골라주셔야 해요. 불꽃 축제에서는 건국 신화에 등장하는 여신의 복장을 하셔야 하는 거 아시죠?"

"기네비어에서도 똑같은 축제를 한단다. 나는 대부분……."

힐라리아가 나른한 손짓으로 턱을 문질렀다.

"불의 여신을 흉내 냈지."

"불의 여신이라면…… 베스타 님 말씀하시는 건가요?"

"맞아. 하지만 이번에는 태양의 여신이 되어볼까 해."

"아마테라스 님 말씀이신가요?"

"그래."

힐라리아가 고개를 끄덕였다. 불꽃 축제에 어느 여신의 옷을 입고 어느 남신의 옷을 입는지는 중요하지 않았다. 그저 윈프리드 제국을 세운 위대한 신들을 기리는 의미일 뿐.

하지만, 그 행사에 의미와 권력을 부여하기 시작한 건 인간들이었다. 그 중에서 태양의 여신의 복장을 입는 이들은 거의 없었다. 태양의 남신의 복장을 하는 건 황제뿐이기에 황후 말고는 기피해온 것이다. 요즈음에는 황태후가 태양의 여신을 자처했다. 그러니 이건 황태후의 권위에 힐라리아가 도전장을 던지는 것이다.

"분명 황태후 마마께서도 아마테라스 님의 복장을 하실 거예요."

"그럼 어때. 고작 옷인걸. 누가 더 태양의 여신에 어울리는지 보자고."

파란을 예고하는 힐라리아의 눈이 가을 하늘을 담은 채로 불타올랐다.

"라리나 영애를 모셔오렴. 함께 옷을 고르면 좋겠구나."

"예……. 황비 마마."

첼로스테가 물러가고 나서야 베아트리체가 입을 열었다.

[아마테리스라니. 황후가 될 작정이야?]

"황후? 그럴 리가 있겠어."

힐라리아가 고개를 저었다. 아직도 그 자리에는 욕심이 없었다.

황후라니. 듣기만 해도 골이 아픈 자리 아닌가.

[황제는? 황제를 좋아하는 거 아니었어?]

"……."

힐라리아가 여릿한 날개를 파닥이는 나비를 응시했다. 그 너머에서 에벤에셀이 귀를 기울이고 있을 것이다. 늘 그렇듯이. 힐라리아가 붉은 입술을 열었다.

"좋아하지. 그렇게 귀여운 사람을 어떻게 좋아하지 않을 수 있겠어. 하지만 말이야."

[하지만?]

"하지만…… 아직 그 정도까지는 아니라서. 내가 에벤에셀의 곁에서 황후가 되어 그 무게를 감당할 정도는 아니야, 베베."

[……못된 인간. 사람 마음 들었다 놨다 하기는.]

베아트리체가 투덜거렸다.

힐라리아가 보고 있던 나비의 날개가 축 쳐지는 게 보였다.

'미안.'

아직 그녀에겐 에벤에셀보다 중요한 게 많았다. 기네비어와 어머니를 비롯한 가족들. 지켜야 할 것이 많은 힐라리아에게 황후의 자리는 어울리지 않는다.

***

새로운 손님이 베아트리체를 찾아왔다.

"……네이선 황자?"

그동안 기피했던 것을 오늘이야말로 맞닥뜨리고야 만 것이다.

"오늘은 쓸모없는 꽃을 들고 오진 않았군요."

"베아트리체 영애께서 꽃을 좋아하시지 않는다는 걸 알았다면 가져오지 않았을 겁니다."

"물론 그러셔야지요."

"그러면 오늘은 데이트 신청을 받아주실 겁니까?"

베아트리체가 가늘게 뜬 눈으로 네이선 황자를 살폈다. 그녀가 귀가하기 무섭게 찾아온 네이선 황자의 얼굴에선 황태후가 엿보였다. 베아트리체가 마음속으로 읊조렸다.

'역겨워.'

베아트리체를 믿는 척해놓고 그녀에게 스파이를 붙이질 않나. 스파이는 어머니께 맡겨두고 환시를 걸어두었다. 덕분에 북부에 다녀온 일이 발각당할 뻔하지 않았던가. 그런 어머니를 똑 닮은 네이선 황자를 볼 때면 소름이 돋았다. 대체 힐라리아는 어떤 마음으로 네이선 황자를 포섭하려는 거지?

'걘 마음도 넓단 말야.'

그나마 베아트리체가 자비롭게 수용할 수 있는 건 라리나까지였다.

'사람이 맑잖아.'

그런데 네이선 황자는 아니다. 베아트리체가 그녀에게 내밀어진 손을 한참을 노려보다가 마지못해 손을 얹었다.

"……마땅히 그래야겠지요. 우리는 결혼을 앞둔 사이니까요."

적은 되도록 가까이. 그래, 가까이. 베아트리체가 네이선의 비겁한 데이트 신청을 수락했다. 베아트리체의 손등에 입을 맞추는 네이선의 연푸른 눈에 안개가 꼈다. 분명 힐라리아도 다른 사람과 별다를 게 없을 것이다. 베아트리체와 시간을 보내다 보면 그것을 깨닫게 되겠지. 그래야만 한다. 그래서 힐라리아를 다시 한번 찾아가기 전에 베아트리체를 찾아왔다. 이게 얼마나 치졸하고 비겁한 짓인지 알면서도.

"영광입니다, 영애."

오늘의 끝에 어떤 결론을 내리게 될까. 그조차도 설레었다.

만약, 아주 만약에. 그럼에도 불구하고 힐라리아라면.

'나는 어떻게 해야 하는 거지?'

사랑에는 두 가지 형태가 있다고 생각한다. 무슨 수를 써서라도 차지하는 것. 또 하나는, 사랑하는 이의 행복을 위해 한 걸음 물러서는 것.

'사랑은 일러!'

그렇게 스스로를 옥박지르면서도 이미 시작해버린 여릿한 풋사랑이 네이선을 뒤흔들었다. 네이선의 풋사랑은 눈물이 날 만큼 시큼한 맛이었다.

속내를 감춘 채로 네이선과 베아트리체가 생긋 웃었다.

***

힐라리아를 먼저 찾아온 것은 위베르였다.

라리나는 잠시 목욕을 즐기는 중이라나.

"어제 아주 위험한 짓을 했던데."

"그, 그거야……."

위베르가 눈을 돌렸다. 어색하게 목덜미를 문지르는 것으로 보아 변명을 찾고 있나 보다. 힐라리아가 한숨을 푹 쉬었다.

"위베르, 그리고 케이티 너."

힐라리아가 팔짱을 꼈다.

그것만으로도 위협을 느낀 두 사람이 어깨를 움츠렸다.

'아니, 그 곰만 한 덩치로 제 뒤에 숨으시는 게 말이 되냐구요!'

케이티가 뒤를 노려보다가 고개를 확하고 숙였다. 아무리 힐라리아를 위한 일이었다고는 하나 위험한 일을 벌였다는 자각은 있었다. 잘못해서 황태후 일당에게 발각당했다면? 으으으으…… 상상만으로도 오싹했다.

"다시는 나를 위해서 위험한 짓은 하지 마. 어제 회합이 있었기에 망정이지 그렇지 않으면 무슨 꼴을 당했을지 모른다고."

"회, 회합?"

"그건 됐고."

힐라리아가 손을 내저었다.

"황태후가 우리에게 촉각을 곤두세우고 있어. 어떻게든 우리를 물어뜯으려고 하고 있단 말이야."

아, 너무 은유적인가. 위베르는 단순한 사람이니 이런 것보단…….

"길리어스를 생각해. 길리어스가 황태후 손에 있는 거랑 마찬가지란 말이야."

"뭐?"

위베르가 고개를 치켜세웠다. 그런 정치적인 상황이나 결탁 관계에 대해서는 위베르는 모르고 있었다. 헬레나미아는 짐작하고 있을지도 모르지만.

"나는 몰랐어. 앞으론 조심할게."

의기소침해진 위베르가 말했다. 케이티도 고개를 끄덕였다.

"앞으로 조심할게요, 마마."

이 정도면 되었다 싶어 힐라리아가 팔짱을 풀 때였다.

"힐라리아, 기네비어로 돌아갈 거지?"

"뭐?"

위베르가 힐라리아를 직시했다.

"……기네비어에는 네가 필요해, 힐라리아. 기억하고 있는 거지?"

기네비어는 철저히 모계 사회였다. 반드시 공주가 왕위를 이어야 한다. 정령의 힘 또한 딸에게만 전해지기에. 침묵을 지키던 힐라리아가 무겁게 고개를 끄덕였다.

"물론. 기억하고 있어."

위베르가 안심하기 무섭게 힐라리아의 방문이 열렸다. 굳은 얼굴로 방 안으로 들어선 건 에벤에셀이었다. 그가 오고 있다는 사실을 이미 알고 있었기에 힐라리아는 조금도 당황하지 않았다. 다른 사람들은 아닌 것 같지만.

"으허헙!"

"으억!"

넘어지려는 케이티를 위베르가 잡아 세워줬다. 하지만, 에벤에셀은 두 사람을 신경 쓰지 않고 힐라리아에게로 곧게 걸어왔다. 불빛 아래에 윤기를 가지고 반짝이는 에벤에셀의 검푸른 머리카락이 참 예쁘다는 생각을 했다.

'화가 났을까?'

그럴지도 모른다.

'상처받았을까?'

아마도. 그런데 어떡해. 윈프리드에는 당신이 있지만, 기네비어에는 나밖에 없는걸. 힐라리아가 아무것도 모르는 척 에벤에셀을 향해 손을 벌렸다.

"이리 와요."

그리고 에벤에셀은 힐라리아의 장단에 맞춰 그 품에 안겼다. 케이티가 할 말이 많아 보이는 위베르의 입을 발돋움해서 막고는 뒤로 밀었다. 포효하는 불곰을 밖으로 끌어내는 케이티를 향해 힐라리아가 손을 흔들어 보였다.

"스스로가 못된 건 알고 있는 거지? 내가 듣고 있는 거 알면서……"

힐라리아가 미안하다는 말 대신 에벤에셀의 볼에 입을 맞췄다. 촉촉한 입술과 따뜻한 숨결. 그 무엇도 지금은 에벤에셀에게 위안이 되지 않았다. 서늘한 칼날에 베인 것처럼 가슴이 아리다. 그런데도 그의 마음에서 힐라리아는 베어져 나가지 않았다. 여전히 묵직한 그대로 에벤에셀의 가슴에 담겨 있었다.

"그러니 내 나비 돌려달라니까. 왜 듣고 있어요."

힐라리아가 어색하게 말을 건넸다. 미안하다고 사과하면, 아프게 해서 미안하다고 말하고 나면 무엇이 달라지는가. 힐라리아는 다시 에벤에셀에게 상처 주는 것을 반복해야 한다. 그건 싫었다.

'나는 원래 이기적이니까……'

에벤에셀이 입술을 꾹 깨물곤 뇌까렸다.

"그건 안 돼. 힐은 안 돼."

이제 나비는 얼음 새장에서 벗어나 항상 에벤에셀의 주변을 맴돌고 있었다. 나비 '힐'은 이제 에벤에셀에게 종속된 것처럼 그의 곁을 떠나지 않고 있었다. 그건 의지를 가진 샐리스트가 에벤에셀의 설득에 넘어간 덕이었다.

'주인을 지킬 사람이 필요하잖아. 그러니 너는 내 곁에 남아 힐라리아의 위험을 내게 알려주는 거야.'

정당한 이유 아닌가. 나비 힐이 새초롬히 힐라리아를 노려보고는 에벤에셀의 등 뒤로 몸을 숨겼다. 하도 위험한 일을 하니까 애꿎은 정령들만 속이 타들어간다.

'흥!'

나비가 몸을 확하고 돌렸다.

힐라리아가 어처구니없다는 듯이 웃고는 에벤에셀에게 물었다.

"대체 무슨 짓을 한 거예요? 콧대 높은 샐리스트가 왜 당신에게 넘어가? 상성도 이렇게 다른데."

"정령들과 나의 뜻이 합일했기 때문이지요."

"나 몰래 무슨 작당모의를 한 거야?"

에벤에셀이 힐라리아에게로 완전히 기댔다. 카우치를 짚고 있던 그의 손이 무너지며 두 사람이 동시에 카우치 위로 넘어졌다. 에벤에셀이 힐라리아의 머리 양옆을 팔로 지탱했다.

"작당모의라니. 그대가 하도 위험에 자처해서 뛰어드니 그렇지."

"아하. 그래서 정령 나부랭이가 당신의 수하가 되기로 한 거구나? 내 행적을 일러바치기 위해서."

힐라리아가 눈을 번뜩였다. 그녀의 야생적인 푸른 눈과 마주친 나비가 최대한 멀리 떨어져 저공비행했다.

"……내가 듣고 있다는 걸 알아서 더 못되게 얘기한 거 알아."

"이런. 몰라도 될 것을 알고 그래요. 가슴 아프게."

힐라리아가 에벤에셀의 목을 끌어안자 그의 목울대가 울리는 게 느껴졌다.

"미련한데도 끊을 수가 있어야지."

끊어지지 않는 게 힐라리아라는 것처럼 들리는 한 마디였다.

"우리 다른 이야기 해. 당신은 불꽃 축제에 태양의 남신 옷을 입을 거지?"

"전통대로."

"그래서 나는 태양의 여신 옷을 입으려고."

"……힐라리아."

에벤에셀과 눈을 마주친 힐라리아가 곱게 눈을 휘었다. 그녀의 눈웃음에 모든 게 잊혀졌다. 분명 황태후가 아마테라스의 옷을 입을 거라는 사실도. 그 밖의 다른 모든 이유도.

"분명 당신 마음에 들 거야. 나는 눈이 부시게 예쁠 거거든. 아무리 그래도 넋을 놓으면 안 돼. 다른 사람들이 볼 테니까. 황제의 위엄이 깎여 나갈 거야."

윈프리드 건국 신화에 따르면 헬리오스가 목숨을 바쳐 사랑했던 여인이 아마테라스라고 전해진다. 그래서 헬리오스가 황제라면 아마테라스는 황후로 일컬어졌다. 황태후는 그간 뻔뻔하게도 선황이 가장 사랑했던 여인인 척 굴었던 것이다.

"당신은 나를 사랑하니까."

힐라리아가 에벤에셀의 귓가에 나긋하게 속삭였다.

"올해의 아마테라스는 나여야 해."

에벤에셀이 설움을 삼킨 채로 웃었다. 힐라리아는 지금 이 순간도 미래를 약속하진 않는다. 내년, 그리고 그 후년. 먼 미래까지도. 에벤에셀이 힐라리아의 어깨에 고개를 파묻었다. 묵직하게 내려앉는 에벤에셀의 몸을 힐라리아가 기꺼이 끌어안았다. 잠시나마 그에게 위안이 되길 바라며.

***

베아트리체가 입술을 부루퉁히 내밀었다. 대체 왜 이 짓을 반복해야 하는 거지? 벌써 며칠째 네이선 황자에게 끌려 다니고 있는지 모르겠다. 지난 일주일 동안 베아트리체가 네이선 황자에게 느낀 건 단 하나.

'지 엄마 하나도 안 닮았네.'

고작 그게 전부였다.

"오늘은 어딜 가는 길이라고요?"

네이선과 팔짱을 끼고 코틀람브 거리를 걷던 베아트리체가 참다못해 물었다. 처음 3일은 남들에게 내보이기 위한 건 줄 알았다. 그리고 그다음 3일은 인내심이었고 마지막 오늘은.

'뭣도 아니잖아!'

사실은 소리를 지르고 싶은 걸 꾹 참고 있는 중이라 베아트리체의 목소리는 음산했다.

"아……."

멍하니 걷고 있던 네이선이 발을 멈췄다. 가려던 목적지는 있었는데 자꾸만 다른 생각이 드는 게 문제다. 오늘만 하던 게 일주일을 끌고 왔다. 베아트리체와 힐라리아가 다른 게 없다는 걸 알아내기 위해서.

그런데 다르다. 베아트리체는 베아트리체고 힐라리아는 힐라리아다. 베아트리체는 힐라리아처럼 직설적이지도 않고 붉게 타오르지도 않는다. 그리고 힐라리아처럼 네이선의 양심을 후벼 파는 말도 하지 않는다. 그저 봄날처럼 부드러운 데이트였다.

'그런데 왜.'

지금 이 순간도 힐라리아만을 떠올리고 있는 걸까.

"네이선?"

베아트리체가 삐딱한 표정으로 물었다.

"대체 무슨 생각해요? 진짜 무례해. 지난 일주일 내내 대체 뭐 하자는 거예요? 나, 더 이상 못 참겠으니까 얘기해봐요."

"……오늘은 코틀람브 거리 끝에 있는 연극장에 갈 생각이었어요. 오늘은 아마테라스와 헬리오스의 사랑 이야기를 그린다더군요."

"지금 그 얘기가……."

"올해는."

베아트리체가 말을 멈췄다. 그녀의 말을 끊는 네이선의 얼굴이 더할 나위 없이 서글펐기에. 가을 하늘의 청명한 햇살도 네이선의 기분을 펴주진 못했다.

"올해는…… 힐라리아 황비 마마께서 아마테라스의 옷을 입으시겠죠?"

"네?"

아마테라스와 헬리오스의 연극을 보러 간다고 하니 그게 자꾸 떠올랐다. 아마테라스의 옷을 입을 힐라리아와 헬리오스의 옷을 입을 에벤에셀.

"정말 잘 어울리실 거예요……. 아마테라스는 미의 여신이라고도 불리니까……."

베아트리체가 묘한 표정으로 네이선을 주시했다.

'하?'

지금 당신 힐라리아를 마음에 품은 거야? 무려 황태후의 아들이? 베아트리체가 사납게 얼굴을 구겼다. 그녀의 데이트 상대가 다른 여자를 마음에 담았다는 것보다 그게 더 싫었다. 황태후가 어떤 사람인데! 네이선에게 황태후의 죄를 물어선 안 되지만 어쩔 수 없었다. 너무 닮았다. 게다가.

'탐내선 안 되는 걸 탐내는 것까지 닮았어.'

베아트리체가 네이선의 팔을 뿌리쳤다.

"영애?"

"무례하고 파렴치하군요, 네이선 황자."

베아트리체가 서늘한 눈으로 네이선을 노려보았다. 네이선이 그제야 정신을 차리곤 자신이 한 말들을 되짚어 보았다. 확실히 데이트 상대에게 해서는 안 되는 말이었고 들켜서는 안 될 감정이었다. 베아트리체가 힐라리아의 친구이기 때문에 더욱.

"아, 저는……. 죄송합니다, 베아트리체 영애. 데이트 도중에 드릴 말씀은 아니었어요. 제가……."

"아니요."

베아트리체가 한 걸음 물러섰다.

"그게 아니지요."

그들의 약혼은 유지되어야 한다. 만약을 위해서 베아트리체가 황태후의 편으로 돌아선 것으로 보이는 게 낫다는 힐라리아의 말에 동의한다. 베아트리체는 영원히 힐라리아의 편이니 유사시에 그녀를 위해 움직일 수 있을 테니까. 황태후의 신임을 얻어보겠다고 이깟 연애놀음도 하고 있지 않은가. 두 사람을 쫓아다니는 감시자들도 있다는 걸 알고 있었다. 그럼에도 입을 멈출 수가 없었다.

"황태후의 아들이 힐라리아를 탐낸다는 게 파렴치한 거지."

네이선의 얼굴이 희게 질리자 베아트리체가 낮은 목소리로 뇌까렸다.

"힐라리아를 죽이려 하고 기네비어의 아들을 납치한 황태후의 아들이. 힐라리아를 사랑한다는 게 어처구니없는 거지. 참 양심 없네, 당신."

베아트리체가 네이선을 서늘한 눈으로 노려보았다. 그녀의 시선은 네이선에게 묻고 있었다. 힐라리아를 위해 무엇을 버릴 수 있느냐고. 그 잘난 황자 지위? 혹은…… 네 가족? 베아트리체가 네이선에게로 한 걸음 다가섰다.

"아무런 각오도 없이 마음에 담을 사람이 아니야."

"베아트리체 영애…… 당신은……."

"정말 모르고 있었어? 내가 스파이라는 거. 네 어머니도 내게 감시를 붙이는데 너는 몰랐다고? 네 어머니는 알면서도 나를 필요로 한 거야. 같잖은 너를 위해서. 그래서 제너시스는 지난 주 회합에 초대받지 못했었지."

네이선의 눈빛이 흔들렸다. 사실 그도 내심 눈치채고 있었다. 제너시스 후작가가 회합에 참석하지 않았는데도 아무도 그들을 찾지 않았다. 은연중에 알고 있었던 거다. 베아트리체가 어떤 속셈을 하고 있는지는.

그럼에도 제너시스가 가진 것들이 탐나 아슬아슬한 동맹을 맺고 있었다. 황태후는 제너시스의 상단을 야금야금 먹어치우고 있었고 베아트리체는 그것을 방관하는 대신 황태후의 손을 잡았다. 그들을 감시하기 위해서.

네이선이 어깨를 축 늘어뜨렸다.

"……내가 무엇을 할 수 있을까요, 베아트리체 영애."

"사랑이 깊기도 하군. 힐라리아가 대단한 건가? 당신이 그런 생각을 하게 만들고 말이야."

"그게 아니에요."

네이선이 고개를 저었다. 그의 떨리는 손이 허공을 배회했다. 베아트리체의 소맷자락을 잡으려다가 미끄러졌다.

"나도 알아요. 내 어머니가 잘못하고 있다는 걸. 내가 어떻게 모를 수 있겠어요……."

"그래서?"

"힐라리아 황비 마마께서 그러시더군요. 어디 가서 털어놓기 부끄러운 비밀이 있다면 그것을 털어놓아도 좋다고. 말하고 나면 가벼워질 거라고."

"……마음이 넓기도 하지."

그런 걸 비밀이라고 치부하고. 베아트리체가 입술을 삐죽이고는 네이선의 떨리는 손에 소매를 쥐여 주었다. 저렇게 불쌍해 보이는 얼굴을 하는데 고작 소매 하나 못 내어주겠는가. 뭘 저렇게 길 잃은 어린애 같은 얼굴을 하고 그래.

"……부끄러운 비밀이라는 건 알아요. 나도 알아. 아니, 그게 비밀이기는 할까? 사람들이 다 알 텐데. 내 어머니가 되도 않는 욕심을 부린다는 거."

"그런데 왜 당신은 그냥 끌려 다녀? 그게 더 부끄러운 거지."

네이선이 긴 한숨을 내쉬었다.

축 쳐진 네이선의 백금발이 바람결에 흐트러졌다.

"클 만큼 큰 사람이……."

노인처럼 혀를 끌끌 차는 베아트리체 앞에서 네이선이 서러운 말을 뱉어 냈다.

"나마저 등을 돌리면 우리 어머니는 아무것도 안 남아."

"뭐?"

베아트리체가 눈을 동그랗게 떴다.

"내 어머니 세상에 내가 없으면 뭐가 남아. 나 하나 보고 그렇게 달려오고 있는데."

라리나를 버리고 네이선을 택했다. 에벤에셀과 같은 성별이라는 이유였다. 만약 에벤에셀이 여아였다면 라리나가 황성에 남게 되었을 것이다. 그렇게 독하게 라리나를 버렸으니 네이선만이 황태후의 곁에 남았다.

황태후는 자신의 인생을 네이선에게 걸었다. 그를 황제로 만들기 위하여. 무엇이 황태후를 그렇게 악에 받치게 만들었을까. 알케스터 자작? 라리나의 성품은 알케스터 자작을 닮았다. 알아본 바에 의하면 알케스터 자작은 한없이 선량하고 착한 사람이었다고 들었다. 그런 사람을 사랑했으니 황태후도 처음부터 그렇게 그릇된 사람은 아니었을 것이다.

……그렇게 믿고 싶었다. 네이선은 그래서 황태후의 손을 놓을 수가 없었다. 혼자 남으면 아무것도 아니게 될 어머니가 가여워서.

"……네이선."

베아트리체가 숨을 삼켰다. 베아트리체에게도 어머니가 있듯 네이선에게도 어머니가 있었던 것이다. 베아트리체도 어머니를 기네비어로 돌려보내줄 수 있다면 무엇이든 할 수 있다. 이제야 조금은 네이선을 이해할 수 있을 것 같았다.

누구에게나 약점은 있기 마련이다. 힐라리아에게는 기네비어와 가족이, 베아트리체에게는 어머니가, 그리고 네이선에게도…… 어머니라는 그림자가 짙게 드리워져 있었다. 네이선을 몰아붙여 들은 진실이 썩 유쾌하지만은 않아 베아트리체가 눈가를 일그러뜨렸다.

"밥 먹을래요? 나 배고픈데."

네이선이 뒤늦게 고개를 끄덕였다. 그들이 나란히 자리를 떠났다. 지켜보던 남들은 연인의 사랑 다툼 정도로 생각했을 것이다. 아마도.

***

"흠. 잘들 지내고 있나 보군. 사랑싸움이라니. 귀엽지 않은가."

"그러게요, 여보."

시벨로프 백작과 백작 부인이 서로를 마주 보며 웃었다. 베아트리체와 네이선의 일과를 보고받는 게 요새 그들의 재미라면 재미였다.

"그래도 네이선은 로벨리아와 달리 속을 썩이지 않아 다행이에요."

백작 부인이 입가를 가리곤 생긋 웃었다.

부드럽게 휘어지는 눈가에 새까만 탐욕이 어렸다.

"로벨리아야 뭐……. 그래도 나중에 정신 차렸지 않소."

"그 애는 말로는 못 알아들었으니 탈이지요."

"여보……."

"기어이 알케스터 자작이 그 꼴 나고 나서야 정신을 차렸으니. 쯧."

백작 부인이 날카롭게 혀를 찼다. 그녀가 손을 써서 알케스터 자작이 절벽에서 떨어져 하반신 마비가 오고 나서야 로벨리아는 뜻을 접었다. 백작 부인의 표정은 로벨리아 황태후의 표정과 한 치도 다름없이 닮았다. 어느새

로벨리아는 그토록 증오했던 그녀의 어머니를 닮아가고 있었던 것이다. 자신도 모르는 사이에.

***

사람은 끼리끼리 어울린다고 했던가. 베아트리체는 힐라리아만큼이나 반짝이는 사람이었다. 사람 부끄럽게.

"배고프다면서 왜 그것밖에 안 먹어요?"

그렇게 쉬지 않고 말했으니 분명 배가 고플 텐데. 네이선의 의아한 물음에 베아트리체가 눈을 동그랗게 떴다.

"우리 데이트를 몇 명이 주시하고 있다고 생각해요?"

베아트리체가 새침하게 물었다.

"글쎄요. 최소한 이 레스토랑 안에 있는 사람들은 전부 보고 있겠군요."

"그거예요, 바로. 내가 제대로 식사할 수 없는 이유."

베아트리체가 입술을 삐죽였다.

"사교계는 정치판만큼 시끄러운 곳이에요. 별것도 아닌 모든 가십이 떠들 거리죠. 폐쇄적인 황성이라면 차라리 낫겠지만, 이렇게 개방된 장소에서는……."

"개방된 장소에서는?"

"내가 먹는 거, 입는 거, 하는 행동, 내 입술 모양까지 전부 떠들어댈 거라고요. 심지어 내가 먹는 양까지도."

베아트리체가 자신의 접시를 손가락질했다.

"보통 사교계의 귀족 영애들은 데이트할 때 그렇게 많이 먹지 않아요. 특히 몇 번 만나지 못한 사이에서는 더욱더 그렇죠. 긴장되기도 하고, 설레기도 하고, 많이 먹어서 배가 나오면 드레스가 안 예쁠까 걱정하기도 하고. 저기 저 많은 눈들은 내가 얼마나 남기는지도 다 볼걸요? 많이 먹으면 분명, 베아트리체 영애는 네이선 황자를 그다지 마음에 들어 하지 않는다고 떠들어대겠죠."

"설마, 그렇게까지."

"네. 그렇게까지. 물론, 알아요. 내가 부러워서 그렇겠죠. 좋은 집안에 좋은 사업체에. 게다가 이 능력, 이 미모. 빠지는 게 없잖아요?"

베아트리체가 생긋 웃었다. 그 얼굴이 지독하게 힐라리아를 닮아 있었다. 네이선은 다시 한번 사람은 어울리는 사람끼리 어울린다고 생각했다. 태양처럼 빛나는 사람들끼리. 네이선처럼 어두운 사람들은 비슷한 사람들끼리 어울리지도 않는다. 서로를 혐오하고 경멸하기에. 네이선이 옅게 웃었다.

"……예쁘네요."

"네?"

베아트리체가 고개를 갸웃했다.

"힐라리아 황비 마마나, 당신이나. 예쁘게 빛나고 있어요. 나 같은 게 홀릴 만큼."

"어머. 지금 나한테도 반했다는 거예요?"

네이선이 헛웃음을 지었다.

"그렇게 말하니까 내가 대단한 바람둥이라도 된 것 같잖아요, 영애."

"그러면?"

베아트리체가 되물었다.

"애초에 사랑이 아니었어요."

"그러면 뭐였는데요?"

"동경. 동경이었어요."

네이선이 허탈하게 숨을 내쉬었다. 이제야 답을 찾은 것처럼, 아주 편안한 얼굴로. 베아트리체의 질문에 대답하고 있었지만, 오히려 그 답을 갈구했던 건 네이선 본인이었다. 힐라리아를 향한 감정이 무엇인지. 이번에도 베아트리체의 말대로 파렴치하게 에벤에셀의 것을 탐내는 것인지.

하지만, 다행히도 네이선이 찾아낸 답은 그게 아니었다. 음지에 사는 이들이 태양을 쫓듯 네이선도 힐라리아를 쫓았던 것이다. 동경. 이보다 더 잘 어울리는 단어는 없었다. 그러니 지금 베아트리체를 향해 품는 이 감정도 설명할 수 있었다.

"찬란히 빛나는 이들에 대한 동경."

"네이선 황자. 당신 참……."

베아트리체가 입술을 꾹 물었다가 다시 떼었다. 하고 싶은 말을 참는 건 베아트리체의 성격상 맞지 않는다. 결국 베아트리체가 툭하고 말했다.

"가엽네요."

"……그런데 다들 그걸 몰라주더라. 내가 불쌍한 사람이라는 거 말이에요."

"황자가 잘 감춰서 모르는 걸 거예요."

"그럼 다행이네요."

처음으로 베아트리체에게 네이선이 본 모습을 내보인 날이었다. 그리고 베아트리체도 처음이었다. 이렇게 불쌍하고 작아 보이는 남자는.

[베베. 듣고 있어?]

이 순간만큼은 힐라리아의 부름도 들리지 않았다. 베아트리체의 눈에는 네이선의 눈물이 보이는 것만 같았다. 베아트리체처럼 네이선도 어머니를 사랑하는 것뿐인데……. 참, 그 어머니가 도움이 안 되네. 베아트리체가 텅 비어 있던 네이선의 물잔을 자신의 잔과 바꿔주었다. 그건 베아트리체가 지금 당장 해줄 수 있는 최선의 위로였다.

***

"황비 마마!"

케이티가 힐라리아를 거칠게 흔들어 깨웠다. 다행히 이른 새벽 에벤에셀이 본궁으로 돌아갔기에 저지를 수 있는 무례였다. 케이티가 이불에 돌돌 싸여 있는 힐라리아를 다시 한번 흔들었다.

"황비 마마아!"

"끄응……."

새벽 내내 힐라리아를 놓지 않는 에벤에셀 덕분에 간신히 잠들었는데.

"왜애……."

"일어나보세요! 글쎄, 지금 무슨 일이 일어났는지 아세요?"

"무슨 일인데……."

힐라리아가 쩍 갈라진 목소리로 물었다.

"어제 네이선 황자께서 제너시스 후작가에서 주무셨대요!"

"……뭐?"

힐라리아가 무거운 몸을 일으켰다. 어젯밤, 에벤에셀이 잠시 눈을 붙였던 틈을 타서 베아트리체에게 연락을 취해보았지만, 닿지 않았었다. 분명 네이선 황자를 만나러 간다고 했었는데. 몇 번 부르다가 잠에서 깬 에벤에셀에게 이끌려 도로 침대로 끌려 들어가느라 잊고 있었더니…….

힐라리아가 헛웃음을 지으며 말했다.

"일이 어떻게 되려는 거야."

＊＊＊

"어제는 왜 응답해주지 않은 거야?"

[길 잃은 강아지를 하나 주워서.]

베아트리체의 음성은 답지 않게 푹 잠겨 있었다. 어제 내도록 연락이 닿질 않더니 아침부터. 힐라리아가 볼을 부풀렸다가 다시 바람을 뺐다.

"그 강아지가 너희 집에서 자고 간 거야?"

[돌려보낼 곳이 마땅치가 않더라고.]

"그래서 그 강아지는 괜찮아졌어?"

[안 괜찮을 것 같아. 정말 많이 불쌍하더라고.]

"……네이선 황자가 제너시스 후작가의 문턱을 넘은 뒤로 밖으로 나오지 않는다는 소문이 파다하던데.”

[벌써?]

“하녀나 시녀들의 아침은 우리보다 훨씬 이른 시간에 시작된다고 케이티
가 전해달라던데.”

힐라리아의 말에 베아트리체가 웃음을 터뜨렸다. 소문이 반나절도 채 걸
리지 않아 온 제도에 퍼져나가는 방법을 엿본 것이다. 빨래터, 시장, 주방,
등등. 이른 새벽에 하루를 시작하는 이들이 모이는 곳이면 어디에서든 이야
기가 새어 나갔을 테니까.

“그래서 무슨 일이야?”

[말했잖아. 길 잃은 강아지를 주운 거라고.]

베아트리체의 음성은 침착하게 가라앉아 있었다. 평소보다 훨씬 낮게.

“흐음. 차라리 잘 된 건지도 몰라. 더 이상 황태후의 의심은 사지 않을 것
같으니까.”

[일을 벌이고 나니 그렇게 되었더라고.]

“제도엔 왜 이렇게 길 잃은 멍청이들이 많은 거야.”

[…….]

“덩치만 커다래서는.”

힐라리아에게도 그런 사람이 하나 있었다. 밤새 그녀의 품에 매달려 사랑
을 갈구하고 서러움을 삼키던 그 남자. 힐라리아가 한숨을 길게 내쉬었다.
그 한숨은 베아트리체에게도 전염되었다.

[왜 이렇게들 연약하니?]

“그러게.”

[짜증나게.]

“그러게…….”

힐라리아가 힘없이 받아쳤다. 어제 울 것처럼 일그러졌었던 에벤에셀의 표
정이 잊히지가 않았다. 차마 힐라리아를 원망하지도 못하면서 사랑을 놓지도

못하던 그 얼굴이 눈앞을 뱅글뱅글 돌았다. 뭘 그렇게 순진하게 마음을 전부 내어주고 그러나. 힐라리아가 착한 여자가 아니라는 걸 알았으면서도.

'적당히 사랑하지.'

그렇게 아프진 않을 정도로만. 딱 그 정도로만. 오늘은 이상하게 지치는 날이었다. 상처를 준 건 힐라리안데 오히려 상처를 잔뜩 받아버린 것처럼.

'그냥 사랑하지 말지.'

힐라리아가 입술을 삐죽였다. 머리가 지끈 아파왔다.

***

오랜만에 단잠이었다.

네이선이 그에게로 내리쬐는 햇살을 손바닥으로 막았다.

"여기가……."

익숙하지 않은 천장과 이불에 멍하니 눈을 깜빡이기도 잠시.

"아……."

제너시스 후작가였지. 어제 베아트리체와 대화를 나누다가 여기까지 온 기억이 전부 났다. 술은 한 모금도 마시지 않았으니 취한 건 아니었고 온통 제정신이었으니…….

"창피해……."

그 추태를 대체 왜 베아트리체 앞에서 보인 것인지. 푹 한숨을 쉰 네이선이 몸을 일으켰다. 어제의 실수를 만회하기 위해서라도 얼른 집으로 돌아가야 한다는 생각밖에 들지 않았다. 안타깝게도 베아트리체는 다른 생각을 하는 것 같았지만. 네이선이 욕실에서 간단히 세안을 하고 나오기 무섭게 문이 활짝 열렸다. 언제 일어났는지 말끔히 단장을 끝낸 베아트리체였다.

"일어났네요? 나는 또 안 일어났을 줄 알고 깨워주러 왔는데."

"……이제 돌아가보려고요. 신세 많이 졌어요, 영애."

"우리 부모님께 인사는 드리고 가야죠. 어제 너무 늦어서 그럴 경황도 없었잖아요? 이미 황자의 식사도 준비 중이기도 하고요."

"하지만……."

"하지만은 무슨. 어허! 자리에 앉아요. 곧 시종이 갈아입을 셔츠를 가져다줄 거예요. 바지와 겉옷은 그렇다 쳐도 셔츠는 갈아입어야 할 것 같아서. 급한 대로 아버지 것을 하나 빌렸어요."

베아트리체의 박력에 밀린 네이선이 주춤거리며 침대 위에 앉았다.

"어차피 저택으로 돌아가 봐야 혼자라면서요."

"제가 그런 이야기도 했습니까?"

"그럼 어떤 이야기를 안 한 것 같은데요?"

네이선의 얼굴이 보기 좋게 질렸다.

하얘진 얼굴을 마구 비빈 네이선이 손바닥을 떼어냈다.

"어, 어젠 제가 추태를……."

"뭐, 괜찮았어요. 신선하기도 했고."

베아트리체가 설핏 웃었다.

힐라리아의 말대로 이 동네엔 왜 이렇게 길 잃은 강아지들이 많은지.

"제 앞에서 눈시울을 붉히는 남자는 처음이라."

어쩌다 이렇게 눈에 띄어서는. 베아트리체가 고개를 내저었다. 감정이 생겨버렸잖은가, 감정이. 연민이라는 알량한 감정이었지만…….

"……친구할래요?"

베아트리체가 어쩔 수 없다는 듯이 손을 내밀었다.

"친구요?"

"네, 친구요. 우리 괜찮은 친구가 될 수도 있을 것 같아서요."

"친구라."

네이선이 친구라는 말을 곱씹었다.

"뭐야. 친구 처음 가져보는 것처럼."

"처음 맞아요."

"네?"

"당신은 내 첫 친구예요, 영애."

네이선이 화사하게 웃었다. 진심으로 친구라는 존재가 처음이었다. 네이선에게는 그를 이용하려는 사람과 그가 이용해야 할 사람밖에 없었다.

그런데 친구라니.

"영광이군요."

"뭐가요?"

"당신 같은 사람을 친구로 갖게 되어서."

네이선과는 절대로 어울리지 않을 빛과 같은 사람을 곁에 두게 된 것이다. 겁도 없이 손을 내미는 베아트리체를 보며 네이선이 음울한 마음을 저 아래로 구겨 넣었다. 지금은 오롯하게 기뻐하고만 싶었다.

"하아. 그만 좀 불쌍했으면 좋겠어요. 일부러 관심 끌려는 거야, 뭐야."

베아트리체가 투덜거리면서도 덧붙였다.

"아침 먹고 갈 거죠?"

"네."

눈이 부실 정도로 쏟아져 들어오는 햇살과 그 빛과 그린 듯이 어울리는 베아트리체. 빛으로 가득 찬 것 같은 그녀의 금안에 네이선의 모습이 담겨 있었다. 그 누구도 하지 않았던 것을 베아트리체는 별 거리낌 없이 해낸다.

"……당신을 좀 더 일찍 알았으면 더 나았을까요?"

내 시궁창 같은 삶이.

"지금이라도 알아서 다행인거죠."

베아트리체가 네이선의 말을 교묘하게 틀었다.

"푸흡. 그러고 보니 유학을 다녀왔다고 들었는데……."

제너시스 후작 영애가 유학을 다녀오느라 유년시절을 제도에서 보내지 않았다는 건 네이선도 알고 있었다. 유학을 어디로 다녀왔다고 했더라? 저 멀리 고틀리프라고 했었나. 이상하게 기억이 명확하지가 않았다.

"그랬었죠. 자, 일단 옷을 갈아입어요. 아침 식사 시간이 이대로 지나가 버릴 것 같거든요."

"아. 그건 안 되죠."

"그러니 얼른 움직이라구요."

베아트리체가 네이선을 욕실로 내몰았다. 욕실 문을 닫고는 베아트리체가 안도의 숨을 내쉬었다. 다행히 그냥 이대로 넘어갈 수 있을 것 같았다.

베아트리체가 욕실의 동태를 살폈다. 그녀가 졸업한 건 기네비어 공국에 있는 리오나 아카데미였다. 기네비어의 리오나 아카데미는 윈프리드 제국에서도 손꼽히는 곳이라 합격증만 떨어지면 학생 증서를 발급받아 얼마든지 갈 수 있었다. 잠시 뒤, 네이선이 순순히 욕실에서 옷을 갈아입고 나왔다.

"어……. 다 입었는데."

"내려가요. 나 배고파요."

네이선이 말 잘 듣는 강아지처럼 베아트리체 뒤를 쫓아 걸음을 옮겼다.

***

힐라리아와 에벤에셀 사이에 흐르는 어색한 기류를 가장 먼저 눈치챈 것은 케이티와 스베인이었다. 같이 아침 식사를 했어야 했는데 에벤에셀이 먼저 스틸로즈의 침실을 빠져나왔고……. 애초에 그 전날 일하다 말고 갑자기 스틸로즈 궁으로 뛰어간 것도 이상했다.

스베인이 에벤에셀의 눈치를 살피다가 부러 헛기침을 했다.

"크음, 큼."

"자네, 똥 마려운 강아지처럼 왜 그러나."

하지만, 반응이 돌아온 건 반에이크 쪽이었다.

"그게 아니라……!"

스베인이 에벤에셀 쪽을 힐끔힐끔 보았다. 저렇게 북풍한설이 부는 것 같은 서늘한 얼굴을 하고 있는데 어떻게 모르겠는가! 스베인이 에벤에셀의 눈치를 보고 있다는 사실을 알아차린 반에이크가 말했다.

"폐하."

에벤에셀이 스산한 얼굴을 들어 올렸다.

확실히 힐라리아와의 사이에 무슨 문제가 발생한 게 분명한데.

"그러고 계시면 스베인이 가슴이 쪼그라들어서 일을 할 수가 없습니다."

"아하."

"좀 웃으세요."

반에이크의 종용에 에벤에셀이 조용히 입술을 끌어 올렸다. 하지만, 눈은 웃지 않는데 입술은 웃고 있는 기괴한 모습이 완성되었다.

"……됐습니다. 차라리 안 웃으시는 게 낫겠군요."

반에이크가 고개를 절레절레 저었다.

저런 상태일 때는 차라리 일거리를 던져주는 게 낫다.

"오스발트 사절단이 곧 제도에 당도할 겁니다. 불꽃 축제를 구경하기 위해 서둘렀다던데……."

그리고 반에이크의 시도는 성공했다. 사절단으로 오는 이들의 신상명세서가 아직도 밝혀지지 않았다. 오스발트가 극비로 다루고 있다는 건데……. 그래서 더욱더 에벤에셀과 반에이크가 촉각을 곤두세우고 있는 일이기도 했다.

"오스발트 사절단이? 힐라리아 주변의 경비는 강화했겠지?"

"명하신 대로 처리했습니다."

"그들이 하는 행동, 말, 만나는 사람. 그 모든 걸 감시해야 해. 스베인, 쓸 만한 시종들을 사절단이 머물 숙소에 배치했겠지?"

"예, 폐하."

에벤에셀의 서늘한 얼굴에 이젠 비장함까지 덧씌워졌다. 어린아이가 눈이 마주쳤으면 주저앉아 눈물을 터뜨렸을 것이다. 스베인이 침을 삼키며 속으로 그의 신을 찾았다.

'힐라리아 황비 마마……! 저 좀 살려주세요오!'

***

"불꽃 축제가 3일 정도 남았나."

"예, 그렇습니다. 황태후 마마."

시녀장의 말에 황태후의 연푸른 눈이 날카롭게 벼려졌다. 요새 황태후의 심기가 그다지 좋지 않았다. 사교계는 힐라리아가 그날 어떤 의상을 입을지에 대해 떠들어대고 있었고 그건 고스란히 황태후의 귀에 들어갔다. 듣기로는 아마테라스 여신의 복장을 골랐다지.

'감히.'

황후의 자리에도 앉지 못한 반푼이 후궁 주제에. 황태후가 입꼬리를 틀어 올렸다. 게다가 라리나는 대체 뭘 하는지 스틸로즈 궁에 틀어박혀 나오질 않고 있었고 네이선도 제너시스 후작가에 틀어박혔다.

"하아."

마음대로 되는 게 없다. 물론, 네이선과 베아트리체의 사이에 진전이 생긴 건 좋았다. 네이선은 황태후를 배신할 리 없는 착한 아들이었으니……

'제너시스 후작가를 이렇게 틀어쥐게 되는 건가?'

그깟 사랑 놀음이라고 하지만 사랑이 역사를 바꾸는 법이다. 베아트리체가 네이선에게 반해 제너시스를 그대로 바치는…… 그런 전개면 좋겠는데.

"네이선 황자에게 다시 연락을 취하거라. 내가 찾는다고."

"예, 황태후 마마."

아프다는 이유로 두문분출하고 있는데 이상하게 불안했다.

"그리고 힐라리아 황비에게도 연락을 넣어두렴. 오늘, 내가 만났으면 한다고."

"예."

천지분간 못하고 날뛰는 어린 계집을 일깨우는 건 그녀의 역할이었다. 아마테라스가 뜻하는 권력을 황태후는 내려놓을 생각이 없었다. 영원히. 지금 판도가 누구에게로 기울어졌는지 톡톡히 알려줘야겠다.

***

"야, 꼬맹이."

"꼬오맹이 아니야!"

"그래, 요셉."

길리어스가 빠르게 말을 정정했다. 그저 요셉의 반응을 이끌어내기 위함이었지, 다른 의도는 없었다. 밖은 대체 무슨 일인지 소란스러웠고 이동 속도는 빨라졌다. 추측하건대 자카리족을 추적하는 세력이 뒤꽁무니에 바짝 따라붙은 듯했다. 그리고⋯⋯ 다급해진 그들은 기네비어의 기사들을 고문하기 시작했다.

길리어스를 제외한 기사들이 밤만 되면 어디론가 끌려갔다가 피투성이가 되어 돌아왔다. 퀴퀴한 냄새가 가득했던 마차 안이 비릿한 냄새로 뒤덮였다. 신음을 죽이고 끙끙 앓는 기사들의 수가 점점 늘어나고 있었다. 심하게 상처를 입은 부위가 곪아 들어가고 있었고 고문을 당한 기사들의 몸에선 열이 팔팔 끓었다. 괜찮다고들 하지만⋯⋯.

"요셉. 마법사들은 마법을 부릴 수 있다던데. 치료도 할 수 있나?"

"하, 할 수 있어! 마법은 위대해! 그림만 그릴 수 있으면 뭐든 할 수 있어!"

마법에 대해 이야기할 때는 요셉의 눈이 반짝반짝 빛났다. 위험하다는 이유로 학대당하면서도 마법에 대한 애착은 버리지 못하는 듯했다. 요셉의 마법이 지금 길리어스의 유일한 희망이었다.

"크흡⋯⋯!"

길리어스의 뒤쪽에서 거친 신음 소리와 뒤척이는 움직임 소리가 들렸다.

어제 고문을 당하고 돌아온 기사였다. 심하게 훼손된 다리는 더 이상 쓸 수 없을 것처럼 저며져 있었고 바닥을 흥건하게 적실 정도의 피가 흘렀다. 길리어스가 마른 입술을 혀로 훑고는 조심스럽게 말했다.

"마법을 쓰고 싶지 않아?"

"마법 좋아! 그런데, 안 돼. 위험하댔어! 마음대로 하면 혼나……."

요셉이 시무룩하게 중얼거렸다.

"내가 지켜줄게, 요셉."

"우웅?"

"나는 너를 때리지도 않고 가둬두지도 않아."

"정말?"

"네가 좋아하는 음식도 잔뜩 주지. 혹시 사탕 알아?"

"사탕……! 먹어본 적 있어! 초원에 커다란 그림을 그려서 마법을 부렸더니 커다란 사탕을 줬어!"

그 마법이 길리어스 일행을 사로잡는 덫이 되었겠지.

길리어스가 애써 비릿한 미소를 삼키고는 고개를 끄덕였다.

"그래, 사탕. 사탕을 매일 먹게 해줄게."

이 아이는 죄가 없다. 학대당하며 착취당하는 아이를 두고 죄의 여부를 어떻게 논하겠는가. 기사들을 고문해가며 길리어스를 압박해오는 자카리족의 어른들에게 죄가 있는 거지. 길리어스가 조급해지는 마음을 다잡으며 말을 골랐다.

"길리어스 님……. 휴스턴의 상태가……."

"쉿."

길리어스가 손바닥을 내밀어 그 말을 막고는 눈을 데굴데굴 굴리는 요셉을 조용히 응시했다. 사탕이라는 말에 입맛을 다시며 족쇄가 채워진 두 손을 쫙 내민다.

"줘! 사탕! 줘어!"

발을 동동 구르기까지 하며.

"지금 여기엔 없어……."

"그럼? 그러엄?"

"내가 사는 집에 가면 엄청 많은데."

"……나는 여기서 나가면 안 돼."

길리어스가 손을 조심스럽게 내밀었다. 기네비어의 기사들이 전쟁을 나올 때 꼭 가지고 나오는 간식거리가 한 가지 있었다. 직사각형의 종이 상자에 든 캐러멜이 그것이었는데 이곳에 잡혀올 당시 빼앗기지 않은 기사가 한 명 있었다. 하늘이 무너져도 솟아날 구멍은 있다고.

"자, 이거 봐."

"이게 뭐야?"

다행히 사탕으로 끈 관심을 캐러멜로 이어지게 하는 데 성공했다.

길리어스가 메마른 얼굴로 어설프게 웃었다.

"캐러멜이라는 거야. 아주, 아주 달지."

"달아? 정말?"

"그럼. 사탕보다 더 맛있을걸?"

"그, 그거 줘!"

손바닥을 정신없이 흔드는 요셉의 손을 붙들곤 캐러멜을 얹어주었다.

요셉이 눈을 빛내며 캐러멜을 오물오물 씹었다.

"어때?"

"마, 맛이어! 또 줘! 또오!"

발음이 더 뭉개지는 게 지금 흥분한 태가 여실했다.

"부탁을 들어주면, 또 줄게."

길리어스가 캐러멜을 보여주었다.

"나는 이만큼 있어. 그리고 우리 집에 가면, 더 많이 있지."

"부탁……?"

"응. 부탁. 아픈 사람을 치료해주는 거야."

"우-우-웅?"

고개를 까딱까딱 흔드는 요셉을 향해 길리어스가 다시금 말했다.

"요셉 그림 그리는 거 좋아하잖아. 내가 도와줄게."

"어, 어떻게?"

"내가 요셉을 대신해서 그림을 그려주는 거 어때?"

"진짜?"

요셉이 입맛을 다셨다. 그림과 마법, 캐러멜. 요셉이 좋아하는 것들로 구슬리며 길리어스가 고개를 끄덕였다.

"응. 물론이지."

"피! 피, 피가 필요해. 아주, 아주 신선한 걸로."

"그건 걱정하지 마."

길리어스가 음산한 미소를 지었다. 신선한 피? 지금 이 마차 안에 낭자한 게 피였다. 피 냄새를 맡은 파리들이 들끓었고 여기저기서 상처가 썩어가는 기사들이 한가득했다. 몇 번이나 요셉을 구슬렸지만, 실패하길 여러 번. 누군가 떨어뜨린 캐러멜 박스를 구석에서 발견한 게 아니었다면 포기했을지도 모를 일이었다. 길리어스가 단단한 이로 손가락을 물어뜯었다.

"이 정도면 돼?"

"조, 좋아!"

요셉의 눈이 기이하게 번들거렸다.

"요셉, 잘 들어. 오늘 그림을 두 가지 그리는 거야."

"두, 두 가지나?"

"응. 그럼 너는 캐러멜을 두 개 먹는 거지."

남은 캐러멜은 다섯 개. 요셉을 움직일 수 있는 것도 고작 다섯 번이라는 의미였다. 신중에 신중을 가해야 한다.

"하나는 이 사람들을 치료하는 거."

"또오?"

"……여기서 탈출하는 거."

요셉이 고개를 갸우뚱했다.

"탈출?"

"그래, 탈출."

길리어스가 비릿한 미소를 지었다. 그들을 추적하는 무리들이 지근에 있는 게 분명했다. 여기서 탈출해 그들과 합류하기만 한다면…….

"캐러멜 먹고 싶지 않아?"

"먹어! 먹을래!"

"그럼, 시작해볼까?"

고민도 없이 요셉이 고개를 끄덕였다. 아이를 의지도 없는 짐승으로 키운 건 자카리족이었으니 그 대가 또한 자카리족이 치를 일이다. 지금의 길리어스의 얼굴은 힐라리아를 지독히도 닮아 있었다.

***

"오늘 사절단이 도착한다죠?"

라리나가 환하게 웃으며 물었다.

"네. 그렇다고 하더군요. 사람들이 시끄럽죠?"

힐라리아가 증강된 경비대를 손짓하며 물었다.

"괜찮아요! 사절단이 힐라리아 황비 마마를 훔쳐갈까 봐 겁나시나 봐요."

그 말에 힐라리아가 부드럽게 미소 지었다.

"힐라리아라고 부르라니까."

"앗. 연습 중이긴 한데 가끔 이렇게 헷갈려요."

라리나가 귀엽게 혀를 내밀고는 말했다.

"그래야…… 나도 라리나라고 부르지요."

불그스레해진 라리나의 볼을 보며 힐라리아가 만족스럽게 웃었다. 라리나는 힐라리아의 궁에서 그녀를 따라 티파티에 참석하기도 하고 귀부인들과 이야기를 나누기 하고 책을 읽고. 그런 소일거리를 하며 시간을 보냈다. 그리고 종종 오는 실로테, 제이나와 대화를 나누기도 했다. 황태후나 시벨로프로부터 몇 번이나 연락이 왔지만, 라리나는 깡그리 무시했다.

'대체 무슨 생각을 하고 있는 건지.'

시벨로프의 핏줄이다.

항상 웃는 낯을 하고 있어도 완전히 의심의 끈을 놓을 수는 없었다.

"힐라리아……."

"네, 라리나."

힐라리아의 말에 라리나가 환하게 웃었다.

"으. 왠지 부끄러워요."

이럴 때 보면 어린애 같은데. 마냥 그렇지 않다는 건 함께 지낸 힐라리아가 더 잘 알고 있었다. 의외로 냉철하게 윈프리드 제국의 현 시국을 파악했다. 힐라리아가 가르치는 대로 조금씩 성장하고 있는 것이다. 그리고 곧 라리나도 선택을 해야 할 때가 올 것이었다.

"불꽃 축제에서 라리나는 베스타 님을 모방하기로 했잖아요."

라리나에게 베스타를 추천한 건 힐라리아였다. 불꽃의 여신, 베스타. 힐라리아가 수도 없이 흉내 냈던 여신의 이름이었다.

"기네비어의 어머니께서 불꽃 축제를 준비하라고 의상을 보내주셨지 뭐예요."

"어머, 정말요?"

"네. 하지만, 나는 새롭게 옷을 맞췄으니……. 게다가 베스타 님께 어울리는 물건들이더라구요. 그래서 말인데."

라리나를 향해 힐라리아가 올가미를 하나 더 던졌다.

친절과 우정으로 예쁘게 포장한 올가미였다.

"라리나도 옷은 이미 맞췄으니 어쩔 수 없고. 라리나가 어머니께서 보내주신 장신구를 대신 착용해줄래요?"

"기네비어의 장신구라니! 들은 적이 있어요. 기네비어에서 나오는 보석들은 특히 등급이 높고 세공이 아름다운 것들이 많다고! 그런 걸 제가 해도 되는 건가요?"

"물론이죠. 우리는 친구잖아요? 오히려 어머니께서도 좋아하실 거예요."

"그럼……. 감사히 받아볼까요?"

날씨도 좋지. 곡식을 무르익게 하는 가을의 햇살이 고운 날이었다. 수줍게 고개 숙인 곡식처럼 라리나도 고개를 숙였다.

"이 은혜를 어떻게 갚죠?"

"친구 사이에 뭘요."

그때였다.

"저, 마마님."

첼로스테가 힐라리아를 불렀다.

"무슨 일이지?"

"맨드라미 궁에서 연락이 왔습니다. 황태후께서 마마님을 뵙고 싶으시니 오후 티를 함께 하자고 하십니다."

"……오후 티타임이라. 라리나."

힐라리아가 라리나를 돌아보았다.

"네?"

"함께 갈래요?"

황태후가 어떤 얼굴을 할지 궁금해졌다. 분명 아마테라스에 대한 이야기를 늘어놓을 텐데 힐라리아 앞에서도 항상 쓰던 착한 언니 가면을 뒤집어쓰고 있을지.

"언니를 만나고 싶지 않나요?"

힐라리아의 물음에 라리나의 얼굴이 눈에 띄게 어두워졌다.

"아직 모르겠는걸요. 무슨 말을 해야 할지. 그리고 아직 찾지 못했어요."

라리나가 웅얼거렸다.

"시벨로프와 언니의 정의를 찾지 못했어요……."

"그래도 보고 싶잖아요. 가서 이야기를 나누는 것뿐이에요."

어차피 시벨로프와 황태후의 정의는 끝내 찾아내지 못할 것이다. 그들은 불의를 행하고 있었고 그 모든 건 욕심이었으니. 힐라리아의 말에 라리나가 조심스럽게 고개를 끄덕였다.

"사실 그래요."

"그러면 가서 얼굴을 보고 대화만 나누고 돌아오면 돼요. 나와 함께."

결국 라리나가 수긍했다.

"좋아요. 같이 가요, 힐라리아."

***

황태후가 그녀의 맞은편에 앉은 라리나를 노려보았다. 그렇게 오라고 할 때는 코빼기도 안 보이더니 금붕어 똥처럼 붙어서 올 건 또 뭐람.

'여우같은 계집.'

황태후가 눈을 찌푸린 채로 시선을 돌려 힐라리아를 노려보았다.

대체 순진한 라리나를 어떻게 꾀여낸 건지.

"라리나."

"네, 언니."

"이만 집으로 돌아가야 하지 않겠니? 너무 오래 황성에 머무는 것은……."

"하지만, 힐라리아가 허락했는걸요. 그리고 폐하께서도 허락하셨고요."

"그랬구나. 어머니하고 아버지는 보고 싶지 않니?"

"음……. 아직은 버틸만해요."

황태후가 입술을 깨물었다.

'자식 뜻대로 되지 않는다지만.'

라리나는 특히 더했다. 가엾다는 이유로 오냐오냐해서 그런가. 황태후에게는 잔악했던 시벨로프 백작 부인마저도 라리나에게는 항상 져주었다. 아마도, 라리나를 이용해 얻을 수 있는 게 전무하니 그런 거겠지만.

힐라리아가 말없이 차를 마시며 설핏 웃었다.

'답지 않게 구는군.'

역시 황태후에겐 감추고 있는 비밀이 있는 게 분명했다. 라리나를 여기까지 데리고 온 보람이 있었다. 한숨을 내쉰 황태후가 화살을 돌렸다.

"라리나를 잘 돌봐줘서 고마워요, 황비."

"이제 한 가족 아니겠습니까? 당연한 일이지요."

"그리 생각해준다니 더 고맙군요."

힐라리아가 라리나를 보며 입술을 끌어 올렸다.

"라리나는 좋은 친구예요. 정의롭고 선하죠. 더 친해질 수 있을 것 같아요."

라리나의 손을 슬며시 잡으며 힐라리아가 말했다.

"그렇죠, 라리나?"

"네. 물론이에요, 힐라리아!"

황태후의 얼굴이 보기 좋게 굳었다. 정의롭고 선한 사람. 힐라리아의 눈빛이 명확하게 속삭이고 있었다. 너하고 어울리는 사람이 아니야.

"……그래도 라리나. 때가 되면 집으로 돌아가야 한다. 너무 오래 폐를 끼치면 안 되니 말이야."

"네, 언니. 명심할게요."

라리나가 순순히 대답했다. 힐라리아가 그 대답을 들으며 생각했다. 돌아간다니. 그때는 이미 늦지 않았을까? 라리나에게는 이미 커다란 씨앗을 심어두었다. 라리나처럼 정의롭고 선한 이름의 씨앗을. 이제 선택을 하는 건

라리나의 몫이다. 그리고 힐라리아는 자신 있었다.

'사람은 본질을 버리지 못해, 황태후. 당신이 그렇듯이.'

힐라리아가 삐뚜름한 미소를 감췄다. 이제 계기만 있으면 그 씨앗은 싹을 틔우고 커다란 나무로 자라날 것이다. 힐라리아는 그 계기를 기다리고 있었다. 바로 황태후가 감추고 있는 추잡한 진실을.

"이제 본론으로 들어가죠."

황태후가 말을 돌렸다.

"힐라리아 황비."

"예, 황태후 마마."

"이번 불꽃 축제에서 아마테라스 님을 흉내 낸다죠?"

"네, 그러기로 했어요. 황제 폐하께서는 헬리오스 님을 흉내 내실 테니……. 제게 이걸 추천해준 건 라리나였어요."

"맞아요, 언니. 정말 잘 어울릴 거예요! 두 태양신이라니!"

라리나가 손뼉을 치며 환하게 웃었다. 황태후의 가면 위에 금이 가는 것을 즐기며 힐라리아가 작게 웃었다. 아, 재밌어. 라리나 앞에선 악역이 되기 싫은가 보지? 역시 라리나를 끌어들이길 잘했다. 힐라리아가 찻잔을 기울이며 눈웃음을 지었다.

황태후가 하는 꼴이 참 같잖다. 라리나의 눈치를 살피며 할 말을 고른다. 힐라리아가 라리나와 함께 들어왔을 때의 당황한 표정이란. 여태까지 라리나가 황태후의 말을 무시했기에 같이 올 거라곤 조금도 기대하지 못했던 얼굴이었는데. 그리고 라리나는 기대 이상의 효과를 보여주고 있었다.

"라리나, 그래도 아마테라스 님은…….."

"아마테라스 님은요?"

"원래는 내가…….."

"하지만, 황제께서 사랑하는 사람은 힐라리아 황비잖아요. 아마테라스 님과 헬리오스 님의 사랑은 저도 연극으로 본 적이 있어요!"

아. 얼마 전에 반에이크와 연극을 보고 왔다더니 그게 그거였나? 힐라리아가 속으로 수긍하며 차를 홀짝홀짝 마셨다. 황태후와 라리나의 대화를 듣는 것만으로도 이렇게 즐거울 수 있다니. 물론, 힐라리아와 라리나를 배행해서 온 케이티의 생각은 조금 달랐다.

'황태후를 엿 먹이는 방법도 여러 가지구나…….'

그저 힐라리아에 대한 존경심만 샘솟을 뿐.

"그래서 제가 힐라리아에게 추천했어요. 아마테라스 님을 흉내 내면 좋을 것 같다고."

라리나가 말갛게도 웃는다.

'정말 웃지 않고는 보지 못할 희극이군.'

힐라리아가 입맛에도 맞지 않는 찻잔을 계속해서 들고 있는 이유였다.

황태후의 미소 지은 입술이 바르르 떨렸다.

"그…… 그렇구나."

"음, 언니는…… 클로리스 님을 흉내 내는 건 어때요?"

게다가 적당한 대안 제시까지. 힐라리아가 라리나를 응원했다. 클로리스는 꽃의 여신이었다. 품격이나 지위로는 아마테라스에 뒤지지 않지만, 결국 헬리오스의 짝은 되지 못한 비운의 여신이었다. 클로리스 또한 헬리오스를 사랑했으나 헬리오스는 아마테라스를 선택했기 때문이었다. 사람들은 클로리스의 가련한 비극을 좋아했다. 황태후는 아니겠지만. 하지만, 라리나는 진실로 아무런 의도도 없는 듯 환히 웃고 있었다.

"클로리스 님을……?"

"네. 클로리스 님은 아마테라스 님만큼이나 신망이 높으신 분이지요. 그분의 품격이라면 언니에게 딱 어울릴 것 같아요."

그런데. 그렇게 말간 얼굴로. 라리나가 힐라리아의 손을 테이블 아래로 몰래 맞잡았다. 라리나의 가는 손가락이 바르르 떨리고 있었다. 힐라리아가 웃음이 멎은 얼굴로 손에 들린 찻잔을 내려놓았다.

'알고도 그러는구나.'

지금 라리나는 대놓고 황태후에게 경고하고 있는 거였다. 당신의 분수를 알아야 한다고. 힐라리아가 라리나의 손을 맞잡았다. 바들바들 떨리는 라리나의 손이 안타까워서 차마 놓을 수가 없었다.

"……고맙구나, 라리나. 너의 조언을 참고하마. 마침 아무것도 정하지 못했거든."

그리고 황태후는 라리나에게 아무 말도 하지 못했다. 분명 황태후는 힐라리아에게 하고 싶은 말이 많았을 것이다. 황태후는 쥐고 있는 패가 많았으니까. 힐라리아가 자진해서 쥐여준 것과 억지로 손에 쥔 것. 길리어스, 베아트리체, 상단, 의상실, 반에이크, 오스발트 등등. 하지만, 황태후는 라리나 앞에서 자신이 가진 패를 하나도 꺼내지 못했다.

그 무엇도 라리나에게 좋은 인상을 주지 못할 테니까. 그래서 그게 안타깝냐고? 그럴 리가 있다. 아주, 아주, 쌤통이구나.

"……오늘 오스발트에서 사절단이 온다고 들었습니다. 저녁 만찬에 참석하시나요?"

그녀의 속내와 다른 침착함으로, 힐라리아가 나지막이 물었다.

"참석해야지요. 오스발트는 윈프리드의 강력한 우방 아닙니까."

윈프리드가 아니라 당신의 우방이겠지.

힐라리아가 삐뚜름한 미소를 지은 채로 고개를 끄덕였다.

"그러면 그때 뵙는 걸로 하고 이제 그만 일어나도록 하겠습니다. 저녁 만찬에 갈 준비를 해야 해서."

"……그러십시오."

황태후가 어둡게 가라앉은 얼굴로 수긍했다.

"잠깐. 라리나."

"네?"

"너도 초대받았니?"

"네, 언니. 힐라리아를 졸라서 같이 가고 싶다고 말했어요."

라리나가 이번에도 새하얗게 웃었다. 힐라리아는 라리나에게 그녀의 세상을 완전히 보여주겠다고 약속했다. 그러므로 힐라리아가 가는 곳에는 라리나도 간다. 라리나는 그곳에서 어떤 세상을 보게 될까. 힐라리아가 황태후를 힐끔 돌아보았다. 힐라리아를 쳐다보던 서늘한 낯과 마주쳤다.

'마녀가 따로 없군.'

힐라리아가 고개를 도로 앞으로 돌렸다.

당신이 모든 걸 가진 것 같지. 아니, 이제 시작이야.

'곧 알 게 될 거야. 남은 게 하나도 없다는 사실을.'

또각또각- 힐라리아의 구두소리가 선명하게 울려 퍼졌다.

***

제너시스 후작가의 후원에선 베아트리체가 네이선과 한가롭게 시간을 보내는 중이었다. 차라리 네이선을 저택으로 들인 게 더 나은 것 같았다. 다람쥐가 쳇바퀴 도는 것처럼 똑같은 데이트를 하며 밖을 나도는 것보단.

"곧 있으면 정원에서 차를 마시는 것도 못 하겠군요."

"……."

"날이 금방 추워지네요."

"……."

베아트리체가 눈썹을 꿈틀댔다. 대체 무슨 생각을 하길래……. 네이선이 아무 말도 하지 않고 멍하니 앉아 있었다. 베아트리체가 참지 못하고 손등으로 테이블을 두드렸다.

"네이선?"

"아……."

그제야 네이선이 정신을 차리고 베아트리체를 향해 고개를 돌렸다.

"왜 그래요?"

"아니에요. 그냥……."

"그냥?"

네이선이 물에 물감을 탄 것처럼 흐릿한 미소를 지었다. 베아트리체가 찻잔을 소리 나게 내려놓았다. 저런 표정을 짓는 이유가 뭐야. 길 잃은 강아지를 주워다 놨으면 잘 웃기라도 해야지.

"왜 그러는데요. 말을 해봐요."

"오늘 오스발트 사절단이 도착한다죠."

"그렇다더군요. 오스발트 사절단이라지만, 사실은 세 연합에서 보내는 거죠."

"……에벤에셀은 그것을 받아들였구요."

베아트리체가 고개를 끄덕였다.

"어머니는 에벤에셀이 아무것도 모르고 있다고 생각하시겠지만, 모든 걸다 알고 있겠죠. 원래 그런 사람이었으니까."

"그렇겠죠. 황제는 알면서 기다릴 사람이라고 하더군요."

"……."

네이선이 서글픈 미소를 지었다. 아래로 처진 어깨가 처연하다. 어느새길어진 백금발의 머리카락 사이로 가려진 눈동자가 애달프게 젖어 있었다.

"몰랐던 것도 아니면서 새삼스럽게."

"……항상 새삼스럽지만 이런 마음이 드는걸요. 내 어머니가 제 분수에 맞지 않는 욕심을 부리고 있다는 걸 알면서도……."

베아트리체가 눈을 가늘게 떴다. 분수에 맞지 않는 욕심? 네이선은 대외적으로 황자다. 황제의 핏줄. 그런데 스스로가 분수에 맞지 않는다니. 베아트리체가 네이선이 흘리는 여지를 잡았다.

"……분수에 맞지 않는다니요. 그래도 당신은 황자잖아요?"

"황자. 그래요. 이름뿐인 황자도 황자라면 그렇겠죠."

네이선이 자조했다.

"나는 황자가 아니에요, 베아트리체."

네이선의 음습한 눈동자가 베아트리체를 향했다. 원망과 증오, 혐오. 혹은 그것을 넘어선 연민. 감정들이 복잡하게 얽혀 있는 눈이었다.

"황자가 아니라……. 고작 자작의 아들이지요."

걸렸다. 분명 기뻐해야 하는데……. 베아트리체가 날카로운 금안으로 네이선을 훑었다. 기쁨보다 연민이 먼저였다.

'쳇. 그새 정이 들었나 보군.'

그래도 힐라리아가 기뻐할 소식이었다. 네이선과 라리나의 출생의 비밀을 반드시 알아야겠다더니. 자작이라면, 알케스터 자작인가?

"그뿐일까. 내 어머니는 해서는 안 되는 패륜도 저질렀어요. 쌍생아로 태어난 딸을 버렸죠."

네이선이 실소했다. 바람이 스쳐지나 가는 것처럼 작은 소리였다.

"그럼……."

"맞아요. 라리나와 나, 어머니. 정말 닮지 않았나요? 그럴 수밖에요. 나와 라리나는 둘 다 어머니의 태에서 태어난 쌍생아니까."

"하지만, 라리나 영애는 당신보다는 한 살 어리다고……."

"라리나는 태어날 때부터 몸이 작았어요. 일 년 늦게 출생 신고한다고 문제가 되지 않았겠죠. 게다가 여태까지 저택에서 가둬 키웠으니."

이거다. 힐라리아가 바랐던 모든 진실.

베아트리체가 저도 모르게 침을 삼켰다.

"……힐라리아 황비 마마께 알려도 좋아요. 어차피 나는 내 어머니를 막지 못해요. 제발, 그분께서는 내 어머니를 저지할 수 있기를……."

"네이선……."

"비겁하게 뒤로 물러서는 저를 비난해도 좋습니다. 하지만, 나는 겁쟁이라 어머니를 내 손으로 끌어내리지는 못하겠어요."

베아트리체가 자연스럽게 네이선의 손등에 자신의 손을 얹었다. 위로하듯 천천히 두드렸다.

"걱정하지 말아요, 네이선. 우리가 알아서 해줄게요. 당신 어머니가 불러온 재앙을 우리가 막아줄게요."

그게 아마도 최고의 위로 아니었을까. 고개를 숙이고 들지 못하는 네이선을 한참 보다가 베아트리체가 그녀의 주변을 맴도는 나비를 향해 시선을 돌렸다. 그 시선을 알아차린 것일까.

[잘 들었어, 베베.]

나비에게서 대답이 돌아왔다.

***

힐라리아가 입술을 만지작거렸다. 앙큼한 짓을 잘도 저질렀군. 알케스터 자작의 아이를 가진 채로 황성에 들어와 아이를 낳고……. 그중 한 아이는 버리고 다른 아이는 되도 않는 자리에 밀어 넣을 욕심을 품고. 박수라도 쳐줘야 할 정도다.

힐라리아의 시선이 라리나를 향했다. 오늘 라리나는 꽤 큰 용기를 내 주었다. 어쩌면 황태후나 네이선보다도 훨씬 용감한 사람일지도 모른다. 저녁 만찬에 참석할 준비를 마치고 힐라리아를 기다리고 있던 라리나가 생긋 웃었다.

"……오늘 고마웠어요."

"네? 제가 한 일이 뭐가 있다고."

"혼자 갔으면 꽤 힘든 싸움이었을 것 같아서요."

힐라리아가 곱게 눈을 접어 웃었다.

"……고작 내가 할 수 있는 일은 그것뿐이었는걸요."

라리나가 고개를 확하고 돌렸다. 오늘을 위해 예쁘게 다듬은 머리카락이 턱 끝 아래에서 찰랑였다. 확실히 황성보다는 바깥이 더 잘 어울리는 사람이다. 선하기도 하고. 그런데 힐라리아는 여전히 라리나를 이용해먹을 생각을 하고 있었다.

'이게 당신하고 내가 다른 점이겠지.'

가장 필요한 순간에, 극적으로 이 비밀을 이용할 생각이었다. 라리나는 사실을 듣게 되면 어떤 반응을 보일까? ……망가질까? 그러진 않았으면 좋겠는데. 정이 든 것은 힐라리아도 마찬가지라 입맛이 씁쓸했다. 힐라리아가 거울 너머로 비치는 라리나를 한참을 응시했다.

'미안해.'

미리 섣부른 사과를 건네며 힐라리아가 눈을 감았다.

"곧 황제 폐하께서 오실 거예요."

"첼로스테."

"네?"

"……준비는 잘 되어 가고 있는 거지?"

"네, 마마님."

힐라리아가 길게 숨을 내쉬었다. 힐라리아가 목표로 했던 일들이 하나, 둘씩 마무리되고 있었다. 아주 만족스러운 형태로. 그러나 지금 이 순간 떠오르는 건 에벤에셀이었다.

'사랑해…….'

가련하게 사랑을 속삭이던 남자. 이곳에 온 순간부터 황성을 떠날 날을 꿈꾸는 힐라리아를 사랑해버린 불쌍한 에벤에셀.

'사랑해요, 힐라리아…….'

그러니까……. 사랑하지 말랬잖아, 에벤에셀.

힐라리아의 침실 문이 열렸다. 굳이 눈을 뜨지 않아도 누군지 알 것 같았다. 발자국 소리, 숨소리, 그리고 향기. 그것만으로도 알 수 있었으니까.

"황제 폐하를 뵙습니다."

라리나의 목소리가 들렸다. 힐라리아가 천천히 눈을 떴다. 거울 너머로 에벤에셀의 얼굴이 비쳐 보였다. 점점 그녀에게 가까워지는 움직임도. 에벤에셀이 그들 사이에 흐르던 묘한 기류는 없었던 것처럼 힐라리아에게 손을 내밀었다.

"데리러 왔어요, 힐."

상처받은 적이 없는 것처럼 다정하게 속삭인다.

힐라리아가 그 손 위에 손을 얹었다.

"기다렸어요."

힐라리아가 화사하게 웃었다.

***

"정말, 여기에 왕께서 왜 계시는지 모르겠습니다."

곤드레스가 오스발트의 귀족 남성 정장을 차려입는 사이, 기를 쓰고 그를 쫓아온 시종은 입이 아프지도 않은지 여전히 잔소리다.

"쉿."

곤드레스가 머리카락을 뒤로 쓸어 넘겼다.

"흠. 괜찮군. 그렇지?"

"네에, 네."

"힐라리아 황비가 내게 한눈에 반할 정도로?"

"예, 예?"

대충 대답하려던 시종이 눈을 동그랗게 떴다. 이 망나니가 지금 누구를 입에 담은 거지? 황비? 화앙비?? 그게 무슨 재앙 같은 소리야. 시종의 입술이 바르르 떨렸다.

"자, 잘 못 들었습니다만."

"에벤에셀 황제의 마음을 녹였을 정도로 아름답다는 황비 있지 않은가.

나는 그 여자가 정말 궁금하거든."

곤드레스가 눈을 찡긋했다. 시종이 비틀거리며 벽을 짚었다.

'도, 돌아가야 해……'

이 미친 왕을 따라오는 게 아니었어. 윈프리드 황제가 미쳐 있다는 황비를 보러왔다고? 모시러 가야겠다는 둥 헛소리를 할 때부터 알아봤어야 했는데. 사절단 소리에 정신이 팔려서는! 시종이 지끈거리는 머리를 흔들었다.

"서, 설마……."

"마음에 들면 내가 가져보려고."

곤드레스가 눈웃음을 쳤다. 에벤에셀이 사랑한 여자. 평생을 윈프리드의 광영에 가려져 있었던 오스발트다. 이제는 제국으로 발돋움할 때도 되지 않았나. 그리고 패전국의 전리품으로 힐라리아 정도면 적당하다는 생각은 아직도 변함이 없었다. 그 여자가 예쁘든, 안 예쁘든 상관없다. 에벤에셀이 사랑하는 여자라는 게 중요한 거지.

비루하게 꿇어앉은 에벤에셀 앞에서 입을 맞추는 거다. 그럼 그 자존심 강한 황제의 얼굴이 어떻게 일그러질까? 생각만 해도 짜릿해서 밤잠 다 설칠 지경이었다. 곤드레스가 손을 내젓는 시종을 지나쳐 만찬장으로 향했다.

'자, 내 전리품 얼굴을 보러 가보실까.'

그리고 곤드레스는 그곳에서 여신을 보았다.

"환영합니다."

붉은 머리카락을 길게 늘어뜨리고 하얗고 둥근 이마에 금색 장신구를 늘어뜨렸다. 거기에 금색 펄을 가득 바른 눈두덩이와 그 아래의 새초롬한 푸른 눈. 부드럽게 미소 짓고 있는 붉은 입술. 화사한 금색 드레스를 입은 힐라리아는 빛 그 자체였다.

'내 선택은 틀리지 않았어.'

저 여자다. 에벤에셀의 옆에 선 저 여자. 여기 있는 그 누구보다도 빛나고

있는 저 여자! 당장이라도 저 여자를 차지하고 싶은 마음에 입 안이 말라왔
다. 곤드레스가 음험한 미소를 내리눌렀다.

***

어떻게 식사를 마쳤는지 모르겠다.

힐라리아가 더듬거리며 이마에 늘어뜨렸던 장신구를 끌어 내렸다.

"힐라리아? 왜 그래요. 어디 아파요?"

"그, 그 남자가 여기 왜 있어요?"

"그 남자라니……."

에벤에셀이 당황한 얼굴로 힐라리아에게 물잔을 내밀었다. 그것을 힐라
리아가 단숨에 들이켰다. 이건 힐라리아의 계산 밖의 일이었다.

"곤드레스! 오스발트의 왕이 왜 여기 있느냐구요!"

"뭐……?"

에벤에셀의 얼굴도 차갑게 굳었다. 힐라리아를 탐욕스러운 눈으로 쳐다
보던 매끈한 남자. 그냥 보기에도 눈알을 뽑아버리고 싶다고 생각했는데.

"쉬이……."

힐라리아의 숨이 바르르 떨렸다. 그녀가 어떻게 곤드레스의 얼굴을 알고
있는지는 중요하지 않다. 언제는 힐라리아가 하는 행동이 전부 이해가 됐었
던가. 지금 중요한 건 힐라리아가 두려워하고 있다는 거였다.

"그, 그 남자는 악마예요……. 정말 악마라고요."

힐라리아가 에벤에셀의 품에 고개를 기댔다.

***

에벤에셀은 두려움에 떠는 힐라리아에게 아무것도 묻지 못했다. 힐라리

아는 곤드레스가 악마라고 소리 지른 이후에는 한 마디도 더 하지 않았다. 그저 입을 꾹 다문 채로 밤을 뜬 눈으로 지새웠을 뿐이다. 에벤에셀은 위태롭게 흔들리는 힐라리아의 뒤를 함께 지켰다.

'분명 뭐가 있는데……'

이상한 직감이 들었다. 그 무언가를 알게 되면 힐라리아가 감추고 있는 모든 비밀을 알게 될 거라는. 하지만, 힐라리아는 절대로 털어놓을 것 같지 않고. 에벤에셀이 날카로운 눈으로 반에이크에게 말했다.

"힐라리아가 짐에게 숨기는 게 있습니다, 반에이크 공."

"누구나 비밀은 있기 마련이지요. 특히 여자의 비밀을 지켜줘야 한다고 배웠습니다만."

반에이크가 회의적으로 말했다. 분명 힐라리아는 자신의 비밀을 몰래 캐고 다니는 행위를 좋아하지 않을 거라는 반에이크만의 경고였다. 만약 에벤에셀이 어제 힐라리아의 모습을 보지 못했다면 그 경고에 동의했을지도 모른다. 하지만, 힐라리아가 두려움에 질린 얼굴로 이를 맞부딪치던 모습을 본 지금은 다르다. 그녀가 감추려 한다면, 어떻게든 파헤쳐 힐라리아를 지켜낼 것이다.

'당신이 말했지. 당신이 죽으면 내 책임이라고.'

그러면 나는 내 일을 할 거야, 힐라리아. 당신은 당신의 일을 해.

에벤에셀이 서늘한 얼굴로 입술을 열었다.

"정보국에 극비 사안으로 명령을 내리세요. 기네비어에 사람을 보내 힐라리아에 대한 모든 정보를 모아오도록."

"폐하……"

"반에이크 공. 이건 힐라리아의 안전이 달린 일입니다."

"그 무슨……"

"잃은 뒤에 후회하는 건 너무 늦지 않겠습니까? 힐라리아는 친절하게 기다려주는 사람은 아니니."

반에이크의 얼굴도 덩달아 굳었다. 힐라리아의 안전? 대체 무슨 소리를 하는 건지 영문을 알 수 없었다. 다만 중요한 건 에벤에셀이 언급한 힐라리아의 이름은 마법처럼 반에이크를 옭아맸다는 것이다. 반에이크가 억눌린 목소리로 답했다.

"명하신 대로 처리하겠습니다."

반에이크가 할 수 있는 대답은 오직 하나였다.

***

힐라리아가 소름이 돋은 팔을 감싸 안았다.

"얼굴이 좋지 않으세요."

케이티가 걱정스러운 음성으로 물었다. 하룻밤 사이에 어둑해진 힐라리아의 낯빛이 영 돌아오질 않았다. 평소에 케이티가 이렇게 걱정을 하면 쓸데없는 걱정을 한다는 타박이 돌아왔는데 지금 힐라리아는 멍하니 넋을 놓고 허공만 응시하고 있었다.

"황비 마마!"

결국, 케이티가 소리를 빽하니 지르고 나서야 힐라리아가 정신을 차렸다.

"……왜 그러세요, 네?"

케이티가 발을 동동 굴렀다.

"아무것도 아니야. 잠깐 생각할 게 있었어."

"황비 마마, 제가 바본 줄 아세요? 이렇게 얼굴이 좋지 않으신데……!"

힐라리아가 검지를 입술 앞에 댔다. 아무런 이야기도 듣고 싶지 않다는 제스처였다. 결국 한숨을 길게 내쉰 케이티가 입을 꾹 다물었다. 주위가 조용해지자 힐라리아는 그제야 생각의 늪으로 다시금 빠져들었다.

오스발트의 곤드레스. 그 남자를 향한 두려움을 억누르고 나니 새빨간 살심이 피어올랐다. 진정으로 악마 같은 남자였다. 여태까지 일부러 잊기 위해 노력했던 것들이 떠올랐다. 미래에서 힐라리아는 곤드레스를 만난 적이 있었다. 아니, 겪은 적이 있었다. 아주 잔인하게.

사랑하는 가족들의 핏물이 힐라리아의 발을 적셨다. 자카리족의 어린 마법사를 앞세운 오스발트의 군대는 기네비어의 방어선을 뚫고 들어와 성을 도륙했다. 그들의 무도한 칼날에 비명을 달리한 이들의 구슬픈 울음소리가 여기저기서 터져 나왔다. 그 아비규환 속에서 유일하게 살아남은 것은 힐라리아였다. 곤드레스의 전리품으로써.

'이것 보시오, 기네비어 공왕비. 여기 그대의 딸이 있소.'

우악스럽게 힐라리아의 턱을 움켜쥔 곤드레스가 음험하게 힐라리아의 볼을 핥았다. 마법사에 의해 힘이 억압당한 헬레나미아가 바닥을 기어 곤드레스의 발목을 붙들었지만, 그는 아무렇지도 않게 헬레나미아의 손을 짓이겼다. 비명조차 지르지 못하는 헬레나미아의 눈에서 피눈물이 흘렀다. 힐라리아는 멍하니 굳어 자신에게 무슨 일이 벌어지는지 인지하지 못했다.

그런 힐라리아를 품에 안은 곤드레스가 그녀를 마음껏 희롱했다. 시체가 낭자하고 자카리족 전사들과 오스발트 기사들이 뒤섞여 험한 욕설을 내뱉는 한가운데에서 드레스를 헤집고 보드라운 살갗을 매만졌다. 아직 숨이 끊기지 않은 헬레나미아의 처절한 비명 소리가 홀을 가득 채웠다.

'너를 저주한다! 악마 같은 자여! 내 죽고 다시 죽어서도 너만은 반드시 죽이고 말 것이다! 지옥에 떨어져 수천 년을 벌레들과 바닥을 기어다니게 만들어주마!'

헬레나미아의 정령들이 일제히 날아올랐다. 그녀의 마지막 발악이 힐라리아의 귓전에도 닿았던 것일까. 정신을 되찾은 힐라리아가 곤드레스를 밀쳐냈다. 하지만, 곤드레스는 힘을 잃은 힐라리아의 뺨을 올려붙이곤 잔악하게 속삭였다.

'가만히 있어야지. 너는 내 전리품이야, 공주님. 말을 듣지 않으면 더 험한 꼴을 당하게 될 거라고.'

힐라리아가 입술을 꾹 깨물었다.

"하."

엿보았던 미래가 힐라리아에게로 범람해 스며들고 있었다. 그게 미래에서 본 것인지 아니면 현재인지 분간이 되질 않았다. 힐라리아가 떨리는 손바닥에 얼굴을 묻었다. 폭주한 헬레나미아의 힘은 곤드레스에게 스치는 정도에 그쳤다. 어린 마법사는 강력했고 무력해진 헬레나미아는 눈도 감지 못한 채로 숨을 거뒀다.

미래에서 힐라리아는 그녀 자신의 죽음도 보았다. 아주 비참하고 수치스러웠던 그 죽음을. 힐라리아는 오스발트에 끌려가 곤드레스의 노리개가 되었다. 힐라리아는 죽지 못했다. 악마처럼 방종하고 잔악한 곤드레스를 죽이기 전까진. 결국 힐라리아는 곤드레스의 목줄기에 칼을 찔러 넣는 데 성공했다. 욕설을 내뱉으며 힐라리아의 머리채를 잡아당기는 곤드레스의 숨구멍까지 칼을 꽂아 넣었고 곤드레스의 죽음을 보았다.

그리고…… 힐라리아 또한 절벽으로 몸을 던져 죽음을 맞이했다.

"힐라리아 황비 마마!"

케이티가 새된 목소리로 힐라리아를 부르며 그녀를 끌어안았다. 덜덜 떨며 눈물을 뚝뚝 흘리는 힐라리아의 반응이 심상치 않았다. 힐라리아의 감정의 동요를 따라 그녀의 눈이 금빛으로 번뜩였다. 힐라리아 주변을 맴돌던 나비들이 공격성을 띤 채로 카르르- 울음소리를 흘렸다. 정령들이 뿜어내는 살기에 케이티의 숨이 막혀올 지경이었다.

"이러시면 안 돼요. 제발요!"

케이티가 힐라리아를 끌어안은 채로 외쳤다. 뻣뻣하게 굳은 힐라리아의 등을 문지르고 그녀의 팔다리를 주물렀다. 의자에 앉아 허공을 보며 저주의 언어를 중얼중얼 내뱉는 힐라리아를 되돌리기 위해서.

'그때랑 똑같아……!'

힐라리아가 미래에서 끄집어내졌을 때 보였던 반응이었다.

"마마님……."

케이티가 코를 훌쩍거리며 힐라리아의 볼에 흐르는 눈물을 닦고 있을 때였다. 힐라리아의 방문이 열렸다. 차가운 칼바람을 몰고 들어온 것은 에벤에셀이었다. 그를 발견한 케이티가 힐라리아에게서 물러섰다.

"마마님이……."

에벤에셀이 창백하기 질려 초점을 잃은 힐라리아의 몸을 끌어안았다.

"힐라리아. 내 목소리 들려?"

에벤에셀이 힘을 불어넣은 목소리로 힐라리아의 이름을 거듭 불렀다.

"에벤에셀……."

힐라리아의 금빛 동공이 흔들렸다.

그 모습을 보며 케이티가 입술을 두 손으로 틀어막았다.

"쉬이……. 내게로 돌아와."

힐라리아의 의식이 어디를 헤매고 있는지는 모른다. 하지만, 힐라리아가 지금 이 자리에 온전히 있는 게 아니라는 건 알겠다. 에벤에셀이 천천히 힘주어 다시 말했다.

"내게로 와, 힐."

힐라리아의 뜨거운 눈물이 에벤에셀의 어깨를 적셨다. 어둠 속에서 에벤에셀의 목소리를 들었다. 힐라리아의 의식이 돌아옴에 따라 그녀의 눈이 다시 새파란 창공의 색으로 물들었다.

"쉬이……."

에벤에셀이 힐라리아를 달래며 그녀의 등을 토닥였다.

"괜찮아."

"……."

"약속했잖아요. 내가 지켜주겠다고."

힐라리아의 주변에 곤두선 채로 울음소리를 내뱉던 나비들도 점차 안정을 되찾았다. 입을 틀어막은 케이티의 볼을 타고 눈물이 쉴 새 없이 떨어졌다. 에벤에셀은 힐라리아가 편안히 잠들 때까지 그렇게 힐라리아를 끌어안고 있었다. 연신 그녀의 이름을 부르며.

**

힐라리아가 정신을 차린 건 그로부터 꼬박 하루가 지난 뒤였다.

"케이티……."

"일어나셨어요?"

케이티가 손에 들고 있던 뜨개질 거리를 집어던지고 힐라리아에게 달려들었다. 무엄한 것도 잊고 힐라리아의 여기저기를 살피던 케이티가 눈물을 한 움큼 흘리며 힐라리아를 끌어안았다.

"지, 진짜 놀랐어요……."

"미안해."

힐라리아가 케이티에게 속삭였다.

"이제 괜찮으신 거예요?"

"괜찮아야지."

똑같은 추태를 두 번 이상 반복할 생각은 없었다. 밤새 힐라리아를 끌어안고 아무 일도 없을 거다, 지켜주겠다 속삭였던 에벤에셀을 위해서라도.

'이제 나는 혼자가 아니야.'

미래는 힐라리아가 이미 바꿨다. 힐라리아가 보았던 미래는 이젠 더 이상 오지 않을 미래였다. 힐라리아의 눈이 살기를 품은 채로 새파랗게 빛을 발했다. 애초에 곤드레스가 사절단에 합류해 윈프리드에 온 것부터가 달랐다. 이건 힐라리아가 만들어낸 변수로부터 파생된 일이었다. 그러니 두려워할 필요, 없다. 게다가 힐라리아가 다녀온 미래에서도 그 악마를 죽인 건 다름 아닌 그녀였다.

'두 번 못 죽이라는 법은 없지.'

힐라리아의 턱이 팽팽하게 당겨졌다.

'반드시 너만큼은, 내 손으로.'

힐라리아의 가족을 눈앞에서 도륙하고 죽어가는 어머니 앞에서 힐라리아를 욕보인 그 악마를 반드시 이 두 손으로 숨통을 끊어낼 것이다. 무슨 수를 써서라도! 불꽃 축제는 이제 겨우 하루를 남겨두고 있었다.

"첼로스테를 불러와, 케이티."

이제 이 제도에 마지막 씨앗을 뿌릴 차례였다. 힐라리아가 붉은 입술을 끌어 올렸다. 이제는 무력했던 그때의 힐라리아가 아니다. 곤드레스는 가장 허망하고 비참하게 죽게 될 것이다. 힐라리아가…… 그렇게 결정했으니.

***

처음 그려보는 마법진에 밖의 눈치까지 봐야 했었던 터라 시간이 좀 걸렸다. 길리어스가 이마에 스민 식은땀을 닦아냈다.

"수고하셨어요, 길리어스 님."

"이 정도로 뭘. 요셉, 이 정도면 된 거야?"

"응!"

요셉이 마법진을 발동시켰다. 새하얀 빛이 마차 안을 쓸고 지나갔다. 순식간에 피로와 몸의 고통이 싹 사라진 기분이었다. 오히려 상쾌하기까지 했다. 상처가 썩어 들어가던 기사들도 다행히 전부 멀끔히 치료되었다.

"요셉 대단한데? 잘했어!"

기분이 좋아진 길리어스가 요셉의 머리를 쓰다듬었다. 요셉과 마찬가지로 길리어스 또한 묶여 있었지만, 그 정도는 움직일 여력이 되었다.

"에헤헤헤. 요셉 잘했어! 요셉은 대단해!"

"자, 요셉. 여기 캐러멜이 하나 더 있어."

길리어스가 숨겨두었던 다른 캐러멜을 꺼냈다.

"줘! 요셉 줘!"

"마법진을 하나 더 그리면."

"우웅?"

"우리를 다른 곳으로 보내줘, 요셉."

"다른 곳? 우우웅?"

"그래. 다른 곳. 너도 함께 가는 거야."

"요셉도?"

"이런 것들이 아주 많이 쌓여 있는 곳으로 데려가 줄게."

"다 먹어도 돼?"

"물론."

"안 때려?"

"약속할게."

요셉이 눈을 데구루루 굴렸다.

그동안 학대를 받아온 깡마른 얼굴이 잠시간 고민에 빠졌다.

"좋아!"

요셉이 고개를 끄덕였다. 길리어스가 안도의 한숨을 내쉬었다. 물론 위험한 마법사를 데리고 가는 게 좋은 선택인지는 모르겠다. 하지만, 요셉을 자카리족에 둘 수도 없었고 이렇게 어린아이를 죽일 수도 없었다.

"어디로 갈 거야?"

"잠시만. 길리어스 님?"

몸을 회복한 기사가 손을 슬쩍 들었다.

"왜."

"……차라리 이 손발을 풀어달라고 하는 건 어떨까요? 지금 이대로는 도망쳐도 다시 잡히고 말걸요."

"아……."

거기까진 생각 못했다. 멋쩍은 얼굴로 길리어스가 헛기침을 했다. 그런 길리어스를 한심하게 보던 기사들이 혀를 쯧쯧 찼다. 그래도 비관과 죽음의 고통으로 가득 차 있던 어제보다는 훨씬 나은 풍경이었다. 길리어스를 막았던 기사가 덧붙였다.

"우리 짐을 되찾아서 도망치는 게 더 나을 것 같아요."

"일리 있는 말이야. 요셉, 이 족쇄를 망가뜨릴 수 있겠어?"

요셉이 고개를 끄덕였다.

"그러면 캐러멜 줘?"

"약속할게."

"좋아!"

자, 이제 받은 만큼 돌려줄 시간이다. 길리어스가 삐뚜름하게 웃었다.

역시나 그 모습은 힐라리아와 똑 닮아 있었다.

**

밤이 되자 어김없이 에벤에셀이 힐라리아를 찾아왔다.

"이제 괜찮은 건가요?"

"정말로 괜찮아요."

힐라리아가 눈을 곱게 접으며 웃었다. 차라리 곤드레스의 죽음까지 되짚어보고 오니 한결 나아졌다. 곤드레스는 힐라리아의 가족을 비롯해 수많은 이들을 죽였지만, 결국 힐라리아의 손에 죽었다. 이번에도 똑같은 운명을 맞이하게 될 것이다. 그렇게 생각하니 두려움은 말끔히 사라져버렸다. 힐라리아의 대답에 에벤에셀이 이마를 매만졌다.

"……걱정했어요. 오늘 내내."

힐라리아가 말없이 일어나 에벤에셀을 등 뒤에서 끌어안았다.

셔츠를 끄르던 에벤에셀이 굳었다.

"당신이 나를 지켜준다면서요. 내가 죽지 않게, 아프지 않게."

힐라리아가 에벤에셀의 몸을 돌렸다. 에벤에셀이 갈아입으려고 푸르던 셔츠의 단추를 힐라리아가 대신해서 풀기 시작했다.

"그러니 나는 더 이상 무섭지 않아요."

"……내가 무슨 일이냐 물어도 얘기해주지 않을 건가요?"

"알아서 좋을 게 없는 것들도 있는 법이에요, 에벤에셀."

힐라리아가 물 흐르듯이 대답하며 셔츠를 벗겼다. 바닥으로 툭 소리를 내며 떨어진 셔츠를 힐라리아가 발끝으로 치웠다. 여전히 조금은 창백하지만, 평소와 같은 표정으로 힐라리아가 미소 지었다. 에벤에셀의 맨 가슴 위에 손바닥을 가볍게 얹은 채로 힐라리아가 속삭였다.

"헬리오스 님은 아마테라스 님께 영원히 사그라지지 않을 사랑을 맹세했다죠?"

"……그래서?"

에벤에셀이 억눌린 목소리로 되물었다. 아무 이야기도 해주지 않는 힐라리아가 밉다. 혼자서 무거운 짐을 짊어지고 에벤에셀을 무력하게 만드는 힐라리아가 원망스럽다. 그럼에도.

"내일 불꽃 축제에서 당신은 헬리오스 님, 나는 아마테라스 님이 될 거야. 그러니까, 내게 맹세해봐."

미치게 사랑스럽다. 에벤에셀의 짙어진 시선을 받아치며 힐라리아가 에벤에셀의 가슴팍에 얹었던 손을 천천히 미끄러뜨렸다.

"몸과 마음을 다해서 말이야."

***

에벤에셀은 기꺼이 힐라리아에게 맹세했다. 수도 없이 사랑을 속삭이며 힐라리아의 품에 자신을 내던졌다. 절대로 변치 않을 영원한 사랑을.

"울지 마."

힐라리아가 흘리는 눈물을 손가락으로 훔치며 에벤에셀이 그 어느 때보다도 상냥한 목소리로 속삭였다.

"슬퍼서 우는 게 아니야."

힐라리아가 잔떨림이 남은 목소리로 대답했다.

"아파서 우는 것도 아니야."

속눈썹이 팔랑일 때마다 투명한 눈물이 힐라리아의 볼에 궤적을 남겼다.

"쉬이……."

힐라리아가 에벤에셀의 손을 잡고 볼을 비볐다. 따끈하게 달아오른 체온이 힐라리아에게로 전해졌다. 이대로 에벤에셀이 자신의 품 안에서 달콤하게 녹아버린대도 할 말이 없을 정도로 따뜻했다.

"당신이 날 지켜준다며. 그래서 그래……."

힐라리아가 눈을 감은 채로 말했다.

"너무 다정하니까, 그러니까. 내가 우는 건 당신 탓이야."

에벤에셀의 품에 있자니 안도감이 힐라리아를 휘어 감았다. 곤드레스로 인해 뻣뻣하게 굳어버렸던 마음이 녹아내렸다. 일말의 불안감도 당혹감도 전부 씻겨나갔다. 곤드레스는 힐라리아의 마음 한구석에도 남지 못했다.

***

모두의 예상대로, 그리고 라리나가 기대한 대로 힐라리아와 에벤에셀은 잘 어울리는 한 쌍으로 분했다. 조금씩 서늘해지고 있는 날씨 덕에 호숫가 곳곳에는 따뜻한 화롯불이 피어져 있었다. 들뜬 사람들은 화롯불 앞에서 불을 쬐다가도 추운 것도 잊고 웃으며 축제를 즐겼다.

그 속에 힐라리아와 에벤에셀이 있었다. 붉은 머리카락을 길게 늘어뜨리고 아마테라스가 즐겨 착용했다던 월계수 관을 썼다. 금빛을 주로 사용한 화장과 그와 같은 색의 하늘하늘한 드레스, 장신구. 힐라리아를 이루고 있는 모든 것은 신화 속에 등장하는 아마테라스 그 자체였다.

"사람이 정말 많네요. 기네비어의 불꽃 축제는 이렇게 성대하진 않았는데."

"마음에 듭니까, 황비?"

"네. 무척이나요."

힐라리아가 눈가를 곱게 접으며 웃었다.

물론, 불꽃 축제에는 이번에 윈프리드를 방문한 사절단도 참석해 있었다. 힐라리아와 에벤에셀을 승냥이처럼 힐끗대고 있던 곤드레스도 있었다. 곤드레스의 소매를 꾹 붙든 시종이 불안한 얼굴로 이곳저곳을 살폈다.

"최대한 멀리 떨어져 계십시오."

"왜?"

곤드레스가 이해가 가지 않는다는 듯이 물었다.

"제발요! 여기는 오스발트가 아니라 윈프리드입니다, 왕이시여."

"그러니까. 어차피 내 것이 될 땅이고 내 것이 될 여자야."

"전하……."

시종이 발을 동동 굴렀다.

어디로 튈지 모르는 왕 때문에 마음 졸이는 건 아랫것들 몫이었다.

"자카리족의 전사들이 황비의 혈육을 구금하고 있다지?"

"예."

"황태후가 황비의 손을 묶겠다고 무리수를 둔 보람이 있구만."

곤드레스가 낄낄 웃으며 입 안에 과일 열매를 던져 넣었다. 하지만, 그의 시선은 한 번도 힐라리아에게서 떨어지지 않았다.

'흐음.'

눈을 가늘게 뜨곤 콧노래를 부르는 곤드레스를 찾아온 건 황태후가 보낸 시녀장이었다. 소란스러운 축제를 틈타 접촉을 꾀한 것이다.

"전하."

"음?"

"황태후 마마께서 은밀히 찾으십니다."

곤드레스가 고개를 끄덕였다. 이곳에 놀러온 것은 아니니 할 일은 해야 했다. 황태후가 곤드레스를 기다리고 있었던 곳은 귀족들의 마차가 줄지어 늘어져 있는 곳이었다. 마부들이 한데 모여 우스갯소리를 하며 물담배를 피우고 있었으나, 아무도 마차 쪽에는 관심이 없어 보였다.

사실 귀족들의 값비싼 마차에 관심을 뒀다가 욕볼 이는 이 근방엔 없었다. 행사장을 중심으로 철저하게 경비대들이 둘러싸고 있는 까닭이었다. 곤드레스가 딴청을 피우는 척하다가 황태후의 마차 문을 열었다.

"곤드레스."

"오랜만에 뵙습니다, 마마."

곤드레스가 기분 좋게 눈웃음 쳤다. 황태후의 손등에 입을 맞춘 곤드레스가 마차에 훌쩍 올라탔다.

"저번엔 불미스러운 일로 제대로 인사도 하지 못하고 보냈네요. 그동안 잘 지냈나요?"

"예, 황태후 마마."

곤드레스가 마차 문을 닫았다. 이제 이 밀실 안에는 황태후와 곤드레스뿐이었다. 어떤 이야기를 해도 밖으로 새어 나가지 않으리라.

"곤드레스, 힐라리아 황비가 궁금하다고 했었나요?"

"예. 에벤에셀 황제를 사로잡은 여자라니. 대륙의 누구든 궁금해하고 있을 겁니다."

"직접 보니 어떻던가요?"

곤드레스가 빙글빙글 웃었다. 웃음이 맺힌 가느단 입가가 뱀처럼 사납다. 욕심으로 가득한 그 모습은 황태후와 꼭 닮아 있었다. 두 사람은 전혀 인지하지 못하고 있었지만.

"에벤에셀 황제가 왜 그리 집착하는지 알만하더군요."

"그래서?"

"힐라리아 황비를 우리 동맹의 증표로 삼으면 어떨까 싶습니다만."

"증표?"

황태후가 간드러지게 웃었다. 이것만큼 힐라리아에게 걸맞은 취급이 있던가. 촌구석이나 다름없는 기네비어의 공주에게는 과한 취급이었다. 그동안 힐라리아로 인해 앓았던 속병이 싹 가라앉는 기분이었다.

"아주 좋습니다. 힐라리아 황비의 향후 거취에 대한 문제는 곤드레스 왕께 일임하도록 하지요."

곤드레스의 웃음이 깊어졌다.

"듣기로는 올리비아 황비가 이벤트를 준비하고 있다고 합니다."

힐라리아를 실각시키기 위해서 오랜 시간 공을 들여 준비했다고 들었다. 아둔하고 허영심이 많긴 해도 멍청한 이는 아니니 이번 일은 제대로 처리할 것이 뻔했다. 자신의 목숨이 달린 일인데 아무렴. 에벤에셀이 황비라는 이유로 자비를 베풀지만 않았으면 에라스모 백작과 함께 지하 감옥에 갇혀 유명을 달리했어야 할 사람이었다.

'그러니 제 목숨을 건 게지.'

황태후가 비릿한 미소를 머금었다.

"그러니 분명 이번에 귀국하시는 길엔 힐라리아 황비와 동행하실 수 있을 겁니다. 제가 미리 드리는 선물이라 여겨주시지요."

"이런, 이리 귀한 선물을 주시다니. 저도 황태후 마마의 기대에 부응하도록 노력하겠습니다."

그렇게 모종의 이야기가 오가던 시각, 힐라리아와 에벤에셀은 불꽃 축제를 주도하고 있었다. 황실에서 직접 주최한 전국민적인 축제이니 만큼 많은 사람들로 북적이고 있었다. 북이 울리고 손바닥으로 장단을 맞추는 흥겨운 가락이 흘렀다. 사람들은 음악 소리에 맞춰 춤을 추고 있었고 그사이에는 힐라리아가 있었다. 전통대로 손목에는 아마테라스를 상징하는 꽃을 감은 힐라리아가 너울너울 움직였다.

"힐라리아는 춤도 잘 췄었던가요?"

실로테가 혀를 내두르며 물었다. 어수선함을 틈타서 실로테와 잠시 이야기를 나누던 베아트리체가 힐라리아를 힐끗 돌아보았다. 라리나가 힐라리아와 함께 장단을 맞추며 춤을 추고 있었다.

"아. 힐라리아가 몸과 머리 쓰는 일은 다 잘해요."

"그럼 못하는 게 없다는……."

"섬세한 작업은 그다지 못하는 편이에요. 바느질이나, 요리 같은."

베아트리체가 덤덤하게 대답했다.

"곧 황후가 되실 분이니 그런 사소한 것들은 못해도 상관없지요. 그렇다면 완벽한 사람이라는 뜻이군요."

제이나 또한 두 사람 사이에 끼어들었다. 수련을 열심히 하고 있어 좀 더 단단해진 팔이 도드라졌다. 허리춤에 매고 있는 검 또한 인상적이었는데 애초에 전쟁의 여신의 흉내를 낸 덕에 어색해 보이진 않았다. 제이나는 이전보다 훨씬 더 생기가 넘치는 표정을 하고 있었다.

베아트리체가 어깨를 으쓱했다.

"그런가요? 아, 실로테."

"음?"

"요새 힐라리아가 좀 이상해 보이지 않던가요?"

"힐라리아 황비가?"

"아무도 몰래 이상한 짓을 꾸미는 것 같다거나……. 그도 아니면, 이상한 짓을 저지를 것 같다거나."

"언젠 안 그랬나요?"

실로테가 이상하다는 듯이 물었다.

"미묘하게 좀 더 이상하다거나……."

베아트리체가 자신이 말해도 이상하다는 걸 깨닫곤 고개를 저었다. 하지만, 힐라리아가 너무 조용하다는 게 이상했다. 이미 사람들 사이에 마녀에 대한 소문이 파다하게 퍼져 있었다. 잊혔던 과거가 다시 수면 위로 떠올랐다. 사람을 잡아먹는다더라, 어린아이의 피를 쥐어짜 마법진을 그린다지, 그들이 저주한 이들은 편히 죽지도 못한다는데…… 등등.

베아트리체의 표정이 가라앉았다. 그녀가 모르는데 다른 사람들이 알 거라고 생각한 거 자체가 실수였다. 지금까지의 경험상 힐라리아가 마음먹고 일을 벌였다면 아무도 모르고 있을 공산이 컸다.

'얼마나 위험한 일을 벌이려고.'

베아트리체가 입술을 꾹 깨물었다.

"베아트리체."

그녀를 찾아온 네이선의 목소리를 듣고서야 베아트리체가 상념에서 벗어났다.

"여기 있었군요. 사라진 줄 알았어요."

"내가 어디로 사라져요. 친구들 좀 만나고 온다니까. 먼저 가볼게요."

베아트리체가 제이나와 실로테에게 가볍게 인사하고는 멀어졌다. 완벽히 힐라리아 노선을 타고 있는 제이나와 실로테의 곁에 너무 오래 머무는 건 위험했다. 사람들의 모든 관심을 끌고 있는 힐라리아와는 접촉이 아예 불가능했다. 가서 이야기를 나눠보고 싶은데, 힐라리아는 자신이 불리한 이야기는 하지 않으려고 들어서……. 베아트리체가 힐라리아가 있는 방향을 힐끔 보고는 한숨을 내쉬었다. 그런 그녀를 네이선이 재차 불렀다.

"왠지 베아트리체가 보이지 않으면 불안해서……."

어색하게 중얼거리는 네이선의 팔뚝을 베아트리체가 아프지 않게 때렸다.

"어린애예요? 왜 이렇게 보채. 알았어요. 다른 데 안 가고 딱 붙어 있을게."

베아트리체가 네이선의 팔짱을 낀 채로 사람들 사이로 끼어들었다.

'그래. 황제가 눈을 시퍼렇게 뜨고 있는데.'

힐라리아에게서 시선을 떼지 못하는 사람들 중엔 에벤에셀도 있었다. 힐라리아의 손끝, 발짓, 미소. 그 모든 것을 집요할 정도로 쫓고 있었으니 힐라리아가 무슨 짓을 벌이면 분명 가장 먼저 대처할 것이다. 베아트리체가 그것을 위안 삼아 힐라리아를 향한 걱정을 거둬들였다.

그러나 그건 실수였다. 힐라리아가 올리비아 황비를 군이 살려서 무관심 속에 방치한 데에는 이유가 있었을 텐데도. 분명 올리비아 황비를 이용해 못된 짓을 꾸미고 있다는 사실을 알고 있었는데도, 방관했다. 이상할 정도로 평온한 모습을 내보였던 것이 힐라리아가 의도적으로 연출한 상황이라는 걸 눈치채지 못한 것이다.

힐라리아가 멀어지는 베아트리체를 확인하고는 설핏 웃었다. 일부러 사람들 시선을 끄는 짓을 하고 있길 잘했다. 베아트리체는 옛날부터 감이 좋아서 지금쯤 힐라리아를 향해 날을 세우고 있을 줄 알았다.

"힐라리아?"

숨을 헐떡이며 라리나가 힐라리아를 불렀다. 분명 축제에 라리나의 가족들도 참석했음에도 그쪽은 거들떠보지도 않고 힐라리아와 어울리는 중이었다. 시벨로프 백작 부인은 어딘가 못마땅한 표정이었지만, 그것을 라리나에게 대놓고 표출하진 않았다.

"벌써 힘든 건 아니죠, 라리나?"

힐라리아는 의도적으로 라리나를 이용했다. 베아트리체의 의심을 피하고 에벤에셀을 적절히 속이기 위해서 열심히 춤추고 웃고 떠들고 있었다. 라리나가 볼을 붉힌 채로 웃음을 터뜨렸다.

"그럴 리가 있겠어요? 쉬지 말아요. 내가 보기보다 튼튼하답니다."

라리나가 힐라리아의 손을 끌어당겼다. 힐라리아가 기꺼이 라리나에게 동참했다. 불꽃 축제라는 전국민적인 행사에 몰려든 수많은 인파들 사이로 마녀에 대한 이야기가 퍼져나가고 있었다. 이 호숫가를 가득 메우고 있는 금빛 나비들이 정찰병 노릇을 톡톡히 하고 있었다. 물론, 황태후와 곤드레스의 대화도 고스란히 들었다.

'올리비아의 계략?'

이건 올리비아의 계략이 아니다. 힐라리아의 계략이지.

힐라리아가 서슬 퍼런 미소를 입가에 늘어뜨렸다.

'나를 원한다고?'

곤드레스는 힐라리아가 다녀온 미래에서나, 그리고 지금이나. 조금도 변한 게 없었다. 여전히 파렴치하고 해서는 안 되는 일을 염원했다.

'그렇다면 마녀를 찾아야겠네요.'

미지에 대한 불안감으로 사람들이 들썩이기 시작했다.

'마을에서 가장 오래 사신 어르신 말이 마녀는 불에 태워 죽여야 한다고 했어요. 머리를 잘라도 죽지 않는다네요?'

'요즘 우리 마을에서는 해가 지면 모두 방문을 닫고 나오지 않는답니다.'

'얼른 마녀를 잡아야지, 불안해서 살겠어요?'

힐라리아가 원했던 대로.

아주 만족스러운 얼굴로 힐라리아가 라리나를 끌어당겼다.

"좀 더 빨리 움직여요, 라리나. 지금 발이 놀고 있잖아요?"

"어머. 힐라리아가 너무 빠른 거예요!"

라리나와 힐라리아가 동시에 웃음을 터뜨렸다. 힐라리아가 아무 생각도 없는 것처럼, 말갛게 에벤에셀을 향해 손을 흔들었다. 에벤에셀의 푸르른 눈이 힐라리아에게 못 박혀 움직이지 않고 있었다.

이 또한 그녀가 바랐던 대로.

Chapter 12.
떠나는 길

불꽃 축제는 성황리에 막을 내렸다. 아마테라스와 헬리오스에 대한 이야기는 축제에 참석했던 이들을 통해 전국으로 퍼져나갔다. 곧 있으면 기네비어의 힐라리아가 황후가 될 거라는 주장이 팽배해졌다. 힐라리아는 그 속에서 침묵을 지키고 있었다. 물론 완전한 침묵은 아니지만.

발코니에서 새벽 동이 터오는 걸 지켜보던 힐라리아가 가운을 걸쳐 입고 응접실로 나갔다. 케이티와 첼로스테가 기다리고 있었다.

"첼로스테."

"예, 마마님."

"오늘인가?"

"그렇습니다."

첼로스테가 무겁게 고개를 끄덕였다. 첼로스테의 손에는 케이티가 직접 내어준 붉은 마석이 들려 있었다. 척 보기에도 불길해 보이는 색이 일렁이는 돌이었다.

"그동안 수고했어, 첼로스테."

"……한 가지만 여쭤봐도 될까요?"

힐라리아가 고개를 끄덕였다.

"대체 무슨 생각을 하고 계시는 거예요, 마마님……. 이 사실이 밝혀지면……."

"나라도 무사하지 못하겠지. 그걸 바라는 거야."

어차피 기네비어는 자카리족과의 전쟁 때문에 당장 건드리진 못할 것이다. 기네비어의 왕자가 자카리족에게 납치되었다는 이야기도 제국민 사이에 퍼져 있었다. 그들은 기네비어의 방어선이 깨지면 자카리족이 본국으로 흘러드는 것을 염려하고 있었다.

'어차피 돌아올 테니까.'

그때쯤엔 마녀에 대한 오명은 전부 벗겨져 있을 것이다. 힐라리아가 그렇게 만들 테니. 힐라리아가 첼로스테를 향해 손짓했다.

"이제 가, 첼로스테."

"……조심하세요."

힐라리아가 고개를 끄덕였다. 몇 번이고 망설이며 뒤를 돌아보던 첼로스테가 새벽 어스름 속으로 사라졌다. 힐라리아가 그것을 조금은 후련한 얼굴로 바라보았다. 케이티가 못마땅한 얼굴로 몇 번이고 입을 열려고 했지만, 도로 입을 꾹 닫아버렸다.

그리고 그날 오후였다.

올리비아 황비가 힐라리아를 마녀로 고발한 것은.

***

제이나의 3기사단이 자리를 잡아감에 따라 그녀의 활동 반경이 점점 넓어지고 있었다. 그래서 그녀는 힐라리아가 구금된 걸 알게 되자마자 위베르를 만나러 왔다. 기네비어 기사단이 사용하는 훈련장은 텅 비어 있었다. 그걸 확인한 제이나가 아무런 망설임도 없이 기사단이 사용하는 숙소로 뛰어갔다. 기사들은 그 안에 모여 있었는데 다들 기운 없이 축축 쳐져 있는 상태였다. 제이나가 그중에 한 사람을 붙들었다.

"이보게."

"엇. 제이나 님. 무슨 일이시죠?"

"지금 위베르 님은 어디에 있나요?"

"아……. 힐라리아 공주님 때문에 오셨구나. 한데 위베르 님을 만나러 가셔도 아무런 말도 못 들으실 거예요."

"왜죠?"

"상심에 빠져서 누워 계시거든요."

"예?"

아니 지금 이 시간에 누워 있으면 어쩌자는 거지?

"숙소가 어디예요?"

기사들이 하나같이 방문 하나를 가리켰다. 제이나가 아무런 거리낌도 없이 그 문을 열어젖혔다. 제이나에게도 위베르 같은 식솔들이 로마노프에 여럿 있었다.

"지금 이러고 계실 때예요? 힐라리아가 마녀라는 헛소문이 돌고 있는데!"

침대에 누워 있던 위베르가 깜짝 놀라 몸을 벌떡 일으켰다.

"깜짝이야……. 아무리 스스럼없는 게 기사라는 족속들이지만, 그래도 이건 아니지! 내가 창피하잖아! 얼른 나가십시오!"

위베르의 말에도 제이나는 꿈적도 하지 않았다. 두 팔을 허리에 얹고 서서 제이나가 소리를 버럭 질렀다. 정말, 이런 답답한 인사 같으니! 로마노프에 있는 제이나의 오빠들하고 다를 것이 없지 않나. 지금 이런 순간에 저렇게 누워 있을 게 뭐야. 제이나가 이불을 홱 하고 걷었다. 안 그래도 침대 이불을 축축하게 적시고 있던 위베르가 벌게진 눈으로 고개를 번쩍 들었다.

"지금 뭐 하는……!"

"울, 울고 있어요? 지금 이럴 때에? 힐라리아가 억울한 누명을 쓰고 쫓겨나게 생겼다구요!"

"그대는 힐라리아를 만난 지 얼마 되지 않아 모르는 소리를 하는군요."

위베르가 거친 손길로 옷깃을 여미고 침대 밑에 떨어져 있던 신발을 꿰어 신었다.

"그게 무슨 소리예요?"

"힐라리아가 벌인 일이라는 겁니다, 지금!"

"예?"

위베르가 머리카락을 쓸어 넘기고는 벌떡 일어섰다. 제이나가 아직도 위베르를 창피하게 만들고 있으니 그냥 이 방을 나설 생각이었다. 이런 일은 힐라리아로 인해 수도 없이 겪어봤기에 위베르도 어색하지 않았다. 다행인 건 힐라리아 때문에 옷을 반드시 입고 침대에 눕게 되었다는 점이다. 위베르가 제이나를 비켜 조심조심 방을 빠져나갔다. 멍하니 서 있던 제이나가 위베르의 뒤를 쫓았다.

"제대로 말씀해주세요. 하나도 이해가 가지 않으니까."

"힐라리아가 벌인 짓이라고! 설마 올리비아라는 여자가 하는 짓을 힐라리아가 몰랐을 거라고 생각하십니까? 그 애는 이 모든 상황을 손바닥 위에 올려놓고 있을 겁니다. 올리비아 황비가 지금 일을 벌인 것도 힐라리아의 뜻이겠지!"

"그게 뭐……."

"아직도 이해가 안 가십니까? 힐라리아는 이 성을 빠져나갈 핑계가 필요했던 겁니다! 해야 할 일이 있으니까! 지금을 위해 처음부터 준비했을 겁니다! 여기 있는 기사들이 괜히 가만히 처박혀 있는 줄 아십니까?"

위베르가 눈치를 보며 슬렁슬렁 돌아다니는 기사들을 손가락질 했다.

"해서는 안 되는 일이니까! 힐라리아를 구명하겠다고 나섰다가 일을 망치면? 힐라리아가 가만히 있을 것 같습니까? 그도 아니면, 힐라리아가 해야 할 일을 대신해줄 수 있습니까? 그 애는 하나가 아니라 수백 가지의 미래를 내다보고 움직입니다. 그 애는 나가서 해야 할 일이 있기에 황성을 나가려고 하는 거라구요. 아무도 말려선 안 되고 막아선 안 됩니다. 알아들으시겠습니까?"

위베르가 두서없이 외치며 씩씩거렸다.

제이나의 손이 축 늘어졌다. 일부러……?

"정확히 말씀드려요? 힐라리아는 우리 모두를 버리려는 겁니다. 처음부터, 예전부터 그랬어요. 우리가 거추장스러우니까, 절대로 도움을 청하지 않습니다!"

그 말에 울컥한 제이나가 이를 악물었다. 제이나가 힐라리아에게 받았던 검을 쥔 손에 힘을 주었다. 부들부들 떠는 제이나의 손에 검신의 차가운 느낌이 스며들었다.

"이런 멍청한 사람을 보았나."

제이나가 위베르를 노려보았다. 힐라리아가 제이나를 버릴 생각이었으면 검을 줬을 리가 없다. 그 고생을 하며 제이나를 기사단장으로 만들었을리 없다. 힐라리아는 수도 없이 많은 수를 내다본다고 하니 분명 제이나의 쓰임도 생각해두었을 것이다.

"뭐?"

위베르가 멍청히 되물었다.

"그렇게 울고 있을 시간에 움직여! 힐라리아에게 도움이 될 일을 찾으라고. 그 애가 대체 무슨 생각을 하고 이런 일을 벌인 건지 건너짚어 봐. 당신 말대로 나는 그 사람을 알게 된 지 오래되지 않았으니 무엇을 생각하는지 잘 몰라. 그러니 잘 생각하고 말해봐."

제이나가 자신의 검을 위베르를 향해 내밀었다.

"나는 이 검을 받았을 때 맹세했어. 무슨 수를 써서라도 힐라리아를 위해 일하겠다고. 그 사람을 혼자두지 않겠다고. 나 같은 여자를 기사단장으로 만들었을 때 나는 어느 정도 짐작하고 있었어. 힐라리아는 큰일을 할 사람이고 언제고 내가 필요하게 될 거라고."

"힐라리아는……."

"우리를 버린 게 아니라 믿은 거야! 우리를 믿고 이곳을 맡기는 거라고. 힐라리아는 기네비어를 사랑하고 윈프리드를 사랑하지. 그리고 그 애는 우리를 사랑해."

제이나가 따박따박 쏘아붙였다.

검집을 쥔 손을 밀어붙이며 제이나가 말을 이었다.

"이 검이 그걸 증명해. 이번엔 내가 힐라리아의 손을 잡아줄 차례야. 그러니까 힐라리아를 잘 아는 당신이 생각해내. 우리가 뭘 해야 할지."

제이나의 기세에 밀린 위베르가 뒷걸음질 치다가 자리에 주저앉았다. 생김새가 다른데 왠지 제이나에게서 힐라리아의 모습이 보이는 것만 같았다. 위베르의 눈빛이 흔들렸다.

"······하."

하긴. 힐라리아라도 그랬을 것이다. 위베르의 등짝을 내리치며 소리를 질렀겠지. 그럴 시간에 밥이나 먹으라고. 그사이 제이나가 씩씩거리며 몸을 돌려 숙소를 빠져나갔다. 그 뒷모습을 보며 위베르가 날 선 웃음을 터뜨렸다. 역시. 어머니 말이 맞았다. 현명한 사람의 말을 들으면 멍청한 짓은 안하게 된다고. 그리고 힐라리아의 주변에는 현명한 사람들이 포진해 있었다.

***

"제기랄!"

실로테가 고상하지 못한 욕설을 내뱉으며 쓰고 있던 모자를 내던졌다.

"갔던 일이 잘 안 된 건가요?"

불안한 얼굴로 방 안을 오가던 제이나가 물었다.

"로마노프에서는 소식 없었어요?"

"······고틀리프가 기승이라. 아직 고전을 면치 못하는 것 같더군요."

그렇다면 로마노프가 이번 청문회에서 힘을 발휘하는 건 힘들 것이다.

"그렇게 아첨하던 이들이 등을 돌렸어요. 아무도 힐라리아의 편을 들어주지 않아."

힐라리아가 구금된 지 하루. 내일은 힐라리아의 청문회가 예정되어 있었다.

올리비아는 힐라리아가 마녀라는 증거를 끊임없이 제출했다. 게다가 올리비아의 곁에는 힐라리아의 시녀장이었던 첼로스테도 있었다. 첼로스테는 아무런 증언도 하지 않았지만, 그녀의 존재만으로도 올리비아의 주장에 힘을 실어주었다.

이런 상황에서 스틸로즈 궁은 침묵을 유지하고 있었고 그건 블라디슬라프 본궁도 마찬가지였다. 황성 안에서 발을 동동 구르며 힐라리아를 구명하기 위해 노력하는 건 실로테와 제이나뿐이었다.

"……아. 위베르 님을 만나러 다녀온다고 하지 않았어요?"

"그에 관해 할 말이 있어요, 실로테."

"그 무슨……?"

"이 일의 배후가 힐라리아일 거라는 말을 들었어요. 힐라리아가 밖에 나가서 해야 할 일이 있을 거라고."

"위베르 님이?"

"예."

제이나의 대답에 실로테가 의자에 털썩 주저앉았다.

'생각해, 실로테.'

그래. 힐라리아에 대해서 잘 생각해, 실로테. 네가 고른 사람이잖아. 힐라리아가 이런 멍청하고 허술한 연극에 말려들 사람이었나? 아니지.

"그렇네……."

실로테가 헛웃음을 지었다. 베아트리체가 숨죽이고 아무 일도 안 할 때 알아차려야 했다. 그리고 에벤에셀 황제가 힐라리아를 구명하기 위해 이 일을 덮지 않을 때부터 알아차렸어야 했다. 왜 이번에도 늦은 것인지. 실로테가 신경질적으로 얼굴을 쓸었다.

"힐라리아는 그런 사람이었지. 그래. 이 일을 주도했으면 주도했지, 말려들 사람은 아니지."

"실로테. 안 놀라요?"

"네. 오히려 눈치채지 못한 게 미안할 지경이네요. 이러라고 힐라리아가 우리를 친구 삼은 게 아닐 텐데."

"그러게요. 나는 아예 생각도 못 했어요."

"나도 마찬가지인걸요."

"그럼 우린 어떻게 해야 할까요?"

"……힐라리아를 구명하기 위해서가 아니라, 그 애가 필요로 할 일을 해야겠죠."

"그건……."

"베아트리체 영애에게 은밀히 연락을 취해야겠어요."

제이나가 고개를 끄덕였다.

* * *

베아트리체가 밖을 내다보고 섰다가 커튼을 쳤다.

"기어이 사고를 쳤어."

짜증스럽게 중얼거리며 베아트리체가 한숨을 내쉬었다. 그리곤 서랍을 뒤져 이럴 때를 대비해 챙겨둔 마석들을 끌어모았다. 힐라리아는 원하는 일은 반드시 해내고야 마니, 도와줄 방법이나 찾아야 한다. 그리고 베아트리체가 지금 당장 할 수 있는 일은 이 마석들을 보내주는 거였다.

"왜 가만히 있습니까, 베아트리체? 힐라리아 황비가 변고를 당했는데요."

"힐라리아가 원하는 일이니 당연하죠. 나는 그 애를 위해 해줄 수 있는 걸 찾아야 해요."

"……힐라리아 황비도 그렇지만, 베아트리체도 대단하네요."

"그런 말은 아직 이르고."

베아트리체가 테이블을 짚은 채로 천천히 생각을 정리했다. 가만히 있던 힐라리아가 갑자기 일을 서둘렀다. 분명 그사이에 무슨 일이 있었을 것이다. 워낙 비밀이 많은 사람이니 힐라리아가 말하지 않은 것을 생각해내야 한다. 힐라리아가 말하지 않은 것. 그사이에 일어났던 특이한 일. 베아트리체가 이를 빠드득 갈았다. 그녀가 놓친 일!

'오스발트의 곤드레스!'

힐라리아의 이상은 곤드레스가 입국하고 시작되었다. 그 남자가 오스발트의 왕이라는 건 진즉에 알고 있었다. 힐라리아만 황성에 눈을 심어둔 것이 아니었으니까! 게다가 힐라리아가 하도 앞서서 일을 벌이니 베아트리체는 그 뒤를 쫓기 위해 항상 안간힘을 썼어야 했다.

"하하하. 잡았다."

힐라리아가 어디로 가려고 하는지 찾아냈다.

베아트리체가 테이블을 내리쳤다.

"힐라리아가 가려는 곳을 알아냈다구요!"

"어딜……?"

"오스발트! 힐라리아는 그곳으로 갈 거예요. 제기랄. 그럼 이제 나도 오스발트로 갈 준비를 해야겠어요."

"예?"

베아트리체가 방 밖으로 뛰어나가려다 말고 네이선을 향해 고개를 확 하고 돌렸다.

"오스발트요! 나도 갈 거예요! 그 멍청한 애는 분명 자기 목숨이라도 걸테니 내가 지켜줘야지요!"

"그, 그럼 나도……."

"그럼 안 되죠. 나는 지금부터 오래, 오래 아플 건데. 당신은 여기서 나를 간호해야죠."

베아트리체가 생긋 웃었다.

"당신은 끼어들 곳이 없어요. 그러니 여기서 기다리세요."

네이선을 가볍게 밀어낸 베아트리체가 문을 부드럽게 닫았다. 잠시 멍하니 있던 네이선이 너털웃음을 터뜨리며 자리에 앉았다.

"이것 봐. 대단한 사람들이라니까."

***

힐라리아를 위해 모든 걸 건 사람 중엔 라리나도 있었다. 힐라리아가 구금되기 무섭게 라리나가 궁을 나섰다. 이 일에 엮인 사람이 한둘이 아닐 텐데, 그중에 황태후도 있을 거라는 데에 모든 걸 걸 수 있었다. 힐라리아를 눈엣가시로 여기는 데다가, 목적을 위해서는 나라까지 팔아넘기는 사람이니까. 아직 마음을 정하지 못했는데, 라리나는 아직 힐라리아도 가족도 선택하지 못했는데…… 이렇게 움직이게 만든다.

라리나가 황태후의 침실을 마구잡이로 열어젖혔다. 힐라리아가 구금되었다는 소식에 만찬을 차리라 명하던 황태후가 함박웃음을 머금었다.

"언니!"

"라리나? 이런. 왜 이렇게 바쁘게 뛰어오는 거니. 함께 식사하겠니?"

"언니. 지금 그럴 때가 아니잖아요. 대체, 대체……. 힐라리아한테 무슨 짓을 한 거예요. 그 사람한테 무슨 짓을 하려는 거예요!"

"무슨 짓은. 원래 있어야 할 자리로 돌려보내는 것뿐이란다."

황태후가 아무런 동요도 없이 우아하게 찻잔을 기울였다.

라리나가 숨을 몰아쉬곤 방 안으로 들어섰다.

"그만해요."

"뭐를?"

"그만하시라구요! 지금 하시려는 모든 것들! 옳지 않은 그 일들!"

"……이런. 라리나. 그만해야 할 것은 너란다."

황태후가 서늘한 눈으로 라리나를 올려다보았다. 라리나의 희게 질린 얼굴이 황태후의 눈에 비쳤다. 안타깝고 가여운 내 딸. 그렇게만 여겨서는 저 아이에게 조금도 도움이 되지 않는다는 걸 안다. 그래서 힐라리아의 곁에 두었다. 힐라리아가 하는 것을 보고, 배우고, 좀 더 넓은 세상으로 나올 준비를 마쳤으면 해서. 그런데 하나도 변한 게 없는 모양이지.

황태후가 입술을 열었다.

"힐라리아에게 아무것도 배운 게 없느냐?"

"언니……."

"힐라리아 황비는 목적을 위해선 자신마저 내거는 사람이지. 그런데도 너는 여전히…… 어린애구나."

"언니가 옳지 못한 일을 하고 있다는 걸 알아요. 그걸 막아야 한다는 걸 알고요. 힐라리아가 옳은 길을 걷고 있다는 걸 저도 안다구요. 그러니까……."

"너는 뭐가 다른 줄 아니?"

황태후가 긴 한숨을 내쉬었다. 라리나가 착각하고 있는 게 있었다. 너무 순진하게만 키운 게 문제였던 걸까. 왜 자꾸 남들이 다 아는 사실을 잊어버리는 건지.

"네……?"

"너도 시벨로프다. 너 또한 나와 같은 핏줄을, 내 어머니의 핏줄을 이어받았다는 말이란다."

"……."

라리나의 얼굴이 좀 더 창백해졌다. 황태후가 빈 찻잔을 손수 채웠다.

"우리가 정의롭지 못하게 벌어들인 것들을 너 또한 누렸다. 우리가 정의롭지 못해서 얻어낸 것들을 너 또한 영위했지. 그런데 이제 와 너 혼자 고결한 것 같니?"

황태후의 눈빛이 서릿발처럼 라리나에게 꽂혔다.

"왜 몰라. 너 또한 똑같은 시벨로프라는 걸. 모두 다, 그렇게 생각한다는 걸."

라리나가 저도 모르게 뒷걸음질을 쳤다. 황태후의 말이 비수가 되어 라리나에게 박혔다. 언제나 다정했던 황태후가 라리나에게도 날을 드러내고 그녀를 헤집고 있었다. 얼어붙은 라리나는 아무 말도 하지 못한 채로 등을 돌려 그곳을 빠져나왔다. 세상이, 그녀의 정의가 무너졌다.

***

올리비아는 검붉은 색의 불길한 마석을 증거 자료로 제출했다.

처음에 사람들은 믿지 않았다. 기네비어는 붉은 여왕 티타니아가 이룩한 땅. 마녀 사냥의 악몽을 종결지었던 티타니아의 핏줄이 마녀라니. 그건 지난 역사를 부정하는 일이며 고귀한 티타니아를 모욕하는 일이었다. 게다가 가장 유력한 황후 후보로 거론되고 있는 사람 아니던가.

작금의 황실은 힐라리아가 아니라면 황실의 후계를 보는 일은 요원할 거라고 판단하고 있었다. 그렇게 모든 희망을 힐라리아에게 걸고 있는 지금 올리비아의 고발은 그리 달갑지 않은 것이었다. 물론, 몇 사람을 제외하고. 마음 편안하게 침대에 누워 책을 읽고 있는 힐라리아도 그 예외에 속해 있었다.

"마마님⋯⋯. 바깥에 얼마나 난리가 났는 줄 아십니까? 귀족들이 회의 중에 서로 멱살을 잡고 싸움이 붙었다더군요. 이 난리통에⋯⋯."

"의도했으니 그 또한 기뻐야 하는 일이지. 첼로스테는 올리비아 황비의 궁에 있는 거 맞지?"

"예. 후일은 걱정하지 마시랍니다."

"그렇게 든든한 사람이 있는데 내가 걱정할 게 무에 있어서."

힐라리아가 어깨를 으쓱했다. 사실 올리비아를 이용해 힐라리아를 마녀로 공표하게 하는 것은 오랜 계획 중에 하나였다. 힐라리아에게는 이 황성을 불명예스럽든 명예스럽든 나갈 수 있는 명분이 필요했다. 한데 일을 치고 보니 지금처럼 적당한 시기는 없었다는 생각이 들었다.

힐라리아가 마녀로 공표되고 나면 다른 이들이야 황성에서 얽힌 이들이니 그렇다 치지만, 오랫동안 연을 이어온 베아트리체는 함께 의심을 받기 마련이었다. 하지만, 베아트리체는 지금 네이선과 결혼을 앞두고 있는 몸

아니던가. 사람들은 마녀에게 홀렸던 베아트리체가 지금은 정신 차리고 빠져나왔다고 여길 게 분명했다.

게다가 위베르를 위시한 기네비어의 기사들이 지금 황성에 들어와 있었다. 남부의 해상 전쟁으로 로마노프와 황실 기사단의 일부는 남부에서 고전하는 중이었다. 그 비어버린 병력을 기네비어가 채운 것이다. 예로부터 기네비어의 기동력과 검술은 기사들 사이에서도 유명했으니 아무리 힐라리아가 마녀로 모함을 받는다고 하더라도 기네비어는 함부로 쳐내지 못할 것이다.

그리고 그와 같은 이유로 힐라리아를 함부로 죽이지도 못하겠지. 논란이 일자마자 귀족들은 힐라리아를 스틸로즈 궁에 구금해야 한다는 주장은 펼쳤지만, 그녀를 죽여야 한다는 말은 조금도 나오지 않고 있었다.

"곧 있으면 황제께서 오실 겁니다."

에벤에셀은 무언가를 많이 참고 있는 듯했다. 그의 속을 헤집은 힐라리아로서는 입이 열 개라도 할 말이 없는 입장이긴 했지만…….

"하아."

힐라리아가 읽고 있던 책을 덮었다. 유일하게 미안한 사람이 있다면 에벤에셀일 것이다. 이런 감정의 흔들림이 싫어서 사랑하지 않는다고 그토록 우겼는데, 돌이켜보니 미안한 일투성이였다.

힐라리아는 에벤에셀을 버리고 떠날 예정이니까.

곤드레스를 만난 이후로 힐라리아는 모든 계획을 수정해야 했다. 힐라리아가 미래를 바꾼 대가로 그녀도 새로운 국면을 맞이하게 된 것이다. 황성에 들어올 때만 해도 마녀의 누명을 쓰고 쫓겨난 뒤, 기네비어로 돌아가 전쟁에 대한 공을 세우고 마녀에 대한 그릇된 오해를 바로잡을 생각이었다. 그에 관련된 세부 계획은 이미 힐라리아의 머릿속에 촘촘히 짜여 있었다.

한데…….

'오스발트의 곤드레스입니다.'

여전히 끈적한 시선과 그 시선 너머로 느껴지는 선연한 탐욕. 조금도 변하지 않은 곤드레스를 이곳에서 보았을 때, 힐라리아는 그 모든 계획을 수정해야 했다. 힐라리아는, 기네비어가 아니라…… 오스발트로 갈 것이다.

곤드레스의 목을 취하기 위하여.

수장을 잃으면 그 아래는 오합지졸이 되어 흩어지는 법. 과정은 달라도 힐라리아가 원하는 결론에 도달하게 될 것은 자명했다.

"언제 오신다는데?"

그런데 이 완벽한 계획에서 힐라리아의 마음에 걸리는 것이 있다면 역시 단 하나.

"지금이요……?"

안 그래도 가까워지는 발걸음 소리가 들리던 참이었다. 힐라리아를 구금하고 3일째. 처음으로 에벤에셀이 힐라리아를 찾아온 것이다. 에벤에셀이 스산히 침실의 문을 열었다. 케이티가 빠르게 고개를 조아리고는 침실을 빠져나갔다.

"에벤에셀."

힐라리아의 부름에 에벤에셀의 음울한 얼굴이 그녀를 향했다. 처음이었다. 무슨 말을 해야 할지 모르겠다고 느낀 것은. 멀거니 에벤에셀을 보며 망설이고 있는 힐라리아를 향해 에벤에셀이 입술을 열었다.

"잘 있었어?"

에벤에셀이 터덜터덜 걸어와 힐라리아의 옆에 털썩 누웠다. 힐라리아를 향한 채 누운 에벤에셀의 푸른 눈이 어둡게 가라앉아 있었다.

"그대가 날 가둬놓고 뭘 물어. 나는 잘 있었지."

불꽃 축제가 있었던 날 밤, 올리비아의 고발이 있었고 다음 날 아침 힐라리아가 구금되었다. 힐라리아가 조심스럽게 손을 뻗었다. 에벤에셀의 머리카락을 뒤로 쓸어 넘기곤 그의 뺨에 손을 얹었다.

"올리비아 황비가 아주 단단히 준비를 했더군. 누군가가 돕지 않았으면 절대로 못 했을 정도로 치밀해. 고립되어 있었던 올리비아가 할만한 일은 아니었지."

에벤에셀이 눈을 감았다.

"그리고 나는 그리 치밀한 이를 알고 있지."

그의 목소리는 느릿하고 뜨문뜨문 끊기기까지 했다.

"스틸로즈 궁 정원에서, 그리고 홀에서, 온갖 곳에서 저주와 관련된 물품들이 쏟아져 나왔지. 죽은 쥐, 고양이, 개……. 무엇을 저주하려 했는지 혹독하게 찢긴 몰골이었어."

"에벤에셀……."

"지난 3일간. 나는 천천히 알아차렸지."

에벤에셀이 힘겹게 눈을 떴다.

새파란 창공 같은 눈에 시린 눈물이 맺혀 있었다.

"그대가…… 나를 버리려 한다는 사실을."

눈물이 떨어지는 속도는 지독히도 느렸다.

오롯하게 힐라리아를 눈에 담은 채로 소리 없이 눈물만을 흘리고 있었다.

"그대가 나를 떠나려 한다는 사실을 알아차렸지."

힐라리아가 차마 그 눈물을 닦아주지도 못한 채로 얼어붙었다. 에벤에셀의 눈물이 적시는 건 이불이 아니라 힐라리아의 마음이었다. 저 깊은 곳에 숨겨 두었던 보송보송하고 연약하고 따뜻한 힐라리아의 마음이 젖었다.

힐라리아가 입술을 깨물었다.

"그리고 나는 그것을 막지 못할 거라는 걸……."

"에벤에셀."

힐라리아가 잔뜩 가라앉은 음성으로 에벤에셀을 불렀다. 끊임없이 힐라리아의 마음을 적시는 눈물이 안타까워 저도 모르게 미간이 찌푸려졌다.

"내가 막아도 그대는 무슨 수를 써서라도 떠날 테니까."

"울지 마……."

이래서 사랑까진 하지 말라고 그리 일렀는데. 하긴 누굴 탓하겠는가. 여지를 준 것도, 종내엔 그 사랑을 받아들인 것도 힐라리아였던 것을.

"지켜달라며. 그대의 죽음도 내 탓이라며."

에벤에셀이 긴 한숨을 내쉬었다.

"지킬 수 있는 기회는 줘야지……."

떨리는 흐느낌이 말끝에 묻어났다. 에벤에셀의 어깨가 들썩이고 있었다. 이미 끝을 직감했었다. 힐라리아는 에벤에셀에게 부탁했다. 만약 힐라리아를 버려야 하는 순간이 온다면 망설이지 말아달라고. 그건 힐라리아도 그리하겠다는 말과 진배없었다. 힐라리아가 하는 모든 말 속에 숨겨져 있는 속뜻을 전부 읽고 있었음에도 그 순간의 행복에 취해 외면했다.

처음이었다.

에벤에셀을 이해하고 그가 하려는 일을 먼저 알아주고, 그의 깊은 곳에 숨겨져 있던 것들을 끄집어내 안아주고. 아무것도 아니라고, 스쳐 지나가는 바람일 뿐이라고 여겼던 마음이 언제 이렇게 깊어졌는지. 어느새 에벤에셀의 전부가 된 힐라리아를 잃어야 한다는 생각에 깊은 마음이 끝없이 아려왔다. 에벤에셀의 입술 사이로 어린애처럼 울음이 터져 나왔다.

"흐으……. 보이는 데는 있어야지…… 어디까지 가려고……."

소리 없었던 눈물은 어느새 깊은 마음을 동반한 채로 흘러내리고 있었다.

"……내 소원을 들어준다고 했었죠. 너구리는 아직 잡지 못했지만, 소원이 먼저일 수도 있는 거잖아."

힐라리아가 손끝으로 에벤에셀의 눈물을 더듬었다.

"원래는 나를 내보내달라는 소원을 빌려고 했었지. 황실의 이혼이 그렇게 쉽나."

"……."

"그런데 마음이 바뀌었어. 에벤에셀. 내가 없어도 울지 마."

"……내가 황제가 아니었으면 데려가달라고 졸라봤을 텐데."

힐라리아의 눈이 흔들렸다.

에벤에셀이 황제의 자리를 되찾기 위해 무엇을 걸었는지 알고 있다.

"그런 소리 하지 마……."

"내게 길은 황제가 되는 것뿐이었는데……. 지금은……."

어떡해. 아무리 쓸어도 흘러나오는 눈물이 멎질 않았다.

"가지 말라고 붙들면……."

힐라리아가 움직임을 멈췄다.

"내가 바닥에 엎드려 빌기라도 하면……. 안 가나……."

힘이 하나도 없는 물음이었다.

그리고 이미 답을 아는 질문이기도 했다. 에벤에셀이 도로 눈을 감았다.

"정말 바보 같잖아……."

차마 위로도 하지 못하고 한참을 에벤에셀의 곁에 누워 그를 지켜보았다. 이제 보니 흘러넘치는 건 눈물이 아니라 에벤에셀의 마음이었다. 힐라리아에게로 스며든 건 그의 사랑이었다. 황제의 위신을 마다하고 가지 말라 사정하는 애절함이었다. 에벤에셀의 눈물이 멎어갈 무렵이 되어서야 힐라리아가 고개를 돌렸다. 밖에는, 어느새 가을의 끝자락에 이른 밖에는 때이른 눈이 소리 없이 내리고 있었다. 탐스럽고 새하얀 눈이었다.

"……첫눈이네."

힐라리아를 따라 에벤에셀이 눈을 뜨자 하얀 세상이 비쳤다.

"……우리가 만난 건 봄이었는데. 나는 생각도 못 했지. 이 황성 안에 그대가 있을 줄이야."

힐라리아가 조곤조곤 속삭였다. 에벤에셀에게 가지 않겠다, 혹은 돌아오겠다 장담하진 못한다. 어떻게 될지 모르는 미래고 힐라리아가 약속할 수 있는 건 단 한 가지뿐이니.

"나를 홀릴 정도로 사랑스러운 그대가 있을 줄이야……."

그건 힐라리아만의 작은 고백이었다. 아직도 사랑한다 말할 여유는 없다. 사랑해도 그것을 터놓을 자신도 없었다. 그러기엔 힐라리아의 어깨에 짊어진 것들이 너무 많아 마음을 열 순 없었다. 에벤에셀이 손을 뻗어 힐라리아를 끌어안았다. 그의 품 안에 감겨 들어간 힐라리아의 어깨가 참 작았다.

이 작은 몸에 짊어지고 있는 건 뭐가 그리 많아서.

"붙잡지도 못하게……."

"그대에게 한 가지는 약속할 수 있어. 에벤에셀, 오스발트 연합은 내 손에 무너질 거야."

에벤에셀의 숨이 멎었다.

"곤드레스 왕은 내 손에 죽어."

기네비어에 사람을 보내 힐라리아의 비밀을 캐내려 했으나 아무도 입을 열지 않았다. 헬레나미아를 회유하고 공왕에게 몇 번이고 물었음에도. 그건 황성에 있는 기네비어의 기사들과 위베르도 마찬가지였다.

한데 힐라리아는 대체 무엇을 알고 있어서 곤드레스 왕의 죽음을 단언하는가. 에벤에셀이 조금 거친 손길로 힐라리아의 몸을 돌렸다. 그녀의 어깨를 억압한 채로 에벤에셀이 물었다.

"그다음은?"

"오스발트를 잡으면 저절로 너구리는 그대 손에 떨어지겠지."

"그다음은!"

힐라리아가 새하얗게 웃었다. 붉게 말려 올라간 입술은 아무런 대답을 꺼내놓지 않았다. 그리고 에벤에셀은 직감했다. 힐라리아가 자신의 죽음을 각오했다는 사실을. 여태껏 안 그런 순간이 없었지만, 이번에야말로 정말로 죽음을 향해 나아가고 있다는 사실을. 여전히 궁 안에서 미적거리고 있는 곤드레스를 쫓아 오스발트로 갈 생각인 거다. 에벤에셀의 손이 닿지 않는 곳에서 힐라리아는 그녀만의 전쟁을 하려는 것이다.

"많이 울진 말고."

힐라리아가 에벤에셀의 눈 위에 손을 얹었다.

"힘들면 기대기도 하고."

마치 주문을 외우는 것처럼 다정하게 속삭인다. 하지만, 끝까지 힐라리아는 에벤에셀에게 그 이상을 약속하지 않았다. 어쩌면 끝없는 희망 고문이 될 수도 있으니…… 에벤에셀을 이 이상 아프게 하고 싶지 않았다.

'그건 너무 잔인하잖아.'

***

힐라리아의 출궁이 결정되었다. 타오르다 한순간에 꺼져버린, 아름다운 황비의 추락을 구경하기 위해 사람들이 모여들었다. 검은 마차에 탄 힐라리아의 곁에는 한숨을 푹푹 내쉬는 케이티만이 함께였다. 왔을 때와 마찬가지로 단둘이 떠나게 된 것이다.

"시킨 것은? 제이나와 실로테에게 연락은 잘 취해두었니?"

"당연하지요. 제가 언제 명령을 허투루 여긴 적이 있었습니까?"

케이티가 부루퉁하게 말했다. 힐라리아가 무슨 생각을 하고 있는지 정말 모르겠다. 대체 왜 오스발트로 갈 마음을 먹은 건지도. 워낙 음흉하게 속내를 감추는 사람이라 그녀가 미래에서 어디까지 봤는지 힐라리아 말곤 아무도 모른다. 힐라리아가 가는 곳이라면 어디든 쫓아가는 케이티에게도 터놓지 않는 사람이니. 그게 불만이라 케이티의 입술은 삐죽 튀어나와 있었다.

"그런 표정 하지 마, 케이티."

"그래도 저는 데려가주셔서 얼마나 감사한지. 전에 베아트리체 영애께서 보내주신 마석이 넉넉해서 다행이에요. 길게는 3개월은 버틸 수 있을 듯한데……."

"그럼 나는 너를 데려와서 다행이네."

케이티가 콧방귀를 끼며 고개를 돌렸다. 하지만, 저도 모르게 풀리려는 기분은 어쩔 수 없었다. 힐라리아가 케이티의 안색을 살피고는 멀어지는 황성으로 고개를 돌렸다. 저 어딘가에서 에벤에셀이 힐라리아가 떠나는 길을 보고 있을 것이다.

'마음 아프게 만들고 있어.'

힐라리아가 입술을 꾹 깨물었다. 곤드레스에게서 발견한 욕망은 힐라리아를 향해 있었다. 가지고 싶은 것은 반드시 손에 넣어야 하는 성미인 데다가 에벤에셀을 향한 열등감으로 똘똘 뭉친 남자였다. 힐라리아가 마녀라는 오명을 쓰고 출궁하게 되면 곤드레스가 움직일 거라는 계산을 하는 건 그리 어렵지 않았다. 힐라리아를 뒤쫓고 있는 나비들이 계속해서 위험 신호를 보내고 있었다. 곤드레스가 시시각각 그녀를 향해 가까워지고 있다는 신호였다.

"케이티."

힐라리아의 푸른 눈이 금빛으로 일렁였다.

"예?"

"준비됐어? 나는 너를 어떻게든 데려갈 생각인데."

"공주님. 저는 공주님 가시는 곳은 어디든 가요."

"좋아. 앞으로도 잘 부탁할게."

이번이 저번과 다른 점이 있다면, 힐라리아는 혼자가 아니라는 것. 그리고 힐라리아가 지켜야 할 수많은 이들이 뒤에 남겨져 있다는 것. 복수가 아니라, 그들을 지키기 위해 가는 길이라는 것이다.

'이 정도면 희망적이지.'

점점 마차가 멈춰 서는 게 느껴졌다.

***

힐라리아의 힘이 황성을 떠나는 게 느껴졌다. 황성을 뒤덮고 있던 나비들이 하나, 둘 자취를 감추기 시작한 것이다. 에벤에셀은 그 모든 걸 실시간으로 느끼고 있었다. 우두커니 서 있는 에벤에셀의 주변을 나비 '힐'만이 떠돌고 있었다. 힐라리아의 유일한 흔적이었다. 그렇게 에벤에셀은 버려졌다.

***

힐라리아의 예상과는 다르게 그녀의 마차를 습격한 건 베아트리체였다.

"베베······?"

힐라리아의 동공이 확장되었다. 평소와 달리 승마복을 입은 베아트리체가 힐라리아를 매섭게 쏘아보고는 말없이 마석이 가득 든 주머니를 케이티에게 던졌다.

"혹시 몰라서 따로 모아둔 거야. 시간이 없으니까 내 말만 들어."

베아트리체의 뒤쪽으로 후작가의 기사들에게 제압당한 기사들이 보였다.

"곧 있으면 곤드레스 왕이 와. 네가 원하는 대로 오스발트로 가게 되겠지."

힐라리아가 상황을 파악하고는 느리게 고개를 끄덕였다. 베아트리체가 힐라리아를 구한답시고 온 게 아니라 보내주기 위해 배웅 온 것임을 깨달은 것이다. 힐라리아가 고요한 눈으로 베아트리체를 응시했다.

"거기 가서 기다려, 힐."

"뭐······?"

"죽어도 죽지 말고 어떻게든 살아남아서 나를 기다려. 내가 데리러 갈 테니까."

베아트리체가 빠르게 내뱉고는 뒤쪽을 살폈다.

"빨리! 대답해, 힐!"

그리곤 힐라리아를 향해 윽박질렀다. 이 마석을 전해주기 위해 무리를 해서 지금 이 시간을 만들었지만, 고작 3분의 시간도 되지 않았다. 멍하니 서서 긴 이별 인사를 할 순 없었다. 베아트리체의 다급한 시선이 힐라리아를 향했다. 단정히 묶은 붉은 머리카락과 어둡게 가라앉은 푸른 눈. 그 모습을 베아트리체가 두 눈에 꼭꼭 담았다. 거기서 조금만 다치기만 해.

오스발트고 뭐고 박살내 버릴 테니까.

"얼른 대답해!"

베아트리체의 말에 못 이긴 힐라리아가 고개를 천천히 끄덕였다. 이대로 시간을 끌었다가는 베아트리체도 위험해질 거라는 걸 안다. 그게 허황된 거짓 약속이라도 힐라리아는 해야 했다.

"기다릴게."

그제야 베아트리체가 안심한 듯이 마차에서 몸을 떼어냈다. 베아트리체가 마차에서 빠져나오기 무섭게 제너시스 후작가의 기사들도 움직였다. 차한잔 마시기도 빠듯한 시간이었다. 베아트리체는 구속에서 벗어난 기사들이 다시 대열을 갖추고 마차를 출발할 시간까지 계산한 듯, 곤드레스 왕이 도착하기도 전에 아무 일이 없었던 것처럼 상황을 정리했다.

힐라리아가 입술을 가렸다. 저도 모르게 떨리는 입술을 감추기 위함이었다. 그 모습을 지켜보던 케이티가 옅은 한숨과 함께 말했다.

"우셔도 되고, 웃으셔도 돼요……."

"안 울어."

힐라리아가 단호히 읊조리고는 눈가를 손바닥으로 덮었다.

'데리러 온다니.'

약속했으니 베아트리체는 반드시 올 것이다. 그러니…….

'반드시 살아 있으라는 거잖아.'

힐라리아가 실소를 터뜨렸다. 베아트리체 덕에 떠나는 길이, 조금은 외롭지 않았다. 설사 베아트리체로 인해 마음이 좀 더 무거워졌다 하더라도.

***

멀어지는 힐라리아의 마차를 숨어서 지켜보는 베아트리체도 멀쩡하진 않았다. 눈물을 꾹꾹 닦으며 모든 순간을 눈에 담았다. 곤드레스 왕이 느리게 움직이는 마차를 멈춰 세우고 힐라리아를 내리게 하는 모습도 전부 지켜보았다. 저 새끼가 힐라리아에게 무례를 범하진 않는지, 다치게 하지는 않는지.

"내리세요, 공주."

"……이게 무슨 무례이십니까."

마차에서 내린 힐라리아가 무감한 얼굴로 물었다. 모든 것을 알고 있어도 모르는 척 서늘한 얼굴이었다. 이 순간에도 천연덕스러운 게 힐라리아다워서 베아트리체가 실소를 흘렸다.

"아름다운 공주께서 부당한 일을 겪으신다 하여."

곤드레스 왕이 힐라리아의 손등에 입을 맞췄다.

"어울리는 자리로 모셔가기 위해 왔습니다."

베아트리체가 이를 갈며 나무에 손톱을 박았다.

죽여 버릴 거야, 저 새끼.

"죽고 싶나."

어? 베아트리체가 머리 위에서 들려오는 목소리에 고개를 바짝 치켜들었다. 예상치 못한 불청객에 제너시스 후작가의 기사들이 경계를 세우며 검을 위쪽으로 겨눴다. 소리 없이 움직이느라 느렸지만, 확실히 위협적이었다. 하지만, 나무 위에서 얼굴을 드러낸 이를 본 순간 도로 무기를 내릴 수밖에 없었다.

"……폐하?"

나무 위에 걸터앉아 있던 에벤에셀이 아래를 힐끗 보고는 말없이 고개를 돌렸다. 고작 이런 일에 힐라리아의 모습을 조금이라도 놓치고 싶지 않았다. 지금 가면 또 언제 보게 될지 모르는 사람이다. 기약 없는 긴 기다림을 이어가기 위해서는 지금이라도 힐라리아를 마음에 꾹꾹 담아둬야 한다. 아무런 방해도 없이 힐라리아만을 보고 싶었다.

그녀가 떠나는 길을 외롭지 않게 뒤에서나마 지키고 싶었다. 황제는 하지 못하는 일을 지금은 마음껏……. 지금쯤 스베인은 별안간 사라진 에벤에셀을 찾기 위해 정신없겠지만, 잠시간의 일탈은 괜찮지 않을까. 평생 단 한 번 마음에 담은 사람을 떠나보내야 하는 참이니.

물론, 베아트리체와 에벤에셀뿐만이 아니었다. 황성에 남은 실로테와 제이나, 라리나도. 힐라리아를 위해 청문회에서 아무 발언을 하지 못한 반에이크도. 멍청히 손을 놓고 힐라리아를 놓아버린 일리도. 그 외에 수많은 사람들이 힐라리아가 가는 길을 지켜보고 있었다.

힐라리아가 오스발트로 가는 그 험난한 여정을 마음이나마 함께한 것이다. 그 마음이 힐라리아에게도 닿았는지는 모를 일이지만.

***

힐라리아가 가는 모습을 목을 쭉 빼고 지켜보던 라리나가 어깨를 축 늘어뜨렸다. 힐라리아를 위해 아무것도 하지 못했다는 죄책감이 라리나를 괴롭게 했다. 황태후의 말이 맞았다. 시벨로프의 핏줄을 타고나 그들이 제공해주는 것을 누리며 살아왔다. 누구보다 부유하고 어려움은 한 톨도 모르게. 그건 부정할 수 없는 사실이었다. 이제 와 힐라리아를 위한다, 정의롭지 않은 일은 해선 안 된다 하는 것 자체가 모순이라는 걸 라리나도 인정한다.

"그래도……."

이제라도 바로 잡는 것과 끝까지 모른 척하는 건 다르지 않을까. 라리나가 겁이 나 펼쳐보지 못한 힐라리아의 마지막 편지를 만지작거렸다. 청문회에서 힐라리아의 퇴출이 결정되고 나서 케이티가 가져다준 편지였다. 여태껏 망설이다 펼쳐보지 못한 편지가 왠지 모르게 무겁게 느껴졌다. 라리나의 입술이 바르르 떨렸다. 케이티는 힐라리아의 말을 함께 전했다.

'진실을 마주할 용기가 있다면 펼쳐보라고 하셨습니다.'

진실. 아직도 라리나가 모르는 게 있다는 걸까? 그 진실은 또 얼마나 라리나를 파헤칠까. 두려우면서도 알고 싶었다. 라리나가 외면하면 이 진실은 무용하게 사라질 텐데 힐라리아의 마지막 편지를 그런 취급하고 싶진 않았다.

'용기를 내, 라리나.'

편협하지 않은 시선을 갖고 싶었다. 그래서 라리나는 힐라리아에게 부탁했다. 라리나가 여태껏 몰랐던 사실을 알고 그녀 스스로 선택하고 싶다고. 더 이상 끌려다니며 인생을 낭비하고 싶지 않다고. 그 말에 대한 책임을 져야 할 시간이었다. 라리나가 떨리는 손으로 편지봉투를 뜯었다.

숨을 죽이고 편지를 펼치는 라리나의 얼굴엔 비장함이 깃들어 있었다. 편지를 읽는 덴 그리 긴 시간이 소요되진 않았다. 하지만, 라리나는 수도 없이 그 편지를 읽고 또 읽었다.

"하……."

힐라리아가 라리나에게 숨겨왔던 진실은, 그리고 모두가 라리나에게 숨겼던 진실은 뼈를 아리게 할 정도로 아팠다. 창백하게 질린 라리나의 볼을 타고 뜨거운 눈물이 흘러 내렸다. 라리나와 네이선, 그리고 황태후. 라리나의 출생에 얽힌 더러운 진실은 생각보다 더 엄청났다.

"대체 당신의 정의는……."

이걸 정의라고 부를 수는 있는 건가? 애초에 네이선과 황태후에게는 어떤 기회도 없었다. 알케스터 자작의 핏줄이며 황실의 피는 조금도 섞이지 않은 부정 덩어리인 것을. 네이선과 라리나. 그들은 고귀한 시벨로프의 영애도 아니고 윈프리드의 황자도 아니었다. 황태후가 저지른 과거의 과오의 부산물일 뿐이었다.

네이선은, 황자가 아니다.

황제가 될 그릇이 아니다. 아무런 자격도 없다.

라리나가 바닥에 주저앉았다. 수도 없이 네이선을 황제로 만들어야 한다고 이야기해왔던 시벨로프의 가족들은 대체 어떤 생각을 하고 있는 걸까? 그냥 권력과 욕심에 눈이 먼 것이다. 힐라리아가 옳다. 황태후와 시벨로프에게는 조금의 정의도 사명도 없었다. 힐라리아가 정의였다!

라리나가 손바닥에 얼굴을 파묻었다.

"뭘 망설인 거야, 나는……."

그동안 힐라리아의 눈에 라리나가 얼마나 우습게 보였을까. 처음부터 답은 정해져 있었던 것을. 라리나의 작은 몸이 덩그러니 구겨진 채로 떨렸다. 진실은 가혹했고 힐라리아가 떠난 스틸로즈 궁은 너무나 추웠다. 그리고 힐라리아는 끝까지 라리나에게 친절했다. 딸깍- 문이 열렸다.

"라리나 영애."

낮은 중저음의 목소리에 라리나가 저도 모르게 고개를 치켜올렸다. 지금 여기서 들을 수 있을 거라고 기대도 하지 못한 목소리였다. 문이 열리고 들어온 건 흐트러진 차림새의 반에이크였다.

"반에이크 공……?"

"힐라리아 황비께서……."

반에이크가 말을 흐렸다. 힐라리아가 출궁하기 직전 사람을 보내 라리나를 부탁한다는 전언을 남겼다. 남긴 말은 그것뿐이었으나, 반에이크는 힐라리아의 마지막 부탁을 외면할 수 없었다. 반에이크가 어색하게 웃었다.

"그러고 있지 말고 일어나요, 라리나."

반에이크가 라리나를 향해 손을 내밀었다.

"힐라리아 황비께서 걱정하십니다."

그 말에 라리나가 떨리는 작은 손을 뻗었다.

반에이크의 손을 맞잡은 라리나가 천천히 몸을 일으켰다.

"나를요……?"

왜 끝까지 당신은……. 라리나의 얼굴이 왈칵 일그러졌다. 눈물이 잔뜩 고인 연푸른 눈이 일렁였다. 그대로 쏟아질 것 같은 눈물을 기어이 참아낸 라리나가 입술을 아득 깨물었다. 손에서 놓지 못하고 있던 편지를 스스로 벽난로로 던져 넣었다.

이걸 라리나가 알게 되었다는 건 비밀로 부쳐야 한다. 황태후를 비롯한 시벨로프가 라리나를 견제하게 되면 곤란하니까. 부들부들 떨리는 다리로 라리나가 반에이크의 팔뚝을 붙들었다. 그런 라리나의 행동을 반에이크는 말없이 지켜봐 주었다.

"괜찮습니까?"

"……괜찮아야죠. 내가 감당해야 할 걸 이제야 알게 된 것뿐인걸요."

단호하게 대답하는 라리나의 눈이 결연하게 빛났다. 그리곤 그녀는 한참을 침실을 둘러보았다. 언제 돌아오게 될지 모를, 아니. 돌아오지 못하게 될지도 모를 곳이었다. 이곳에서 라리나는 세상을 배웠고 알을 깨고 나오는 방법을 배웠다. 그리고 이제는 힐라리아가 그녀를 위해 틈새를 벌려준 문을 열고 나올 차례였다.

"가요, 반에이크 공."

"어디로 가실 겁니까?"

묵직한 질문을 던지자 라리나가 반에이크와 시선을 마주했다.

"……반에이크 공은 누굴 따르고 있어요? 세간에서 떠드는 대로 힐라리아와 황제를 배반했나요?"

직설적인 질문에 반에이크의 눈이 커졌다가 도로 작아졌다. 라리나의 질문이 지닌 무게를 깨달은 까닭이었다. 반에이크가 한숨과 함께 대답했다.

"……저는 윈프리드를 위해 일합니다."

라리나가 미간을 찌푸렸다. 윈프리드를 위해. 멍청한 건 라리나뿐이었다. 다들 옳은 길을 걷고 있었는데 라리나만 헷갈리고 있었다.

'바보 같아.'

라리나가 힘이 잔뜩 빠진 목소리로 대답했다.

"당신과 함께 갈래요. 그렇게 해줄래요?"

멈칫했던 반에이크가 고개를 끄덕였다. 어차피 변절자라 알려진 반에이크의 저택이다. 시벨로프에서도 별다른 의심 없이 라리나의 귀환을 받아들일 것이다. 나쁘지 않은 선택이다. 라리나는 새로운 선택을 했다.

이번엔 확신을 가진 채로.

***

힐라리아가 떠나고 남은 텅 빈 스틸로즈 궁에 은밀히 사람들이 모였다. 실로테와 제이나, 베아트리체가 그 주인공이었다. 마치 약속이나 한 것처럼, 그러나 아무런 약속도 없이 모인 것이다. 촛불이 피워졌다.

"다들 이렇게 모일 줄은 몰랐는데."

"……혼자서는 편지를 못 읽을 것 같아서요."

그들에게도 힐라리아는 마지막 편지를 남겼다. 세 사람은 동시에 시선을 마주쳤다가 작게 웃음을 터뜨렸다. 약속한 듯이 세 사람 다 편지를 들고 있었던 까닭이었다. 베아트리체와 제이나, 실로테가 편지를 동시에 펼쳤다.

세 사람은 한동안 침묵을 지켰다.

그리고 가장 먼저 편지에서 빠져나온 건 베아트리체였다.

"뭐라고 적혀 있어요?"

"하……."

실로테가 볼을 부풀리곤 입술을 삐죽였다.

"하던 일은 그대로 하래요."

"그리고?"

"……정원에 있는 일리를 데려가래요. 혼자 몸을 지킬 줄 모르는 건 나뿐이라고."

실로테가 고개를 내저었다. 마지막까지 힐라리아는 걱정뿐이었다. 제이나는 이제 기사단장이 되었고 베아트리체는 정령술사의 핏줄을 이었다. 스스로 몸을 지킬 방법이 없는 건 실로테뿐이었다. 그리고 그런 실로테를 위해 힐라리아는 일리를 남겼다. 유사시엔 일리가 방패가 되어 실로테를 지켜줄 터였다. 실로테가 고개를 확 하고 돌렸다.

베아트리체가 이번엔 제이나에게 시선을 돌렸다.

"……나를 의심하지 말래요. 무엇이든 할 수 있을 거라고."

제이나가 눈시울을 붉히며 고개를 숙였다. 힐라리아는 항상 제이나가 듣고 싶은 말만 해준다. 기사단장이라는 자리를 맡게 된 이후로 중압감에 시달렸던 제이나였다.

"나를…… 믿고 있다고."

힐라리아의 믿음은 제이나에겐 용기가 되었다.

그리고 베아트리체에겐.

"위험한 짓 하지 말라는군요."

베아트리체가 편지를 구겼다.

"마음에 안 들어. 자기는 위험한 짓만 골라 하는 주제에."

끝에는 물기가 묻어나는 목소리였다. 힘든 일은 다 자기가 떠안고 가면서 남은 이들 걱정뿐이다. 위험한 불길로 뛰어드는 건 정작 본인이면서. 베아트리체가 자신의 손바닥을 내려다보고 있다가 비장한 얼굴로 고개를 치켜들었다.

"제이나, 실로테."

"네?"

"나는…… 힐라리아를 데리러 갈 거예요. 그 애는 분명 자신의 목숨은 그냥 던져버릴 테니까. 내가 구해주려고."

"베아트리체. 그러면."

"오스발트로 갈 거예요. 힐라리아는 우리 모두를 구하러 그곳으로 갔으니 힐라리아를 구해줄 사람도 하나쯤은 있어야지."

"그럼 나도 가요."

실로테가 대뜸 말했다. 그녀의 금안은 불길처럼 타오르고 있었다.

"내가 선택한 사람이에요. 힐라리아가 이렇게 죽는 건 두고 보지 않아."

"아니요, 실로테. 실로테는 이곳에 남아서 해야 할 일이 많아요."

베아트리체가 고개를 저었다.

"내가요?"

"힐라리아는 반드시 내가 데리고 와요. 실로테는 힐라리아가 하던 일을 도와줘요."

"그게 무슨……."

"젤로스테와 은밀히 접촉해요. 분명 할 수 있는 일이 있을 테니까."

"그 여자는 힐라리아를 배신한 게 아니었나요?"

베아트리체가 고개를 저었다. 그녀의 말을 곱씹던 실로테가 생각에 잠긴 얼굴로 고개를 끄덕였다. 그다음은 제이나였다.

"난 갈래요, 베아트리체."

베아트리체가 생긋 웃었다.

"잘 생각했어요, 제이나. 훈련의 성과를 확인할 시간이군요. 제3기사단은 나하고 함께 가요."

"제3기사단도요?"

"황제께서도 기꺼이 허락하실 거예요. 그렇죠, 폐하?"

그녀의 시선은 아까부터 그림자가 어른거리던 침실 문 밖을 향해 있었다. 그리고 베아트리체의 예상대로 에벤에셀이 들어왔다. 텅 빈 궁을 지키고 있었던 건 제이나와 실로테, 베아트리체뿐만이 아니었다. 잠시 둘러앉은 그들을 바라보던 에벤에셀이 입을 열었다.

"짐은 돌아와라, 기다리겠다는 말도 하지 못했습니다. 힐라리아가 그 말에 묶여 눈도 감지 못할까 봐. 비루하고 용기 없는 짐을 대신해서 그 사람을 데려와 주겠습니까?"

서늘한 얼음장 같은 얼굴로.

"힐라리아를 만나면…… 짐이 기다리고 있다고 전해주겠습니까?"

전혀 차갑지 않은 말을 했다.

***

"마법사가 대단하긴 하구나."

지치지도 않는지 사막 위를 데구루루 구르며 뛰어다니는 요셉을 보고는 길리어스가 중얼거렸다. 자카리족에게서 여행에 필요한 물품과 낙타를 훔쳐 달아났음에도 속도가 나질 않았다. 마법사가 회복을 해주었다지만, 오랜 구금 생활과 고문으로 피로했기 때문이었다. 게다가 낮에는 뜨거운 햇살에 노출되고 밤에는 얼음장보다 차가운 모래 위에서 옹기종기 모여 잠을 청해야 했다. 체력이 떨어질 수밖에 없는 상황이었다.

그나마 다행인 것은 자카리족의 세력권에서 벗어났다는 것일 테지. 아직까지 남아 있는 캐러멜도 길리어스의 위안이었다. 작열하는 태양에 바짝 말라오는 목을 축일 물도 동나고 있는 마당에 캐러멜이 대수랴마는.

기네비어의 기사들은 사막에 익숙하지 않았고 오아시스의 위치를 알 길이 없었다. 그저 죽지 않기 위해 걷고 또 걸을 뿐. 길잡이가 되어주는 별이 떠오르는 밤이면 방향을 정하고 낮이면 끝없이 걸었다. 시간을 가늠할 수 없는 날들이었다.

"어? 길리어스 님!"

잔뜩 갈라진 기사의 부름에 길리어스가 요셉에게서 눈을 떼어냈다.

"무슨 일……. 다들 전투태세에 돌입한다."

사막을 횡단하는 이들을 종종 만나긴 했지만, 저렇게 무장한 무리를 만나는 건 처음이었다. 긴장감으로 입 안이 타들어 갔다.

'다들 지쳤어.'

검이나 제대로 들 수 있을지 의문인 상태였다. 길리어스가 까마득한 눈을 깜박였다. 지금 이 순간 떠오른 것은 부모님이 아닌 힐라리아였다. 선홍색 머리카락을 휘날리며 말을 달리던 힐라리아. 그 여린 몸으로 항상 기네비어의 기둥 역할을 하던 힐라리아.

'미안해……'

길리어스가 이 자리에서 죽게 된다면 누구보다 죄책감에 힘들어할 여동생이 가장 눈에 밟혔다. 그래 봐야 힐라리아도 인간일 뿐이면서 모든 걸 짊어지려 들었다. 그런 힐라리아에게 힘은 못 되어줄망정…….

길리어스가 검을 고쳐 쥐었다. 자꾸만 힘이 빠지는 손에 억지로 힘을 주고 눈을 부릅떴다. 최소한 힐라리아에게 최선을 다했노라고 전해지길 바라며 결의를 다졌다. 점점 가까워지는 그들이 어깨에 두르고 있는 두꺼운 망토가 모래바람에 펄럭였다. 새하얀색, 그리고 그 위에 새겨진 것은…….

"윈프리드 황제 폐하의 명을 받고 길리어스 님을 위시한 기네비어의 기사들을 구출하기 위해 파견된 정보국 3부서입니다."

쾌활한 목소리가 들려왔다. 가장 귀에 박힌 것은 '구출'이라는 단어였다.

'죽지 않는 건가……'

길리어스가 억지로 쥐고 있던 검을 떨어뜨렸다. 기사의 긍지인 검을 떨어뜨릴 만큼 길리어스의 몸에 누적된 피로와 고통이 지대했다. 무릎이 꺾이는 길리어스를 기사들이 간신히 부축했다.

"길리어스 기네비어 님, 맞으십니까?"

시리도록 푸른 머리카락을 가진 여자가 물었다.

"그렇소만."

"이거, 이거. 이번에도 허탕일까 얼마나 간을 졸였는지. 이렇게 뵙게 되어 다행입니다, 길리어스 님."

여자가 낙타 위에서 뛰어내렸다.

"자, 먼저 모시기 전에 확인해야 할 것이 있습니다만."

여자가 눈을 활꼴로 접으며 웃었다.

그 모습이 왠지 모르게 힐라리아를 연상시켰다.

"무슨……."

여자의 날카로운 손톱이 길리어스의 목을 향해 겨눠졌다. 차마 따라잡지 못할 정도로 빠른 움직임이었다. 안심하고 있던 기사들이 도로 검을 빼 들었다. 하지만, 그 위협 속에서도 여자는 아무렇지도 않은 듯 생글생글 웃고 있었다. 길리어스가 두 손을 천천히 들어 올렸다.

"말하시오. 검을 내려라."

"하지만……!"

"저들이 마음먹으면 우린 어차피 개죽음이야. 힘이라도 아껴서 가자고."

길리어스가 삐딱하게 중얼거리고는 음울한 눈으로 여자를 응시했다.

"자, 그럼 묻겠습니다. 길리어스 님, 그리고 기사분들. 혹여 자카리족과 친목을 도모하신 적이 있으신가요?"

친목? 기사들 사이에서 욕설이 터져 나왔다. 고문당했던 몸이 아직도 욱신욱신 쑤시는 것 같은데 무슨 친목 타령이란 말인가. 아우성인 그들 사이에서 그나마 길리어스가 침착하게 대꾸했다.

"자카리족과 내통했느냐고 묻고 있는 거요?"

"예. 그렇습니다만."

"……우리 중에는 그런 신의 없는 자는 없었소. 내가 장담하지."

"그 장담은 길리어스 님께서 하실 일이 아닙니다."

여자가 뒤쪽을 향해 손짓했다. 여자의 뒤로 나타난 남자는 어느새 요셉의 뒷덜미를 잡고 있었다. 발버둥을 치는 요셉을 어렵지 않게 구속한 남자가 턱을 쓸었다.

"가만히 있지 못하겠어? 내가 마법사라면 신물이 나는 사람이거든."

"하, 하지만, 아, 아저씨도 마법……."

"쉿. 그런 극비는 함부로 떠드는 게 아니지. 릴리, 내가 무엇을 하면 돼?"

남자가 새하얀 밧줄로 요셉을 동여매고는 어깨에 둘러멨다.

"거짓을 말하는 자를 색출해."

여자의 말과 동시에 남자의 손가락 끝에서 하얀 빛이 흘러나왔다. 그 빛은 길리어스와 기사들을 휘감고는 사라졌다. 멍하니 눈을 깜빡이던 새에 일어난 일이었다.

"다행히 내통한 자는 없는 모양이군요. 처음부터 저는 길리어스 님을 믿고 있었답니다."

거짓말. 길리어스가 저도 모르게 터져 나오려는 말을 삼켰다.

"자카리족 잔당은 어떻게 되었습니까?"

자연스럽게 손톱을 거두며 여자가 물었다. 여태까지 아무 일도 없었다는 듯이 시침을 뚝 뗀 얼굴이었다. 길리어스가 한숨을 내쉬고는 대답했다.

"이 사막 어딘가를 떠돌고 있겠지."

"이런……. 기네비어의 왕자님께서는 자비로우시군요."

여자가 눈살을 찌푸리고는 고개를 갸웃했다.

이걸 어떻게 해야 하나 고민하는 낯빛이었다.

"흠……. 일단 여러분을 모시겠습니다. 기네비어에서 목이 빠지게 기다리고 계시거든요. 물론, 황제 폐하께서도 여러분의 안위를 염려하셨고요."

만약 정보를 노출했을 경우 그대로 도록 냈을 사람이 말은 부드럽게 참 잘했다. 길리어스가 혀를 내두르고는 말했다.

"……고맙소."

"제게 말고……. 음. 힐라리아 황비 마마께 고마워하세요. 황제 폐하의 마음을 돌린 건 그분이시거든요."

"힐라리아……?"

"그건 나중에 이야기하시고. 일단 출발하겠습니다."

여자가 눈짓하자 마법사일 게 분명한 남자가 허공에 마법진을 그렸다. 피를 매개로 해야 마법진을 그릴 수 있었던 요셉과는 현저한 차이를 보이는 남자였다. 그리곤 눈이 부실 정도로 환한 빛이 쏟아져 나왔다. 너무 밝아 오히려 어둡게 느껴질 정도였다.

"잠시 편안히 쉬시길."

저도 모르게 편안한 잠에 빠져드는 길리어스와 기사들에게 여자가 속삭였다. 길리어스와 기사들의 신병을 확보했으니 이제 돌아갈 일만 남았다.

"임무 완료. 우리도 귀환하자."

길리어스와 기사들이 기네비어의 품으로 돌아갔다.

그건 불행 중 다행이었다.

***

힐라리아가 무심한 눈길로 마차 안을 살폈다. 곤드레스와 눈을 마주치고 있는 것보다는 나았기 때문이었다. 곤드레스는 아직까진 힐라리아에게 극복해야 할 적이었다. 마차를 구경하는 힐라리아를 싱글거리며 지켜보던 곤드레스가 입술을 열었다.

"태연하시네요. 이런 상황을 예견하신 건가요?"

힐라리아가 멈칫했다가 고개를 곤드레스를 향해 돌렸다. 힐라리아를 직시하는 눈빛은 여전히 탐욕에 절어 있었다. 역겨울 정도로.

"……글쎄요. 제가 능력이 출중하기는 한데 미래를 보는 방법은 몰라서요. 곤드레스 왕이시여."

"제 정체도 아시는 분이 겸손하시긴."

결국 돌려서 어떻게 곤드레스의 정체를 아느냐 묻는 거였다.

힐라리아가 침착하게 고개를 기울였다.

"저는 기네비어의 공주이며 윈프리드의 황비였어요. 이웃 나라 왕의 얼굴을 모르는 게 더 이상하지 않을까요?"

"그렇게 듣고 보니 또 그렇군요."

웃고 있는데도 곤드레스의 뱀처럼 간사한 분위기는 감춰지지 않았다. 간담이 서늘해지는 기분이다. 힐라리아 주변에 얼어붙은 나비들처럼.

'에벤에셀…….'

이 순간 가장 떠오르는 건 그녀를 지켜주겠노라고 선언했던 에벤에셀이었다. 지켜줄 기회를 달라고 간청했던 에벤에셀. 그 애틋하고 어여뻤던 얼굴이, 따뜻했던 눈물이 힐라리아에겐 용기가 되어주었다.

힐라리아는 차마 기다려달라고 말하지 못했고 에벤에셀은 기다리겠다고 말하지 못했다. 서로의 속내를 넘겨짚으며 말을 아끼고 또 아꼈다. 만약 에벤에셀이 기다리겠다고 말했더라면 힐라리아는 부담감을 느꼈을 것이다. 그 사실을 아는 듯이 에벤에셀은 아무 말도 하지 않았다. 힐라리아가 한숨을 삼키며 창밖으로 시선을 돌렸다.

"어디로 가는 건가요?"

"초원을 통해 오스발트로 갈 겁니다. 그때부터는 윈프리드의 추적도 끊기게 됩니다. 이제 힐라리아도 자유가 되는 것이지요."

곤드레스가 살갑게 말했다. 힐라리아의 연극에 동참해주기로 한 에벤에셀의 기사들이 마차의 뒤를 쫓고 있었다. 놓치지는 말고 그러나 잡아서는 안 되는 거리를 유지하며. 추적이라기보다는 배웅에 가까운 모양새였다.

'자유라니.'

힐라리아는 단 한 번도 자유롭지 못한 적이 없었다. 그녀의 모든 행동은 스스로의 선택에서 기인했으며 아무도 힐라리아가 나아가는 길을 막지 못했다. 한데 곤드레스는 무엇을 안다고 저리 멋대로 떠들어대는 걸까. 힐라리아의 침잠한 푸른 눈이 곤드레스를 스쳤다. 지금 힐라리아를 구속하고 있는 건 곤드레스, 본인인 것을.

"황제의 강압에 의한 정략결혼이라고 들었습니다."

상냥하고 다정하나 그 본질은 악마인 자의 속삭임처럼.

곤드레스가 부드럽게 미소 지으며 읊조렸다.

"다시는 그런 부당한 일은 겪지 않아도 될 겁니다. 오스발트는 윈프리드와 같지 않으니 말이지요."

"……그렇군요."

힐라리아가 마지못해 수긍했다. 곤드레스는 조금도 변화가 없이 똑같다. 스스로가 중심이자 자신의 말이 옳다는 신념으로 헛짓거리를 일삼는다. 타인의 의견은 묵살해도 자신의 의견은 중요한 인사였다. 힐라리아의 의견은 묻지도 않고 스스로가 내린 결론에 도취되어 있는 것만 봐도 그랬다.

"그나저나. 힐라리아가 이렇게 순순히 따라나설 줄이야. 나를 처음 보는 걸 텐데 두렵지 않았습니까?"

힐라리아가 느긋한 미소를 지었다.

"전하. 저는 기네비어의 공주로 자라 한 번도 두려움을 배워본 일이 없습니다. 오히려 황실에서 오명을 쓰고 쫓겨난 게 치욕이었지요. 저는 저를 버린 자를 돌아보지 않습니다."

"저런. 에벤에셀 황제가 크나큰 실수를 하였군. 이렇게 대단한 사람을 놓치다니."

곤드레스의 말이 짧아졌다. 아무래도 힐라리아가 완전히 자신에게 굴복했다고 생각하는 듯했다. 사람을 매혹시키는 게 어렵지 않듯, 힐라리아에게 사람을 속이는 것도 어려운 일이 아니었다. 힐라리아가 입술을 끌어 올렸다. 그녀의 시선 끝에 숨죽이고 입을 다물고 있는 케이티가 걸렸다. 다행히 곤드레스는 케이티의 동행을 허락했다. 힐라리아가 케이티를 확인하고는 천천히 입을 열었다.

"저도 그렇게 생각해요, 전하. 그래도 다행이지요. 제대로 된 세상을 구경할 기회를 얻게 되어서."

힐라리아가 창밖으로 시선을 돌렸다. 미래에서 힐라리아가 구경했던 세상은 피로 얼룩져 있었고 죽음이 만연해 있었다. 풀 한 포기 나부끼는 것조차 귀하던 세상이었다. 황성으로 향할 때 한 번. 그리고 지금. 제대로 된 세상이 힐라리아의 눈에 박혔다.

아직 저 먼 남부에는 가보지도 못했다. 만약 살아서 돌아오게 되면 로마노프가 있는 대륙 끝까지 가보고 싶었다. 그도 아니면 저 위에 북부까지 가보는 것도 좋을 것 같았다. 힐라리아가 지켜낸 세상을, 생명과 빛이 만연한 세상을 눈에 담고 싶었다. 할 수만 있다면.

***

"그런 명이라면 얼마든지 받들겠습니다."

베아트리체가 엄숙하게 대답했다. 힐라리아는 말은 안 했지만, 에벤에셀을 좋아한다. 그를 마음에 담고도 스스로를 속이는 일을 자행하고 있었지만, 베아트리체의 눈에는 보였다. 에벤에셀의 말은 힐라리아를 살게 할 것이다. 힐라리아에게 돌아올 힘과 원동력이 되어줄 것이다.

"제이나 황비."

"예, 폐하."

"지금부터 황비의 작위를 몰수합니다. 제이나는 일개 기사단장이 되는 겁니다. 정상적인 절차를 밟아야 하겠지만, 지금은 시간이 없습니다. 힐라리아를 쫓아 오스발트로 가주세요."

"기꺼이 따르겠습니다."

제이나가 바닥에 왼쪽 무릎을 꿇고 기사의 예를 차렸다. 에벤에셀의 말은 제이나에게 가장 큰 선물이나 다름없었다. 작위를 몰수한다는 건 황비로서의 폐위. 제이나는 이제부터 그녀가 원했던 삶을 살게 되는 것이다.

그다음, 에벤에셀의 시선이 실로테를 향했다.

"실로테 황비, 그대의 작위 또한 몰수합니다. 짐은 앞으로 실로테 황비가 어디로 가든 상관하지 않겠습니다. 하지만, 황비가 가는 길 끝에 힐라리아가 있으면 좋을 것 같습니다."

에벤에셀이 숨을 들이켜고는 읊조렸다.

"이것은 부탁입니다, 실로테."

"……감사합니다, 폐하."

실로테가 고개를 조아렸다. 황비는 제국의 국경을 넘을 수 없다. 에벤에셀은 제이나와 실로테를 옭아매고 있던 족쇄를 풀어준 것이다.

"그대들의 시녀들은 궁에 유폐될 겁니다. 힐라리아 황비의 실종을 이유로 두 궁의 문을 닫을 예정이거든요. 그러니, 그 전에 떠나셔야 합니다."

제이나와 실로테가 황성에 갇혀 있는 걸로 위장하겠다는 말이었다. 힐라리아가 떠날 준비를 하는 동안 에벤에셀은 힐라리아를 쫓을 준비를 했다. 힐라리아가 무슨 생각을 하는지 전부 짐작할 수는 없었지만, 위험으로 걸어 들어가려 한다는 건 짐작할 수 있었다.

스베인, 반에이크와 함께 제이나와 실로테, 베아트리체를 오스발트로 보낼 수 있는 방법을 강구했다. 제 3기사단은 아직 속한 이들이 적어 움직여도 그리 티가 나지 않을 테지만, 황비들은 아니다. 그래서 힐라리아의 실종을 이유 삼아 두 사람을 지키겠다는 명목으로 유폐하는 것이다.

에벤에셀이 뒤쪽을 향해 말했다.

"스베인."

"예, 폐하."

스베인이 세 개의 검은 주머니를 가지고 들어왔다. 다행히 세 사람이 떠나기 전에 기네비어의 도움을 얻어 물건을 준비할 수 있었다. 스베인이 주머니를 세 사람에게 나눠주었다.

"외모를 바꿔주는 마도구가 들어 있습니다. 기네비어의 기술자들이 만든 것이니 효과는 확실할 겁니다. 짐이 해줄 수 있는 건 여기까집니다."

에벤에셀이 메마른 볼을 쓸어내렸다.

"그러나. 짐이 바라는 건 매우 큽니다."

다시 손바닥 사이로 드러난 에벤에셀의 푸른 눈이 형형하게 빛났다. 에벤에셀이 베아트리체와 실로테, 제이나를 천천히 훑어보았다.

"힐라리아를 데리고 돌아와 주세요. 세 사람, 모두 무사히."

진심이 가득한 명령이었고 세 사람은 그 명을 받아들였다.

***

힐라리아는 초원을 통해서 이동할 거라는 말이 무엇인지 깨달았다. 미래에는 기절한 채로 납치되었기 때문에 알지 못했던 사실들을 지금은 여유롭게 즐기고 있었다. 마차는 마법으로 닦인 매끄러운 길을 빠르게 달리고 있었다. 마력이 짙게 느껴지는 것으로 보아 공간 이동 마법도 함께 걸려 있는 듯했다.

'앙큼한 짓을 잘도 저지르셨군.'

오스발트와 자카리족의 공생 관계가 궁금했는데 그 실체를 본 기분이었다. 자카리족은 마법사의 능력을 제공했다. 오스발트와 윈프리드를 잇는 길을 닦아준 것이다. 이러니 오스발트가 윈프리드를 침략하는 게 그토록 쉬운 일일 수밖에 없었을 것이다. 힐라리아의 짐작으로는 오스발트와 윈프리드 사이에 무기가 오가는 통로에도 이런 마법이 걸려 있을 가능성이 높았다. 힐라리아가 기이할 정도로 빠르게 변하는 풍경을 덤덤히 응시했다.

'이걸 역이용할 수 있으면 좋을 텐데.'

힐라리아가 그런 생각을 하고 있을 때, 곤드레스도 비슷한 생각을 하고 있었다. 윈프리드 황성을 떠나기 전에 황태후와 나누었던 대화를 회상하던 중이었다. 황태후는 힐라리아가 위험한 인물이라고 경고했었다.

***

곤드레스가 황태후의 방을 구경했다. 놓여 있는 장식품과 태피스트리, 햇살이 들어오는 각도까지 완벽히 계산된 방이었다. 고작 응접실이 이러할 진데 침실이 어떤 위용을 자랑할지는 굳이 생각해보지 않아도 알 것 같았다.

'온갖 사치품이 모여 있군.'

정갈함을 표방하고 있지만, 방 안을 구성하고 있는 하나하나가 최고급품이었다. 분명 황태후가 지금의 자리만 얌전히 지키고 있어도 평생 누릴 것이 자명한 것들이었다. 윈프리드의 황제는 사람들의 눈을 무시할 수 없는 위치였고 모범을 보일 필요가 있었다. 그러니 친모는 아니어도 어머니라 부르는 이를 버릴 수는 없었겠지. 한데 황태후는 더한 탐욕을 부리고 있었다.

'이래서 사람 욕심은 끝이 없다는 건가.'

곤드레스가 비릿한 미소를 감췄다. 밖에서 구두 소리가 들려왔기 때문이었다. 예상대로 응접실 문이 열렸다.

"그래도 떠나기 전에 이렇게 다시 만나게 되어 다행이군요."

황태후가 그린 듯이 미소를 지으며 인사를 건넸다. 곤드레스가 별 대답 없이 미소로 대신했다. 사실 할 말이 있는 쪽은 곤드레스였기에 황태후의 만남 요청을 거절할 수가 없었다.

"그나저나."

의자에 앉아 시녀에게 다과 준비를 지시한 황태후가 인자한 미소를 머금었다. 연푸른 눈은 감정 한 올 내비치지 않고 있었는데 입술만은 휘어진 표정이었다.

"왜 대체 아직도 연합이 미적거리고 있는 건가요?"

"이런. 말씀이 과하시군요. 그런 말씀을 하시면 제가 상처받을지도 모릅니다."

곤드레스가 능청스럽게 대답했다.

"사실 저도 그것에 관해 드릴 말씀이 있습니다, 황태후 마마."

황태후가 고개를 끄덕였다.

"이번에 보내주시기로 했던 무기가 오스발트에 도착하지 않았더군요."

"그, 무슨……."

당황으로 황태후의 음성이 파르라니 떨렸다.

"그제, 오스발트로부터 전언이 도착했습니다. 물건이 늦어지는 듯하여 근처까지 샅샅이 수색했지만, 물건이 국경을 넘은 흔적조차 없었다더군요."

황태후가 속눈썹을 아래로 내리깔며 이마를 짚었다.

인위적으로 덧그린 눈썹이 하늘 위로 치솟았다.

"하하하하하. 이, 빌어먹을, 힐라리아."

황태후가 고상함에 어울리지 않는 욕설을 천천히 내뱉었다. 까드득거리는 소리가 섞인 것으로 보아 이를 갈고 있는 듯했다.

"무슨 말씀이신지……?"

"이런 짓을 할 사람은 힐라리아밖에 없습니다. 영악하고 쓰는 수가 지저분한 사람이지요."

"하지만, 힐라리아 황비는 황성에서 함부로 나갈 수 없었을 텐데요. 북부까지 다녀올 여력이 되겠습니까? 혹 힐라리아 황비가 길게 궁을 비우기라도 했던가요?"

곤드레스의 물음에 황태후가 천천히 기억을 되짚었다. 워낙 눈에 띄는 데다가 사람들의 시선을 긁어모으는 힐라리아다. 그녀가 궁을 그렇게 오래 비웠다면 황태후가 몰랐을 리가 없었다. 황태후가 고개를 저었다.

"그렇지 않습니다. 하지만, 힐라리아 황비가 아니어도 일을 대신해줄 사람은 있었겠지요."

의심 가는 자들은 많았다. 요동치는 정세에 따라 사람들의 마음도 하루에 열두 번씩 변하고 있으니, 누구든 의심할 수 있었다.

'반에이크? 아니야. 그자는 완벽히 우리 쪽으로 넘어왔어. 베아트리체? 네이선이 영애와 돈독한 사이를 유지하고 있잖아. 네이선이 알아채지 못했을 리가 있나.'

가장 유력한 두 인물의 최근 행보를 되짚어 봐도 범인을 꼽아내긴 힘들었다. 사실 그 외에도 용의자는 많았다. 기네비어에서 올라온 기사들도 있었고 황실에는 힐라리아의 조력자가 가득했다.

"……제 예상이 맞을 겁니다. 겁이 없는 사람이라, 못 하는 짓이 없지요."

황태후가 이를 악물었다. 힐라리아가 그들의 거래를 알아차렸다는 것은, 에벤에셀도 알고 있다는 말이 된다. 분명 윈프리드에서 오스발트로 흘러 들어가는 무기의 출처를 조사했을 테니 그 배후에 누가 있는지 알아차리는 것도 시간문제다. 그린 듯이 고상한 황태후의 얼굴에 금이 갔다.

'분명히……'

열에 아홉은 황태후를 비롯한 네이선, 시벨로프를 의심하고 있을 가능성이 높았다. 황태후의 입지가 흔들리고 있는 것이다. 알아채지 못한 사이에 조금씩 발밑이 무너지고 있었다. 그렇다고 지금 다급함을 내보일 순 없었다. 황태후가 마음을 가다듬고는 입술을 천천히 열었다.

"……전쟁을 서두르셔야겠습니다. 이미 통로도 개통되었고 보낸 무기로도 충분히 전쟁을 치를 정도는 될 겁니다. 게다가 세 연합엔 기사들도 충분하지요."

"그렇기야 하지만. 힐라리아 황비가 한 짓임을 확신하십니까?"

"제 손목이라도 걸어야 한다면 걸지요. 힐라리아 황비를 오스발트로 데려간다고 하셨나요? 조심하셔야 할 겁니다. 주변에 사람을 붙이시고 항상 감시의 눈을 늦추지 마십시오.”

“힐라리아 황비가 마녀라는 추문에 대해선 주실 말씀이 없으십니까?”

“마녀?”

황태후가 실소했다.

“그런 존재들이 아직까지 남아 있었다면 예전에 탄로 났겠지요. 그건 전부 올리비아 황비가 꾸민 짓입니다. 황실은 과거에 저지른 실책을 밖으로 드러낼 수 없으니 마녀라는 누명을 쓰게 하면 힐라리아가 쫓겨날 걸 확신했겠지요.”

“전부 꾸며진 일이라는 말씀이시군요.”

곤드레스가 고개를 작게 끄덕였다. 황태후의 말도 일리가 있었다. 소문을 접하고 힐라리아 주변에 사람을 몰래 붙였지만, 아무런 움직임도 없었다. 마녀라고 단정 지어 청문회에 회부할 구실이 조금도 없었던 것이다. 하지만, 성내의 분위기는 힐라리아의 퇴출이 확실시되는 듯했다.

‘과거의 실책이라…….’

마녀사냥. 아마도 그것을 이야기하는 거겠지.

‘일반적인 이교도 숙청이 아니었던 건가.’

거기에 얽힌 비밀이 궁금했지만, 황태후가 얼버무린 것으로 보아 자세히 이야기해줄 것 같지는 않았다. 곤드레스가 의아함에 입맛을 다시니 황태후가 다시 한번 당부했다.

“정말로 조심하셔야 합니다. 제 말, 잊지 마세요.”

“예.”

***

그때의 대화를 곱씹으며 곤드레스가 힐라리아를 찬찬히 살폈다. 책상 위를 장식하기에 알맞은 기품과 아름다움이다. 곱슬거리는 머리카락을 길게 늘어뜨린 얼굴은 짙은 화장을 하지 않아도 빛이 나고 있었다. 게다가 가장 매력적인 건 역시 에벤에셀의 침대를 덮혔던 여자라는 점이겠지.

만약, 힐라리아가 임신이라도 했다면…….

곤드레스의 눈이 가늘어졌다. 에벤에셀이 미쳐 날뛰는 광경을 볼 수 있게 될 것이다. 여러 가지 계산을 마치고 모셔가는 참이다.

'위험이라.'

저리 곱게 웃는 낯, 어디를 봐서 위험을 짐작하겠는가. 하지만, 곤드레스는 의심이 많은 자였다. 황태후가 그렇게 여러 번 당부를 했을 때는 이유가 있었을 것이라 여겨졌다. 곤드레스가 힐라리아의 옆에 붙여 놓기 알맞은 인물을 머릿속으로 추려냈다.

"전하."

힐라리아의 나긋한 부름에 곤드레스가 흠칫 놀랐다. 무슨 생각을 하는지 꿰뚫어 보는 것 같은 새파란 눈이 곤드레스를 주시하고 있었다. 이유도 없이 간담이 서늘해지는 기분이다. 곤드레스가 고개를 짧게 끄덕였다.

"한 가지 청을 드려도 될까요?"

"얼마든지."

"제가 기네비어나 윈프리드를 벗어나 본 일이 없어 타국의 문화를 잘 알지 못합니다. 하여 청컨대, 제가 앞으로 오스발트에 적응하는 데 문제가 없도록 전속 시녀를 붙여주실 수 있을까요?"

"큼!"

속을 들킨 것 같아 곤드레스가 당황스러움에 헛기침을 했다. 하지만, 힐라리아는 천진난만한 표정으로 고개만 갸웃하고 있을 뿐이다.

"어려운 부탁일까요? 케이티가 일을 잘하는 시녀이기는 하지만, 저 애도 오스발트는 처음이어서요."

"……생각해보지. 적당한 인물이 있을 거요."

"감사합니다, 전하."

힐라리아가 눈을 활꼴로 휘며 웃었다. 지금 힐라리아는 라리나를 흉내 낸 것이다. 라리나의 천진난만함을 덮어쓰고 곤드레스를 속였다. 케이티가 작게 혀를 차는 소리가 들렸지만, 다행히도 곤드레스는 완전히 속은 것 같았다.

황태후가 곤드레스에게 아무런 주의도 주지 않았을 린 만무했다. 분명 언질을 받은 것이 있을 테니 짧은 여행을 지속하는 동안 곤드레스를 안심시킬 필요가 있었다. 힐라리아가 다음에 건넬 말을 고심하며 생긋 웃었다.

라리나처럼, 순진하게.

***

에벤에셀이 무감한 눈으로 귀족들을 훑어보았다. 힐라리아가 떠난 지금도 에벤에셀의 일상은 평소처럼 굴러가고 있었다. 그는 세상을 잃었는데 고작 가시 하나 뽑혀나간 것처럼. 속이 문드러지고 썩어 들어가도 에벤에셀은 괜찮은 척 연기해야 했다. 그리고 에벤에셀은 퍽 연기를 잘하는 편에 속했다.

"첫 번째로 논의해야 할 안건은……."

에벤에셀이 복위되어 돌아온 에라스모를 주시했다. 올리비아가 성내의 위험분자를 색출 및 고발한 공로를 인정받았고 에라스모는 자작가의 신분을 하사받았다. 에라스모 백작이 이미 타계한 탓에 자작 위는 에라스모의 먼 방계 친척이 이어받았다. 하지만, 에라스모의 기질은 어디 가질 않는지 벌써부터 황태후에게 줄을 대는 기색이 역력했다. 에벤에셀이 말을 이었다.

"올리비아 황비에 대한 안건입니다. 지난날, 올리비아 황비는 황성을 위험으로부터 구해낸 사실이 있습니다."

"그렇습니다, 폐하! 올리비아 황비 마마는 영특하고 사리분별이 뛰어난 분입니다. 지난날의 과오를 반성하고 이제는 황제 폐하께서 용서해주실 날만을 기다리고 계십니다."

눈치 없는 에라스모 자작이 나섰다. 에벤에셀의 서늘한 시선이 그를 향했다. 힐라리아는 무슨 생각으로 에라스모와 올리비아를 구명한 걸까. 애초에 마녀라는 오명을 뒤집어쓰고 모든 칼자루를 올리비아에게 넘긴 건 힐라리아였을 것이다. 황성에 나비들이 버젓이 돌아다니고 있는데 힐라리아가 모를 리가. 게다가 힐라리아의 전속 시녀장인 첼로스테도 올리비아에게로 넘기지 않았던가. 하필이면 올리비아다.

'그래서 더 돋보일 수 있는 건가?'

힐라리아가 어떤 속셈이 있는 게 분명한데 그녀가 떠난다는 사실에 정신이 팔려 묻지 못했다. 기네비어의 식솔들도 힐라리아가 하는 일들을 전부 알지는 못하는 듯하니……. 에벤에셀이 느른한 손길로 미간을 매만졌다.

올리비아의 화려한 복귀를 두고 사교계가 술렁이고 있었다. 힐라리아를 입 모아 찬양했던 이들이 돌아서서 올리비아를 찬양했다. 애초에 에라스모 백작가를 완전히 소탕하는 걸 막아선 이도 힐라리아였다는 것을 모르고. 올리비아가 목을 지키고 있는 게 누구 덕분인지도 모르고…….

'주제 파악도 못 하고 날뛰는군.'

에라스모 자작의 기대감 어린 얼굴이 역겨웠다. 힐라리아가 떠나고 바스러진 에벤에셀의 기저는 그의 감정을 휘청이게 했다. 웬만한 상황에서도 냉정을 유지하던 에벤에셀이 휘청거리는 것이다. 사나운 눈길을 에라스모에게 둔 채로 에벤에셀이 서늘하게 말을 내뱉었다.

"예. 그런 일이 있었지요. 하여, 올리비아 황비의 유폐를 풀어드리려 합니다."

"당연한 말씀이시지요! 그리고……."

에라스모 자작이 두 손을 비비며 간사하게 웃었다.

"황비께서는 큰 공을 세우셨으니 그보다 더한 상을 받으셔야 마땅하다고 사료됩니다. 지금 황성엔 올리비아 황비 마마 한 분만이 남아계십니다."

에벤에셀이 입술을 휘어 올렸다. 무슨 말을 하려는지 충분히 뒷말을 짐작할 수 있었다. 미간을 매만지던 손길이 멎고 천천히 고개를 들어 올린 에벤에셀이 실소를 터뜨렸다. 그의 기색을 눈치챈 귀족들은 고개를 숙이고 상황을 모면했다.

"그래서 드리는 말씀인데, 폐하. 제국의 역사상 이렇게 오랜 시간 동안 황후 마마의 자리가 비어 있었던 적은 없었습니다. 자고로 황후 마마의 자리가 채워지고 후계자가 태어나야 폐하의 자리도 굳건해지지 않겠습니까?"

너무 속 보이는데. 게다가 쓸데없이 사설이 길었다.

"그래서?"

에벤에셀의 말이 짧아졌다는 것을 에라스모 자작만이 눈치채지 못했다.

"올리비아 황비 마마를 황후의 자리에 책봉하심이 마땅한 것으로 사료됩니다, 폐하. 제 충정을 헤아려……."

"하하. 에라스모 자작."

말을 끊긴 에라스모 자작이 스스로가 하는 말에 도취되어 있다가 빠져나왔다. 그제야 에라스모 자작이 에벤에셀의 표정을 확인했다. 겨울날의 칼바람보다 더 매서운 시선이 자신을 향해 있다는 것도.

"재밌는 말을 하는군. 에라스모 가문은 씻을 수 없는 실책을 저질렀다. 준황족을 사살하려 하다니. 그런데, 그 죄를 용서받고도 모자라다 함인가? 그대들이 무엇이 그리 대단해서?"

"……딸꾹!"

놀란 에라스모 자작이 입을 틀어막았다. 고요한 듯 보였던 에벤에셀의 눈동자에 감정이 들끓고 있었다. 그러고 보니 아무도 에라스모 자작의 편을 들어주지 않고 있었다. 도와줄 이를 찾아 눈을 굴리는 에라스모 자작에게 에벤에셀이 말했다.

"황후는 완전무결해야 하지. 그리 원하면 짐이 올리비아 황비의 자격을 살펴보겠다. 아주 오래전 과거부터 훑어가며 말이지."

에라스모 자작이 침을 삼켰다.

"그, 그……."

"앞으로 그 목숨 연명하려면 말을 가려서 하는 법을 배워야 할 듯한데."

에벤에셀이 고개를 기울였다.

"짐의 인내심이 그리 길지 못할 것 같거든."

그건 에라스모 자작에겐 사형선고나 다름없었다.

***

목을 쭉 빼고 밖을 살피던 경비병의 눈이 동그랗게 커졌다.

"기, 길리어스 님이다!! 공왕 전하께 당장 보고해! 길리어스 님이 살아 돌아오셨어!"

악을 지르며 망루에서 뛰어 내려온 경비병이 동료들을 닦달했다. 그리고 그중 가장 달리기가 빠른 동료를 깨워 성으로 달리게 했다. 자다 깨서 머리에 투구도 제대로 쓰지 못하고 엉거주춤하게 뛰는 폼이 우스웠지만, 그 누구도 웃지 않았다. 동 터오는 새벽녘의 햇살 아래, 말들이 일으킨 모래바람에 둘러싸인 채 오고 있는 길리어스를 보았기 때문이었다.

사람들은 아무도 길리어스가 살아 돌아올 거라고 예상하지 못했다. 열에 아홉은 길리어스가 죽었을 거라고 얘기했고 경비병들도 대다수 그렇게 생각했다. 기네비어에서 수색대를 파견했으나 아무 흔적도 찾아내지 못했기 때문이었다. 황성에서도 수색대가 파견되었다는 것은 익히 알고 있었지만, 그들도 사막으로 떠난 지 몇 주가 지나도 돌아오지 못했는데…….

다시 망루 위로 뛰어 올라간 경비대가 북을 쳐서 긴급 상황을 알렸다. 그러자, 잠들어 있던 경비대원들이 모두 쏟아져 나왔다.

"뭐, 뭔데! 무슨 일인데 그래?"

제대로 옷도 추스르지 못한 동료들이 의아한 얼굴로 물었다.

"당장 문을 열어! 길리어스 님이 돌아오셨다! 길리어스 님이……!"

그럼에도, 모두가 마음속 깊이 바라왔던 그의 생환이었다.

***

"길리어스!"

헬레나미아가 길리어스를 품에 끌어안았다. 길리어스에게서 나는 악취는 조금도 신경 쓰이지 않는 듯 거침없는 손길이었다. 바짝 마른 길리어스의 등을 연신 쓸어내리며, 헬레나미아가 호흡을 가다듬었다.

"잘 돌아왔다. 살아서 돌아와 줘서 고맙다, 길리어스."

늘 침착한 헬레나미아답지 않게 떨리는 목소리였다.

"어머니……."

길리어스도 그녀를 마주 안았다.

"대체 어떻게 된 일이니?"

"황성에서 나온 정보국 사람들이 모두를 도왔습니다. 잠시 다녀올 곳이 있다고 갔는데 다시 돌아올 거예요. 여기서 할 일이 있다고 하더군요."

길리어스의 대답에 헬레나미아의 눈이 가늘어졌다. 곧 아들의 품 안에서 빠져나온 헬레나미아가 방 안을 서성였다. 정보국 사람들이 무슨 일로 자리를 비웠는지 짐작할 수 있을 것 같았다. 공왕이 이 이른 아침에 회의실로 간 것과 다르지 않을 테니.

'한 녀석이 돌아오니 한 녀석이 떠나는군.'

헬레나미아가 이를 악물었다. 힐라리아가 자진해서 오스발트로 떠났다는 소식은 이미 전해 들었다. 워낙 위험을 두려워하지 않는 아이이니 무슨 사고를 쳐도 칠 거라고 예상은 했는데, 생각보다 더 무모했다.

헬레나미아가 의아한 얼굴을 하는 길리어스를 힐끗 살폈다. 저 불같은 성격에 힐라리아가 오스발트로 갔다는 소식을 알게 되면 이 방을 박차고 나가 당장 그곳으로 말을 몰 녀석이었다. 하지만, 길리어스는 휴식을 취해야 했다.

"흐음⋯⋯."

헬레나미아가 눈살을 찌푸리고는 침음을 흘렸다.

"어머니⋯⋯?"

"목욕은 자고 일어나서 해도 괜찮겠지. 피곤해 보이는구나. 식사도 미리 준비해놓으라고 하마."

"갑자기 무슨, 컥!"

헬레나미아가 대답 대신 길리어스의 뒷목을 깔끔하게 내리쳤다. 거구의 몸이 앞으로 쏟아지는 것을 간신히 침대에 눕혔다. 할 말이 생각나지 않을 때는 이게 최고였다.

"휴우."

"공왕비 전하⋯⋯?"

"잘 살펴주시게."

헬레나미아는 얼떨떨한 목소리로 자신을 부르는 시종에게 이르고는 방을 나섰다. 늦었지만, 그녀도 아침 회의에 참석해야 할 것 같았다. 헬레나미아는 마침 복도를 지나가던 시종에게도 명령을 내렸다.

"곧 황실 사람들이 와서 나와 공왕 전하를 찾을 것이네. 그들을 회의실로 안내해주시게."

"예, 공왕비 전하."

하나같이 속을 안 썩이는 자식이 없다.

헬레나미아가 지끈거리는 머리를 꾹꾹 누르며 걸음을 옮겼다.

***

헬레나미아의 예상대로 정보국의 일원들은 황실에 연락을 취하고 있었다. 그들은 처음 기사단 수색을 위해 기네비어로 왔을 당시 공왕이 제공했던 숙소로 돌아와, 아무도 없는 방에 옹기종기 모여 앉았다. 마법사가 그린 마법진에서 붉은빛이 쏘아져 나왔다.

[릴리?]

마법진에서 흘러나온 것은 에벤에셀의 목소리였다.

"황제 폐하."

[어떻게 되었습니까?]

"기네비어의 기사들은 모두 생환했습니다."

[……다행이군요.]

"자카리족의 뒤는 밟지 못하고 사막에서 복귀해 정보국 대원 모두 기네비어 성에 있는 상황입니다. 다음 지침을 내려주세요."

마법진 너머에선 한동안 아무 말소리도 들려오지 않았다. 생각이 많은 듯 이따금 한숨 소리가 넘어왔을 뿐이었다. 그럼에도 정보국 사람들은 조금도 움직이지 않고 옹기종기 모여앉아 에벤에셀이 할 말을 기다렸다.

[그대들은 그곳에 남아 기네비어를 돕도록 하십시오. 오스발트는 곧 지도 위에서 사라지게 될 겁니다. 자카리족은 그들을 막기 위한 최후의 보루였으니 이제 쓸모를 다했습니다. 기네비어에 나의 뜻을 전달하고 자카리족을 몰살하십시오.]

"예, 폐하."

[그리고 한 가지 더. 곧 있으면 힐라리아를 돕기 위해 파견한 자들이 사막을 횡단할 겁니다. 그들이 무사히 오스발트로 갈 수 있도록 도와주세요.]

"예, 폐하. 그리하겠습니다. 걱정하지 마시고……."

너무 잠잠한 마법진 너머가 이상해 릴리가 말을 흐렸다.

"끊겼는데요?"

마법사의 말에 릴리가 입술을 삐죽였다.

"오늘따라 폐하께서 이상하시군."

"그러게요. 평소엔 웃는 얼굴로 살살 사람 약 올리시더니. 오늘은 되게 담백하셨죠?"

"게다가 미묘하게 목소리가 강압적이었어. 인사도 없이 연락을 끊어버리신 것도 이상하고.”

“아무래도…… 힐라리아 황비 마마 때문이겠죠?”

마법사의 말에 방 안에 있던 나머지 사람들 모두 동의했다.

“에휴. 돌아가느니 차라리 힐라리아 황비 마마 돌아오실 때까지 기다리는 게 나을 것 같네요.”

“나도 동의.”

“나도.”

사람들은 잘 모르는 에벤에셀의 본모습을 그들은 어느 정도 알고 있었다. 에벤에셀이 황위를 되찾을 때 함께 싸웠던 그들 아닌가. 에벤에셀이 어떤 얼굴로 검을 휘두르고 어떻게 사람을 죽이는지 전부 알고 있었다. 온화한 얼굴과는 달리 손속에는 자비가 없는 사람이었다. 오죽했으면 대원들 사이에 에벤에셀의 심장이 얼음으로 이루어져 있을 거라는 말이 돌았겠는가.

그런데 그 얼음덩이가 힐라리아를 만나서 사람처럼 굴었다. 아무래도 그녀의 생환에 윈프리드의 명운이 달려 있다는 생각을 지울 수가 없었다. 힐라리아를 돕기 위해 떠나는 이들이 누군지는 모르겠지만, 제발 성공하기만을 기원할 뿐이었다.

***

길리어스가 무사히 기네비어로 돌아온 무렵, 힐라리아도 무사히 오스발트 왕성에 입성했다. 벌써 두 번째 보는 풍경이었다. 오스발트의 천진한 사람들은 밖으로 나와 왕의 마차를 구경했다. 힐라리아가 그들의 면면을 살폈다. 아기를 안고 있는 여자, 꽃을 파는 노파, 까치발을 하고 있는 소년, 아이를 목마 태우고 있는 남자. 전쟁에 휘말려 허망한 목숨을 놓치기엔 너무 아까운 이들이다.

황태후와 손을 잡은 곤드레스 또한 자신의 목적을 위해선 다른 건 고려치 않는 사람이었다. 힐라리아는 미래에서 무리한 전쟁으로 목숨을 잃고 짓밟혔던 저들의 모습을 보았다. 그럼에도 곤드레스는 멈추지 않았고 마지막까지 백성들의 고혈을 짜내 전쟁을 이어갔다. 결과는 파멸이었다. 에벤에셀은 자비로운 군주가 아니었고 그에게 반기를 든 이들을 용서하지 않았다. 힐라리아가 오스발트에 온 것은 그런 비극을 막기 위함이었다.

힐라리아는 천천히 머릿속으로 그녀가 해야 할 일을 정리했다. 먼저, 곤드레스를 비롯한 연합 수장들을 사살해야 한다. 보통 그들은 오스발트에 모여서 탁상공론을 하곤 했으니 그리 어려운 일은 아닐 것이다. 힐라리아가 다루는 포악한 불의 정령들은 인간의 생명을 태워 없애는 데도 천부적인 재능이 있었으니까.

그리고 하나 더. 오스발트의 군대를 와해시켜야 한다. 전쟁은 무기 없이는 할 수 없다. 힐라리아는 그 무기고를 불살라 없애는 게 목적이었다. 힐라리아가 기억하는 무기고는 총 넷. 모든 무기고에서 한 번에 불이 나야 의심을 사지 않고 성공적으로 일을 마칠 수 있을 것이다.

'그 이후는…….'

아직 생각해보지 않았다. 이 일은 힐라리아 개인의 목숨이 우선시 되어서는 안 되는 일이었다. 하지만, 그 이후를 생각하게 되면 왠지 일을 성공하지 못할 것만 같았다. 겁이 나고. 두렵고. 자신을 아끼게 될 테니까.

"무엇을 그렇게 보고 있나?"

"오스발트의 거리를 보는 건 처음이라서요. 윈프리드와 다를 것이 없군요."

"그렇지. 그러니 오스발트가 윈프리드를 대신해 대륙을 지배할 자격도 충분하다고 보는데."

곤드레스가 눈웃음을 쳤다. 그 모습이 소름이 돋을 정도로 요사스러워 힐라리아가 주먹을 꾹 쥐었다. 자신의 감정을 티 내지 않기 위해서였다.

곤드레스의 말엔 어폐가 있었다. 애초에 오스발트는 윈프리드로부터 분리된 나라였다. 오스발트의 기틀을 닦고 나라를 정돈한 것은 오스발트 왕의 업적이 아니라 역대 윈프리드 황제의 업적이었다. 하지만, 힐라리아는 그것을 입 밖으로 내는 대신에 그저 고개를 끄덕였다.

"해서 힐라리아는 어떻게 생각하지?"

정말 이건 인내심을 요하는 일이군. 힐라리아는 잠시 여기서 곤드레스를 사살하고 다른 나라로 넘어갈까 고민했다. 하지만, 여기서 곤드레스를 죽여봤자 개죽음밖에 더 당하겠는가.

'참아.'

제발, 참아. 힐라리아. 힐라리아 주변의 나비들이 살기를 드러내고 삐이이익- 시끄러운 소리들로 울어댔다. 힐라리아의 감정에 공명한 것이다. 짙은 피비린내가 진동하는 것 같은 그 장면을 케이티가 넋을 놓고 보고 있었다. 케이티가 손을 더듬더듬 뻗어 힐라리아의 손을 잡았다.

'참으세요……'

정령들이 저대로 곤드레스를 한입에 꿀꺽해버릴까 걱정이었다. 힐라리아가 원하는 바를 이루기 위해서는 세 연합의 왕들이 한자리에 모이는 걸 기다려야 한다. 곤드레스가 먼저 사살되고 나면 나머지 둘은 몸을 사릴 테니.

'쉬운 일을 어렵게 만들지 마세요.'

케이티의 간절함이 통한 것일까, 힐라리아가 바들바들 웃으며 대답했다.

"예, 저도 그렇게 생각합니다. 오스발트에는 자격이 충분하지요."

힐라리아의 느릿한 대답에 곤드레스가 만족스럽게 웃었다. 다름 아닌 에벤에셀의 여자로부터 이런 대답을 들으니 아주 기꺼웠다. 힐라리아는 표정이 창백한 게, 오랜 마차 여행이 힘겨운 듯 보였다.

'정말 위험한 사람이 맞는 거야?'

곤드레스가 고개를 갸웃했다. 청초하니 아름다운 겉모습을 지닌 그녀는 건강이 좋지 않아 보였다. 시녀가 옆에서 노심초사하는 것으로 보아 언제든 쓰러질 것만 같았다. 대체…… 어디가 위험하다는 거지? 황태후는 힐라리아가 무슨 짓이든 저지를 수 있다고 경고했지만, 직접 겪어본 힐라리아는 온실 속 화초처럼 온순하고 연약했다.

"곧 윈프리드와의 전쟁이 시작될 거야. 나는 그때 힐라리아가 내 옆에 있었으면 좋겠어. 에벤에셀 황제가 어떤 얼굴을 할지 궁금하거든."

"그럴 수 있을 겁니다. 저 또한 궁금하군요. 저를 버린 남자가 어떤 얼굴을 할지."

"에벤에셀 황제는 심장이 얼음으로 만들어졌다던데. 아무 반응도 보이지 않는 게 아닐까?"

힐라리아가 생긋 웃으며 어깨를 으쓱했다. 그 모습은 무례로 비칠만했지만, 워낙 미소 지은 모습이 청초해 그냥 귀엽게 봐줄 수 있는 정도였다. 그렇게 힐라리아가 수도 없이 살인 충동을 억누르고 있을 때, 그들을 태운 마차가 왕성의 문턱을 넘었다.

힐라리아가 알기로는 오스발트가 윈프리드에 속해 있을 시절부터 존재했던 고성이었다. 들려오는 이야기에 따르면 드워프의 도움을 받아 지었다더니 그 오랜 시간에도 마모되지 않고 굳건히 자리를 지키고 있었다. 오스발트를 다스리던 영주의 반역으로 잃어버린 윈프리드의 역사였다. 윈프리드에 뿌리를 둔 자들이 제국을 망치려 들고 있었다.

'양심도 없이.'

힐라리아가 이를 악물었다. 점점 가까워지는 왕성이 증오스럽고 섬 했다. 미래에서 힐라리아는 이 성에서 죽었다. 마치 죽음으로 나아가는 느낌이랄까. 그 감정은 마차에서 내리니 극대화되었다.

힐라리아가 아는 얼굴들이 마차를 마중 나와 있었다. 소름이 돋은 팔을 감추기 위해 몸을 감싸 안았다. 저들 중에는 힐라리아를 가엽게 여긴 이도 있었고 몇몇 이들은 힐라리아를 싫어했다. 그리고 어떤 이들은 곤드레스의 광기를 받아주는 힐라리아를 고맙게 생각했다.

하지만, 결론적으로 저들은 곤드레스의 사람이었다. 저들은 힐라리아를 견제했으며 그녀의 행적을 전부 곤드레스에게 고해바쳤다. 전쟁으로 대부분의 힘을 소실한 힐라리아로선 회복하지 못한 몸으로 왕성과 맞서 싸운 것이다. 힐라리아의 시선이 천천히 그들을 훑었다. 그러면서도 그녀의 입술을 통해 흘러나오는 목소리는 여리고 부드럽기 그지없었다.

"처음 뵙겠습니다. 윈프리드의 힐라리아라고 합니다. 앞으로 오스발트에서 지내게 되었습니다. 잘 부탁드립니다."

마중 나와 있던 이들이 곤드레스의 눈치를 보았다. 그리곤 곤드레스가 고개를 끄덕이자 힐라리아에게 고개를 숙였다. 예전과 조금도 변한 게 없었다. 저들은 이번에도 힐라리아의 행적을 곤드레스에게 고해바칠 것이며 원한다면 언제든 힐라리아를 음해할 것이다.

'그래도 이번엔 그때와 달라.'

힐라리아에겐 힘과 케이티, 그리고 마석이 있었다. 순간, 강렬한 바람이 불었다. 힐라리아의 등을 떠미는 것처럼 강한 바람이었다. 바람은 힐라리아를 휩쓸고 다른 이들도 스쳐 지나갔다. 힐라리아의 주변에 있던 나비들이 그 바람을 타고 왕성 곳곳으로 날아가기 시작했다. 금빛 물결의 향연이었다.

힐라리아가 고개를 아래로 내리깔았다. 금색으로 변한 눈을 다른 이들이 볼까 걱정되었기 때문이었다. 하지만, 그 모습을 곤드레스는 다른 의미로 받아들인 모양이다.

"수줍어 말고. 착한 이들이지. 모자란 나를 도와 왕성을 꾸려나가고 있어. 그리고 앞으로는 힐라리아를 도와줄 사람들이야. 내게 충성을 다하는 이들이니 힐라리아의 마음에도 들 거라고 장담하지. 저들 중 몇을 추려 그대에게 보내줄 거야."

"고맙습니다, 전하."

"고맙긴. 앞으로 왕성에 적응하는 데 온 힘을 다하도록 해. 다른 건 신경 쓰지 말고."

곤드레스가 힐라리아의 등을 부드럽게 감쌌다.

'아, 손부터 잘라야겠군.'

곤드레스를 죽일 때 그래야겠다고 생각하며 힐라리아가 어색하게 미소 지었다.

"큽! 갑자기 목이 따갑군."

그거야 당연하지. 힐라리아의 분노를 덧입은 커다란 나비가 곤드레스의 목덜미에 들러붙었으니까! 그러나 이를 눈치채지 못한 곤드레스가 눈살을 찌푸리고는 힐라리아의 허리를 끌어당겼다.

'그다음은 팔.'

힐라리아가 이를 아득 갈았다.

***

힐라리아가 누군가를 향한 살의를 불태우고 있을 무렵, 에벤에셀도 누군가를 향한 살의를 불태우고 있었다. 첼로스테를 대동하고 나타난 올리비아가 그 주인공이었다. 힐라리아가 떠난 이후로 에벤에셀의 심사가 어그러졌다는 걸 눈치 없는 올리비아는 조금도 모를 것이다. 예전보다 더 화려한 치장을 한 올리비아가 입술을 열었다.

"폐하."

에벤에셀이 일하고 있는 집무실에 난입해 황제의 허락도 없이 반에이크와 스베인을 내쫓은 올리비아가 뻔뻔스럽게 입을 열었다.

"얼마 전에 폐하께서 에라스모 자작에게 모욕을 주셨다고 들었습니다."

"그래서? 짐이 그래선 안 되는 이유가 있나?"

"폐하……. 에라스모 가문은 말도 안 되는 누명을 쓰고 큰일을 겪었습니다. 그 점을 헤아려주셔야지요. 게다가 저도 폐하를 위해, 그리고 이 제국을 위해 큰일을 해내지 않았습니까."

올리비아가 한 걸음, 에벤에셀을 향해 다가왔다.

"마녀를 색출해내 황성 밖으로 내쫓았지요. 그것만으로도 이 나라를 위해 큰 공훈을 세웠다고 생각합니다. 물론, 그 와중에 힐라리아 황비가 실종되는 큰일이 있었지만, 그게 무슨 상관이던가요. 이렇게 우리가 황성에 남은 게 중요하지요."

올리비아가 눈웃음을 치며 한 걸음 더 다가왔다. 책상을 사이에 두고 올리비아와 에벤에셀의 간격이 점차 가까워지고 있었다. 훅 끼치는 화장품의 냄새에 에벤에셀의 눈살이 찌푸려졌다. 얼마나 들이부은 건지, 독한 향수 냄새에 예민한 에벤에셀의 코끝이 아플 지경이었다. 올리비아가 다가온 만큼 에벤에셀이 몸을 물렸다.

"폐하……. 이젠 우리 둘뿐입니다. 우리가 잘 해내야 황성도 이 위기를 잘 이겨낼 수 있지 않겠습니까?"

위기를 이겨내? 에라스모 자작은 지금 황태후에게 가서 비비느라 정신이 없을 텐데. 나라를 팔아먹는 파렴치한들 주제에 입은 뚫렸다고. 에벤에셀이 서늘한 시선을 올리비아에게로 던졌다. 하지만, 올리비아는 자신이 하는 말에 도취되어 다른 것은 일절 신경 쓰지 않는 눈치였다.

"그리고 한 가지 부탁을 드려도 될까요? 저는 황성을 구한 몸이니 작은 부탁은 드릴 수 있다고 생각합니다. 실로테 황비와 제이나 황비의 신병을 제게 넘겨주세요."

말도 안 되는 요구를 당당하게도 한다. 올리비아의 뒤쪽으로 고개를 조아리고 있는 첼로스테가 보였다. 힐라리아가 올리비아에게 남겨두었으니 분명 쓰임이 있을 것인데. 왜 이 상황을 막을 생각은 못 한 거지?

에벤에셀이 짜증스럽게 머리를 쓸어 올렸다.

"올리비아 황비."

"예, 폐하!"

"그게 말이 된다고 여기는 건가?"

"……예?"

여태까지 에벤에셀이 말이 없던 것을 수긍의 의미로 생각했던 올리비아가 고개를 치켜들었다. 에벤에셀이 몸을 일으켰다. 그가 책상을 짚고 허리를 수그린 채로 올리비아를 향해 사나운 눈빛을 했다.

"로마노프나 클라리넷이나. 저 바닥에 기어 다니는 에라스모와는 비교도 되지 않는 지체 높은 가문들이지."

올리비아의 얼굴이 빨갛게 달아올랐다.

"하, 하지만, 저는!"

"그들이 구금되어 있다고 한들 그게 달라지는 사실인가? 대체 왜 이렇게 천지 분간을 못 하고 날뛰는 거지? 누가 감히 집무실의 문을 열어주었나. 시종? 시녀? 그 무책임하고 할 일을 못 하는 자의 목을 벨 테니 당장 말해봐."

올리비아가 다가왔던 걸음만큼 뒤로 물러섰다. 에벤에셀이 진심이라는 게 느껴졌다. 올리비아의 입술이 파르르 떨렸다.

"제, 제게 이러시면……!"

"안 되는 이유가 뭘까. 이 제국은 짐의 것이고 그대는 그저 한 톨도 되지 않는 존재인데."

"폐하!!"

올리비아가 독기 어린 눈빛으로 고개를 저었다. 이럴 때가 아니지. 이대로 에벤에셀에게 져서는 안 된다. 지금처럼 그가 연인의 배신으로 상심에 빠져 있을 때 자신의 역할이 중요했다. 에벤에셀이 사랑하는 건 올리비아여야 한다. 그래야 에벤에셀을 구명할 수 있다.

에벤에셀을 꼬여내 황제의 자리를 내놓게 하고 황태후에게 그 자리를 가져다 바치는 거다. 그러면 황태후도 자비로움을 발휘해 에벤에셀이 올리비아와 조용히 살아가는 걸 봐줄 수도 있다. 하지만, 그건 에벤에셀이 올리비아를 사랑한다는 가정하에 해줄 수 있는 일이었다.

"이러시면 후회하실 겁니다."

올리비아가 아득바득 에벤에셀을 향해 걸었다.

"제가 폐하를 위해 어디까지 할 수 있는지 아시고요."

"아무것도 안 하는 게 돕는 거겠지."

에벤에셀이 지긋지긋하다는 듯이 읊조렸다. 힐라리아가 남겨두고 간 이 티끌이 너무 거대해서 두통이 올 지경이었다. 하지만, 힐라리아의 뜻을 이뤄주기 위해서는 오만방자한 올리비아의 행태를 참아 넘겨야 했다.

에벤에셀이 첼로스테를 향해 손짓했다.

"모시고 나가게. 다시는 이런 일이 있어선 안 될 거야."

"네, 폐하."

첼로스테가 고개를 조아리며 대답했다. 반항하는 올리비아를 첼로스테가 절절매며 끌고 나갔다. 끝까지 저 잘났다고 떠들어대는 올리비아가 사라지고 나서야 에벤에셀이 입을 열었다.

"스베인."

"예, 폐하."

문 앞에서 대기하고 있던 스베인이 고개를 들이밀었다.

"다시 한번 저 여자가 짐의 앞에 나타났다가는 자네의 손목도 같이 자를 줄 알게."

"예? 왜 애꿎은 저는……."

"저 여자를 막지 못한 죄야."

에벤에셀이 짓씹고는 고개를 내저었다. 지금 당장 해야 할 일이 산더민데 귀중한 시간만 낭비했다. 에벤에셀이 의자에 착석하는 걸 확인한 스베인이 입술을 쭉 내밀고 집무실로 돌아왔다. 반에이크도 마찬가지였다.

"날이 갈수록 대담해지시는군요."

"반에이크 공? 지금 즐거워 보이는군."

"그야……."

반에이크가 너털웃음을 흘렸다.

"호랑이 없는 굴에 여우가 날뛰는 꼴이 꽤 재밌어서요. 저러다 가장 먼저 불에 델 것을 모르고."

"폐하. 올리비아 황비의 악행으로 사용인들 원성이 자자합니다. 아무도 황비의 궁 근처로 가고 싶지 않아 해요."

스베인이 불만스럽게 말했다.

'무엇이든 힐라리아보다 더 좋은 것으로!'

올리비아는 그렇게 소리를 질러대며 사용인들에게 히스테리를 부려댔다. 하루에도 몇 번씩 울며불며 사직서를 제출하는 사용인들이 스베인을 찾아왔다. 힐라리아와 실로테, 제이나가 자리를 비운 틈을 타서 여우가 득세하고 있는 것이다.

"이제 더 이상 일손을 구하는 것도 무립니다. 이러다가 황성의 일손 대부분이 그만둘 거예요."

"올리비아의 궁에 최소 인원만 배치하고 다른 이들은 물리게."

"그러면 또 소리를 빽빽 질러대실 텐데요."

"이봐, 스베인."

"예?"

"짐이 장난하는 것처럼 보이나?"

스베인이 에벤에셀의 얼굴을 찬찬히 살폈다.

"장난이 아니신 거 같네요. 시정하겠습니다."

에벤에셀이 스베인에게 고개를 까딱하고는 반에이크를 불렀다.

"반에이크 공."

"예, 폐하."

반에이크가 에벤에셀의 눈빛을 마주했다. 형형하니 푸른빛을 가둔 눈동자 속에는 이전 날 힐라리아에게서 발견했던 짐승이 도사리고 있었다. 야생 그대로의 날것의 눈동자였다. 저대로 도약해 앞에 선 자의 목을 물어뜯을 것 같은.

'이런 것까지 닮으셨군.'

어느새. 반에이크가 씁쓸한 입 안을 혀로 쓸었다.

"전쟁 태세에 돌입한다는 황명을 전하게. 기사단장들을 황성으로 들게 하고 로마노프에도 기별을 넣어 이제 그만 고틀리프와의 해전을 마무리 지으라고 전하게."

전쟁이라는 게 마무리 지으란다고 마무리 지을 수 있는 게 아님에도 에벤에셀은 거침이 없었다. 사실 로마노프가 고틀리프와 고전을 면치 못하는 것은 전부 에벤에셀의 명 때문이었다. 황태후의 눈을 피해 기사들을 끌어모으기 위해 로마노프에 기사단을 주둔시킬 필요가 있었다. 빠져나간 만큼 들어오면 조금씩 늘어나고 있는 기사단의 수를 눈치채기 힘들 테니까.

게다가 국경선으로 미리 배치해둔 병력을 보충한다는 핑계로 기사들을 좀 더 끌어모았다. 기사 서약을 하지 않은 일반 군대도 이미 조직 편성이 끝난 상태였다. 힐라리아가 동분서주하는 동안 에벤에셀은 손 놓고 있었던 것이 아니니.

"예, 폐하."

"로마노프에는 방어를 위한 최소한의 인원만 남기고 모두 수도로 집결시키게."

"그리하겠습니다."

"그리고."

에벤에셀이 입술을 비틀어 올렸다. 라리나가 반에이크의 저택에서 지내고 있다는 건 들어 알고 있었다. 황태후가 속이 타 발을 구르는 것도 모르는지 네이선 또한 베아트리체의 영역에서 한 발자국도 나오지 않았다. 세간 사람들은 네이선이 드디어 사랑에 푹 빠져 허우적거리고 있다고 믿었다. 곧 있으면 네이선에게도 후계자가 생길 거라고.

일각에서는 그것을 바라는 눈치였다. 튼튼한 후계는 황제의 자리를 뒷받침하는 근거가 될 테니. 에벤에셀에게는 자식이 한 명도 없지 않은가. 물론 지금 중요한 건 그런 사소한 것들이 아니었으므로, 그런 소문들은 에벤에셀에겐 조금도 타격을 주지 못했다.

"그대를 시벨로프로 보낸 성과를 받아야겠는데. 반역에 몸을 담근 이들의 목록과 서명이 적힌 서류를 찾아오게. 분명 시벨로프의 저택에 있을 거야."

반에이크가 진중한 얼굴로 고개를 숙였다.

"명 받들겠습니다, 폐하."

이건 반에이크가 수행할 임무 중에 가장 위험한 일이 될 것이다. 어디에 있는지 모를 그 서류철을, 시벨로프 저택을 뒤져 찾아야 했으니까. 하지만, 반에이크의 대답에는 망설임이 전혀 없었다. 지금 이 순간을 위해 오랜 시간 공을 들여 준비해온 것이니.

"가보게."

반에이크가 자리를 비웠다. 에벤에셀이 마른세수를 하고는 눈을 질끈 감았다가 떴다. 잠을 제대로 자지 못한 몸이 피로를 호소했지만, 이제는 힐라리아 없이는 잠들 수가 없었다. 짧은 잠을 청했다가도 힐라리아가 없는 차가운 옆자리를 더듬으며 깨어나기 일쑤였다. 생의 한 부분을 크게 덜어낸 것처럼 텅 비어버렸다. 에벤에셀이 눈을 꾹꾹 눌렀다.

"의사를 들라 할까요? 분명 수면에 도움을 주는 약이 있을 겁니다."

"근본이 해결되기 전에는 어림도 없어."

애초에 정령의 핏줄이라 에벤에셀에게는 그런 인간의 약이 듣지 않는다. 에벤에셀이 중얼거리고는 눈을 떴다. 에벤에셀의 시선이 향한 곳엔 나비 힐이 다소곳하게 날개를 접고 앉아 있었다.

그저 빛을 잃은 채로 얌전히. 힐라리아가 멀리 떠난 후에도 에벤에셀의 곁에 남았지만, 대신 저렇게 생기를 잃었다. 그것이 에벤에셀은 못내 불안했다. 나비 힐의 모습 위로 힐라리아가 겹쳐 보여서…… 에벤에셀이 한숨을 쉬곤 힘을 방출했다. 나비 힐이 조금이라도 기운을 얻길 바라며.

***

벌써 오스발트에 도착한 지 5일이라는 시간이 흘렀다.

힐라리아는 그동안 아주 거지 같은 일을 착실히 겪고 있었는데 그때마다 살의를 참기 위해 주먹을 꾹 쥐고 심호흡을 해야 했다. 그중에 가장 대표적인 것이 매일같이 힐라리아의 몸을 살피러 오는 의사였다.

곤드레스는 탐욕이 강한 인물이라 분명 오스발트로 오자마자 힐라리아를 침대에 끌어들이기 위해 안간힘을 쓸 줄 알았는데 잠잠했다. 그것을 이상하게 여기길 한참. 힐라리아는 그 이유를 알아차렸다.

"속이 메슥거리거나 몸이 으슬으슬하진 않으십니까? 어디 안 좋으신 곳이 있으시다거나."

명백한 의도를 가진 질문들이 매일같이 오갔다.

'내가 임신했길 바라는군.'

저열하고 비겁한 건 여전하다. 에벤에셀을 옭아맬 도구로 힐라리아뿐만 아니라 그의 아이를 바라고 있는 것이다. 주제도 모르고!

'제발, 쉬이. 숨을 내쉬고 참으세요.'

의사의 뒤편에서 케이티가 안절부절못하며 힐라리아에게 손짓했다.

곤드레스가 힐라리아에게 붙여둔 시녀들의 눈을 피해서 아주 열심이었다.

"……그런 일 없습니다."

"흐음. 혹여 조금이라도 몸이 미령하시면 제게 꼭 말씀 주셔야 합니다. 왕께서 힐라리아 님의 건강을 심려하고 계십니다."

심려? 매일같이 힐라리아를 찾아와 집적이는 것은 포기하지 못한 곤드레스다. 그게 심려하는 사람이 할 행동인가? 힐라리아의 인내심을 시험하는 것인지 어제는 곤드레스가 힐라리아의 이마에 입을 맞췄다. 무려 이마에! 그 자리에서 그 주둥이를 도려내지 않은 건 힐라리아의 깊고 넓은 인내심 덕분이었다. 그런데 그것도 모르고 떠들어대기는! 힐라리아는 손, 팔 다음으로 입술을 도려내기로 굳게 마음먹었다.

"예. 그리하도록 하지요."

힐라리아의 순순한 대답에 의사가 가져온 물품들을 주섬주섬 챙겼다.

후. 오늘도 살려 보냈다.

'잘했어, 힐라리아.'

스스로가 기특할 지경이었다.

***

힐라리아의 하루 일과는 단조로웠다. 식사를 하고, 산책을 하고, 책을 읽고. 그중에서도 힐라리아가 가장 빼놓지 않고 하는 일은 산책을 하는 거였다. 물론 산책을 핑계로 한 염탐이었지만, 아무도 알아차리지 못했다.

나비들이 전해주는 것으로는 한계가 있었다. 한 걸음만 삐끗해도 목숨을 잃을 수 있는 곳이라 신중을 기하고 싶었다. 어디로 걸어도 시녀들은 힐라리아를 만류하지 않았으나 그 행적은 고스란히 곤드레스에게로 전해졌다.

"날씨가 참 좋네요."

힐라리아가 능청스럽게 말하고는 옷을 여몄다.

나비들이 곤드레스가 부관과 나누는 대화를 고스란히 들려주고 있었다.

[군사들을 국경으로 배치하고 윈프리드로 통하는 통로를 개방하도록. 두 왕국으로 전보를 보내 군사들을 국경으로 보내라 전하고.]

[예, 폐하.]

흐음. 힐라리아가 턱을 쓸었다. 일의 진행이 예상보다 빨랐다. 무기고를 불태우려면 지금인데……. 힐라리아가 가늘게 뜬 눈으로 하늘을 쳐다보았다.

'손해를 감수해야겠군. 먹는 걸로는 장난치지 않으려 했는데.'

어차피 에벤에셀도 손을 놓고 있지는 않을 테니, 무기고를 불태우는 것과 동시에 장기전으로 돌입할 것을 대비해 식량고를 불태우고…….

'두 왕국에 있는 식량고는 어떡하나.'

힐라리아가 한숨을 삼켰다.

등불을 들고 어두컴컴한 길을 나아가고는 있지만, 아직 멀었다.

[두 왕국에 필요한 무기를 내어줄 테니 사람을 보내라 전달하게. 흠. 이 정도면 되었나?]

무기를 가져갈 사람.

'좀 도와줄 사람이 있으면 좋겠는데.'

힐라리아는 성에 갇혔고 조력자는 없었다.

'조금 무모했나.'

그런 생각이 들 때였다.

[찾았다!]

익숙한 목소리가 힐라리아의 귓전을 파고들었다.

깜짝 놀란 힐라리아가 숨을 들이켰다.

'베아트리체?'

이게 무슨 일이람?

***

하루 전.

에벤에셀은 약속한 것 이상으로 베아트리체 일행을 도왔다. 그들이 오스발트로 향하는 여정을 단축할 수 있도록 해준 것이다. 기네비어 공국에 들러 여정을 정비하고 떠나라는 에벤에셀의 전언엔 이유가 있었다. 그곳엔 황제의 명으로 베아트리체 일행을 돕기 위한 이들이 기다리고 있었다.

"정보국 사람들을 이렇게 보게 될 줄이야."

제이나가 감탄을 터뜨렸다. 정보국 사람들은 윈프리드에서도 가장 비밀스러운 존재들이었다. 그들에 대해서 아는 건 오직 단 한 명, 황제뿐이다.

더 신기한 건······.

"흠······. 릴리. 좌표가 맞는 건가요? 아무래도 여긴 사막 같은데."

"맞다니까!"

"제가 보기엔 아니에요. 다시 이동합니다."

이번엔 초원이었다.

"마, 마법사야?"

베아트리체가 멍하니 중얼거렸다. 게다가 정보국 3부대 사람들은 전부 평범하지 않았다. 대부분의 사람들은 기네비어에 남고 오스발트에 동행하게 된 것은 파란머리의 릴리라는 여자와 검붉은 머리의 요한이라는 남자였다.

아, 그리고 요셉이라는 꼬맹이 하나 더. 발육도 느리고 말도 느린 아이가 대체 무슨 비밀을 가지고 있는 것인지는 아직 모르겠다. 그저 요한이라는 남자의 말만 맹목적으로 따르고 있었다. 아무튼…….

요한과 릴리가 가진 평범하지 않은 부분은 금세 눈에 띄었다. 요한은 아주 손쉽게 마법을 운용할 수 있었고, 릴리는 범인과 다른 신체를 가졌다. 손톱이 길게 튀어나오질 않나, 점프를 했다 하면 놀라울 정도로 높이 뛰었다.

"와……. 나는 힐라리아만 괴물인 줄 알았더니."

어쨌든 덕분에 여정이 쉬워지긴 했으니 고마울 일이었다. 비록 그들이 길치일지언정……. 베아트리체가 고개를 내저었다. 다행히 앞으로 나아가고 있는 건 맞는지 오스발트의 성이 점점 가까워지고 있었다.

"잘한다. 이러다가 시가지 한복판으로 순간이동하게 생겼네. 뭐, 우리 정체 드러내는 게 니 목적이야?"

"릴리! 말을 왜 그렇게 비꼬십니까! 사람이 실수할 수도 있지!"

혀를 찬 릴리가 아주 상냥한 표정으로 베아트리체에게 말을 건넸다.

"여기서부터는 걸어가셔야 할 것 같습니다. 우리 마법사가 칠푼이라."

"릴리?"

"괜찮습니다. 그런데 두 분 다 너무 눈에 띄는 외양이시라……."

제이나가 말끝을 흐렸다.

달려드는 요한을 향해 손톱을 세우는 릴리와 눈이 마주친 까닭이었다.

"아, 그거요. 요한?"

"예에. 노예 여기 있습니다."

요한이 부루퉁하게 대답하고는 릴리와 자신의 모습을 바꿨다.

"이제 준비가 된 것 같군요. 사람들 사이에 섞여서 이동합시다. 상단으로 위장해서 들어갈 건데……."

베아트리체가 떠나기 전에 준비한 위장 신분패를 꺼냈다.

"프리스턴에서 온 것으로 되어 있는 신분패입니다. 프리스턴이야 우리와 문화가 비슷해서 위장하는 게 어렵진 않을 겁니다."

프리스턴의 신분패를 얻는 건 어렵지 않았다. 힐라리아에게 모든 걸 걸었던 메일린 황녀가 실의에 빠진 표정으로 대사관을 닦달해 만들어줬기 때문이었다.

"넉넉히 챙겨오길 잘했군요."

메일린 황녀도 힐라리아가 무사히 돌아오길 기원하는 이들 중 한 명이었다. 힐라리아는 반드시 돌아와 약속을 이행해야 한다나. 어쨌든 덕분에 뜻하지 않은 조력자를 얻었으니 다행이었다.

"가장 먼저 숙소를 구해야겠군요."

"왕성에서 가까운 곳이 좋겠습니다. 등잔 밑이 어둡다잖아요?"

"흠. 그리고 좀 눈에 띄는 곳이면 더 좋겠군요."

"은밀한 곳이 아니라?"

베아트리체가 고개를 저었다.

"은밀하면 의심을 사기 마련이지만, 오히려 눈에 띄면 관심을 끌기 때문이지요. 우리는 상단을 가장할 거기 때문에 외진 곳은 맞지 않습니다. 나온 건물들 중에 가장 좋은 것으로 구하시죠."

"앗……. 저희가 여행 경비는 그렇게 많이 챙겨오지 못해서……."

릴리가 머쓱한 표정을 지었다.

"무슨 그런 걱정을."

베아트리체가 금안을 곱게 접어 웃으며 주머니를 꺼냈다.

"이 정도면 건물 하나쯤은 매입하고도 남을 겁니다."

"세상에……."

"돈은 걱정하지 마시고 가장 필요한 것들을 준비하도록 하죠."

릴리와 요한이 고개를 끄덕였다. 황실에 매인 공무원 월급으로는 터무니없어 보이는 금액을 베아트리체는 잘도 내놓았다. 그리고 제이나와 기사단 사람들은 그 모습이 어색하지 않은 듯했다. 사실 기네비어까지 가는 여정 동안 베아트리체가 돈을 물 쓰듯이 쓰는 장면을 수도 없이 목격했기 때문이었다. 베아트리체의 상단이 돈을 끌어모은다더니 사실이었던 듯싶다. 게다가 상단으로 위장하기 위한 물품들도 전부 베아트리체가 준비했다.

"든든하네요."

릴리가 주머니를 귀하게 쥐었다. 그렇게 베아트리체 일행은 생각보다 훨씬 빨리 도착해서 숙소를 구할 수 있었다. 숙소뿐일까, 시가지에서 가장 비싸게 나온 매물을 구입해 상단을 차렸다. 아직 문을 열지 않은 베베 상단 앞을 사람들이 기웃거리기 시작했다. 겨우 하루 만에 일어난 변화였다.

그리고 요한은 힐라리아를 찾아냈다.

***

"대체 어떻게……."

힐라리아의 중얼거림에 시녀들이 고개를 갸웃했다.

[그건 나중에 얘기하고. 혼자 있을 때 찾아갈게!]

멍하니 있던 힐라리아가 붉은 입술을 끌어 올렸다. 마침 일손이 필요하던 차에 좋은 조력자를 얻었다. 아마도 베아트리체는 제이나를 비롯한 기사단들을 데리고 왔을 것이고 여정이 짧았던 걸로 보아 정보국이 개입했을 가능성이 높았다. 그리고 이 모든 상황을 안배했을 에벤에셀.

'고마워…….'

그의 마음이 여기까지 전해지는 듯했다. 에벤에셀의 흑단 같은 머리카락,

새파란 눈, 힐라리아를 부르던 음성, 살며시 미소 짓던 입매, 눈물로 젖은 얼굴. 그 모든 것이 그리웠다.

'생각보다……'

힐라리아는 그녀가 짐작했던 것보다 훨씬 더.

'사랑해.'

에벤에셀을 사랑하고 있었다.

본인에게는 전하지 못한 말을 지금에서야 마음에 담아본다. 부정해야 했었던 감정을 이제 와서야. 돌이킬 수 없는 상황이 되어서야…… 힐라리아가 쓴웃음을 삼켰다. 물론, 이곳의 시녀들은 힐라리아를 가만히 두지 않았다.

"저……."

"무슨 일인가요?"

"왕께서 부르십니다. 오찬을 함께 하자고 하시는데요."

"가겠습니다."

결정했다. 다음은 그 간사한 혓바닥이다.

***

실로테가 심호흡을 했다. 제이나와 베아트리체가 떠나자마자 실로테도 작업을 시작했다. 새로운 신분패를 얻어내는 방법은 어렵지 않았다. 건달처럼 건들거리며 프로이턴 대사관을 쳐들어간 베아트리체가 어렵지 않게 새로운 신분패를 발급해준 까닭이었다.

'대체 메일린 황녀는 왜……. 아니, 어떻게 돌아가는지 감도 못 잡겠군.'

그저 또 한 번 느낀 것은 힐라리아 루트를 탄 건 천 번을 생각해도 잘했다는 것? 실로테가 옷매무새를 가다듬고는 방문을 똑똑 두드렸다. 손에는 적당히 사람을 시켜 작성한 이력서가 들려 있었다.

"들어오세요."

"안녕하세요, 스베인 님."

실로테가 인위적인 미소와 함께 수도 없이 연습한 말을 내뱉었다.

"예. 무슨 일로 오셨죠?"

"저는 안나입니다. 요새 황성에서 일손을 구한다 하셔서요."

"아!"

시큰둥하던 스베인이 몸을 벌떡 일으켰다. 올리비아의 패악질에 그만두고 나간 시녀만 몇인지 모르겠다. 그러던 차에 귀한 일꾼이 찾아온 것이다. 과하게 웃으며 그녀를 반기는 스베인을 보며 실로테가 고개를 갸웃했다.

'나를 알아봤나? 그런 것 같지는 않은데.'

스베인이 환히 웃으며 말했다.

"합격입니다!"

"아직 이력서를 보시지도……."

"이름을 듣는 순간 느낌이 왔습니다, 안나! 안나는 앞으로 우리와 일하게 될 거예요!"

"아……."

그게 무슨 말이야?

"자, 오늘부터 일하게 되실 곳은 올리비아 황비 마마의 거처랍니다. 성정이 포악하시기는 하지만, 그래도 인성이 그른 분은 아니어서."

일단 입술에 침이나 바르고 거짓말하시지. 게다가 성정이 포악한데 인성이 그르진 않다? 그게 무슨 모순인지 이해가 가질 않았다. 하지만, 실로테는 지금 안나다. 클라리넷의 영애가 아니라! 그래서 실로테는 순진한 척 고개를 끄덕였다.

"그거 다행이네요! 제 이름을 지어주신 어머니께 감사드려야겠어요."

이제 메일린 황녀를 어머니라고 불러야 하나.

실로테는 그런 실없는 생각을 하며 스베인의 뒤를 쫓았다.

"요새 황성 분위기가 영 흉흉하죠? 그래도 안나에겐 아무 일도 벌어지지 않을 겁니다. 황성의 기사들은 빠르게 적을 제압할 줄 알거든요."

"아아."

"걱정하실 일은 없을 거고. 일단 시기가 시기이니만큼 평소 월급의 두 배를 드리겠습니다."

"와. 그거 듣던 중 반가운 소리네요."

실로테가 영혼 없이 중얼거렸지만, 스베인은 알아차리지 못했다. 드디어 일꾼을 한 명이라도 더 구했다는 사실에 행복해하고 있을 뿐. 그동안 돈을 더 쳐준다고 해도 절대로 싫다는 이들을 달래가며 간신히 하루하루를 넘겨 왔는데 이게 웬 횡재냐 싶었다. 다행히 똘똘해 보이는 게 무슨 일이든 잘 할 것 같고……. 그런데 어디서 본 얼굴 같은데? 스베인이 고개를 갸웃했다.

***

앞으로 실로테를 가르쳐 한동안이나마 올리비아를 모시는 걸 도와줄 이는 첼로스테가 되었다. 분명 그녀가 힐라리아를 배반했다고 생각했는데 힐라리아는 첼로스테와 접촉하라고 말했다.

'역시 모든 일의 배후는 힐라리아라니까.'

이제 그 말이 정석처럼 굳어질 것만 같다.

"잘 부탁드립니다, 첼로스테 시녀장님."

귀족 영애의 몸으로 하녀를 위장하는 건 힘든 일이었지만, 실로테는 어렵지 않게 해냈다. 사람들은 모두 잊은 모양이지만, 클라리넷은 폭삭 망한 전적이 있었다. 그때 먹고살기 위해서는 무엇이든 하겠다고 다짐했었다. 게다가 실로테가 시녀도 아닌 하녀의 삶을 선택한 데에는 이유가 있었다.

시녀들은 올리비아의 허락 없이는 자리를 비울 수 없지만, 하녀는 아니었다. 하녀들은 원한다면 언제든 자리를 비울 수 있었고 시녀들의 심부름을 하기도 했다. 황성에 거주하지 않으니 좀 더 행동하기 편하기도 했고. 첼로스테가 대체 무슨 일을 하고 있는 건지는 모르겠지만, 그것을 돕기 위해선 하녀로 위장하는 게 낫다는 판단이었다.

"만나서 반갑습니다, 안나. 앞으로 우리는……."

딸깍- 실로테가 문을 닫았다. 첼로스테가 쓰는 방으로 직접 안내를 받은 덕에 의외로 금방 단둘이 남을 기회를 잡을 수 있었다. 실로테가 입술을 끌어 올렸다. 눈을 동그랗게 뜨고 의아한 얼굴을 하는 첼로스테에게 실로테가 우아하게 속삭였다.

"오랜만이야, 첼로스테."

"그 무슨……."

"힐라리아가 시킨 일이 무엇이지? 대체 네가 무슨 일을 하고 있었는지 말해."

실로테가 읊조리며 손가락에 끼고 있던 볼품없는 반지를 뺐다. 금세 원래의 모습으로 돌아온 실로테 앞에 첼로스테가 털썩 무릎을 꿇었다.

"실로테 황비 마마……?"

"어머. 이제는 황비 아니야. 그냥 실로테 님이라고 불러."

실로테가 생긋 웃었다. 에벤에셀이 그녀를 풀어주자마자 바로 일리만 챙겨서 클라리넷의 별장으로 향했다. 클라리넷은 속이야 어찌 됐든 황태후의 무리를 따르고 있으니 본 저택으로 가는 건 무리라는 판단에서였다. 얼굴이 하얗게 질린 첼로스테를 보며 실로테가 검지를 입술 앞에 세웠다.

"일단 그 전에. 너는 누구를 따르고 있지?"

"그야……."

실로테는 첼로스테의 입술을 주시했다. 만약, 첼로스테가 힐라리아를 언급한다면 살릴 것이나 올리비아를 언급한다면……. 실로테가 입술을 꾹 깨물었다. 반드시 그 대가를 물게 하리라. 다행히도 첼로스테는 어렵지 않게 힐라리아의 이름을 말했다.

"힐라리아 황비 마마를 따릅니다. 실로테 님. 황비 마마는 잘 떠나셨습니까? 위험하지는 않으신가요? 혹 지금쯤 오스발트에……."

오히려 안달이 나서 실로테를 붙든 건 첼로스테였다. 무례라는 것도 잊고 실로테의 치맛자락을 잡고 늘어진 첼로스테가 울먹였다. 힐라리아가 첼로스테를 이곳으로 보낸 덕에 그동안 힐라리아의 소식과는 단절되어 있었다.

"다치신 덴 없겠죠? 언제쯤 돌아오실까요? 저도 따라가고 싶었는데……."

오히려 되레 놀란 실로테가 헛기침을 하며 뒤로 물러섰다. 쨍그랑! 그러느라 손에서 떨어진 단도가 바닥을 뒹굴었다.

"저게 무슨……."

"아, 그게."

힐라리아를 배반한 거라면 이 자리에서 단죄하겠노라 다짐했는데. 그래서 짧은 시간 동안 일리에게 검을 쓰는 법을 배웠다. 사실 이 검으로 첼로스테를 실제로 해할 수 있을지 장담하진 못했지만, 일단 마음은 그랬다. 그런데 그 마음을 입에 담기엔 조금 미안하지 않은가. 저렇게 절절하게 우는 사람한테. 실로테가 어색하게 웃으며 말했다.

"사, 사과라도 깎아 먹으려고?"

"……아."

절대로 속지 않은 얼굴로 첼로스테가 단도를 물끄러미 응시했다.

"저건…… 제가 가져가지요. 사과를 깎아드리는 건 제가 해야 할 일이니."

실로테는 고개를 끄덕였다. 첼로스테가 이상하게 힐라리아를 닮아가는 것 같다. 속마음을 겉으로 드러내지 않은 채로 단도를 갈무리하는 모습을 보니 더욱더.

'그래도 다행이야.'

힐라리아의 수고가 헛되지 않아서. 실로테가 긴 한숨을 내쉬었다.

"자네는 여기서 뭘 하고 있었지?"

실로테가 도로 반지를 손가락에 끼우며 물었다.

"힐라리아 님께서 시키신 일을 하고 있었습니다."

"힐라리아가 떠나기 전에 내게 자네를 도우라고 하더군. 내가 도울 일이 있나?"

"힐라리아 님……. 이런 감사한 일이……."

도우러 온 건 실로테인데 정작 감사인사를 받은 건 힐라리아다. 실로테는 첼로스테가 힐라리아의 신봉자 중의 한 명이라는 걸 깨달았다. 하긴 이 황성에 힐라리아에게 미치지 않은 이가 몇이나 된다고.

가장 대표적으로 에벤에셀 황제도 있지 않은가. 소문에 따르면 에벤에셀 황제의 성격이 변했다고들 했다. 매사 정중하고 누구에게든 존댓말을 하던 사람이 이상하게 변했다나. 매서워지고 하대를 하며 모든 일을 비뚤게 받아들였다. 황제 앞에선 숨도 제대로 못 쉰다는 소문이 있었다.

'힐라리아 때문이겠지.'

마지막으로 만났을 때, 에벤에셀이 했던 말이 아직 생생했다.

'힐라리아를 데려와달라고 했던가.'

그 말을 하던 에벤에셀의 얼굴이 처연하니 젖어 있어서 잊을 수가 없었다. 하긴. 에벤에셀뿐이겠는가. 힐라리아의 귀환을 바라고 있는 건, 그녀를 위해 하녀의 옷을 입은 실로테도 마찬가지였다.

실로테가 실소를 지으며 고개를 저었다. 그러느라 첼로스테가 단도를 매만지며 무슨 생각을 하는지 조금도 알아차리지 못했다.

'……힐라리아 황비 마마의 원수!'

첼로스테가 까드득 이를 악물었다.

***

반에이크는 망설이다가 라리나의 방문을 두드렸다.

라리나는 힐라리아의 궁에서 클라리넷 저택으로 데려온 이후 한 번도 방 밖으로 나오지 않았다. 라리나가 어떤 상태인지는 하녀를 통해 체크하고 있지만, 이렇게 직접 얼굴을 보는 건 오랜만이었다.

"라리나, 안으로 들어가도 되겠습니까?"

그녀가 마음을 추스를 시간을 주기 위해 반에이크는 그간 한 번도 라리나의 방문을 두드리지 않았다. 하지만, 이제는 움직여야 할 때였다. 시벨로프 백작가에서 반역에 결탁한 이들의 목록을 찾아야 한다. 그 일엔 라리나의 도움이 절실했다.

지금에 와서 돌이켜보자면, 힐라리아는 이 순간을 모두 염두에 두고 있었던 걸까? 라리나와 친분을 맺고 그녀를 거뒀다. 라리나가 세상을 알게 하고 옳고 그름을 선택하도록 유도했다. 결국 반에이크가 해야 했을 일을 힐라리아가 대신해준 것이다.

"네⋯⋯."

안에서 미약한 목소리가 들려왔다. 힐라리아가 만들어준 이 기회를 어떻게 활용하느냐는 이제 반에이크의 손에 달려 있었다.

만약, 라리나가 반에이크의 부탁을 거절한다면?

'그 이후는 나중에 생각하자.'

하나, 하나 따지다가는 일을 그르칠 수도 있는 법이다. 반에이크가 대답이 들려온 방문을 열어젖혔다. 환기를 시키느라 열어놓은 창문 위를 두꺼운 커튼이 덮고 있었다. 바람이 강하게 불지 않아 다행히 실내의 공기는 따뜻한 편에 속했다. 벽난로가 엄청난 기세로 타고 있는 덕분이기도 했다. 대신 불을 밝히지 않아 어두운 방 안 한가운데에 라리나가 웅크리고 있었다. 시중을 드는 이들이 있으니 일상적인 생활은 문제가 없었겠지만⋯⋯.

"라리나?"

라리나의 눈은 보이지 않을 정도로 퉁퉁 부어 있었다.

"세상에."

반에이크가 저도 모르게 그렇게 내뱉고는, 라리나의 곁으로 빠르게 다가가 협탁 위에 하녀가 올려둔 얼음주머니를 손에 쥐었다. 요새 하녀들이 얼음을 찾는다 했더니 이런 이유가 있었던 것이다. 반에이크가 한숨을 내쉬며 라리나의 눈 위에 조심스럽게 주머니를 얹었다.

"꼴이 이게 뭡니까."

"칫. 꼴이라니……. 그래도 약혼녀인데."

"약혼녀라 여태 두고 봤다고는 생각지 않으시는 겁니까? 하지만, 이렇게 울고만 있을 줄 알았다면 잡부를 불러서라도 저 문을 땄을 겁니다."

반에이크가 한숨 섞인 목소리로 말했다.

"또 우십니까?"

라리나의 볼을 타고 애매한 온도의 눈물이 흘러내렸다.

"……힐라리아가 멀쩡히 돌아올 수 있을까요?"

"이러고 계시지만 않으면 아마도요."

"그걸 어떻게 자신해요? 내가 망설여서 힐라리아가 그렇게 된 건 아닐까요? 내가 진즉에 정신 차려서 힐라리아를 도왔다면……."

"힐라리아 님이 오스발트로 가신 건 그것과는 상관없는 일입니다. 그분께선 아마도 처음부터 황성을 나가는 순간을 계획하고 계셨을 겁니다."

"그걸 반에이크가 어떻게 알아요?"

"그야……."

반에이크가 말을 삼켰다. 자신의 집요한 시선 끝에 항상 힐라리아가 있었다는 말을 어떻게 함부로 입에 담겠는가. 그것도 약혼녀 앞에서. 반에이크가 진실을 숨기고 적당한 말을 골랐다.

"힐라리아 님께서는 범인과는 다르십니다. 앞으로 내다보시지요. 아마도 그 순간을 오랫동안 준비하고 계셨을 겁니다. 그러니, 라리나로 인한 일이 아닙니다."

"그렇다면 다행이지만……."

라리나가 반에이크의 손을 밀어냈다. 얼음주머니가 치워지고 퉁퉁 부은 눈이 드러났다.

"그런데 무슨 일 있어요?"

"……라리나가 도와줄 일이 있습니다."

"내가 도울 일?"

"전쟁이 일어날 겁니다."

아주 나지막한 속삭임이었다. 라리나가 눈을 동그랗게 떴다.

"피해를 최소화하기 위해서는 빠른 시일 내에 전쟁을 무마시켜야 합니다. 그러기 위해서는 내부에서 일어나는 일들에 신경 쓸 시간이 없지요."

"그게 무슨……."

"내전에 대해서 이야기하고 있는 겁니다, 라리나. 정말로 세 연합과 전쟁이 시작되기 전에 반역도들을 진압해야 합니다. 그들이 전쟁 도중에 황성을 향해 검을 겨누지 못하도록 말이지요."

"아……."

라리나가 이해했다는 듯이 고개를 끄덕였다.

"그러기 위해서는 증거가 필요합니다. 귀족들을 함부로 구금할 수도 없는 노릇이니. 그런데 저는 시벨로프 백작께서 중요한 물건을 어디에 숨기는지 모릅니다. 그러니, 라리나."

반에이크가 간절한 목소리로 물었다.

"저를 좀 도와주시겠습니까?"

그건 가족을 저버리라는 말과 다르지 않았다. 시벨로프 백작가의 사람들과 황태후까지. 하지만, 라리나는 이제 정의롭고 옳은 길을 선택한 참이다.

라리나가 울음기가 가득한 목소리로 말했다.

"당연히요. 저밖에 할 수 없는 일인걸요."

"라리나……."

"내 가족이 지은 죄를 그렇게나마 갚을 수 있다면, 해야 하는 일이잖아요. 무엇이 필요한 건지 자세히 이야기해줘요."

"일전에 집회에 모여 서명을 한 일이 있습니다. 그것과 오스발트와 내통한 서찰이라든가, 반역에 가담했다는 것을 증명할 수 있는 서류라면 무엇이든 좋습니다. 시벨로프 백작은 의심이 많은 자이니 분명 문서로 남겨두었을 겁니다."

"아버지가요……?"

"네."

라리나가 설핏 웃었다. 라리나가 알기로 아버지는 그런 인물이 되지 못한다. 아마도 이 모든 일을 조정하고 있는 이는 어머니일 것이다. 아, 어머니가 아니라 이제 할머니라고 불러야 하나. 라리나를 수도 없이 좌절시켰던 진실이 입 안을 쓰게 만들었다. 대충 어디에 무엇이 있을지 짐작이 갔다.

"반에이크."

"네?"

"수면제를 준비해주세요. 제가 무사히 문서를 찾아 나오기 위해서는 수면제가 필요할 것 같네요."

"함께 갈 겁니다, 라리나. 혼자 위험을 자처하시게 하지 않을 거예요."

"이렇게 든든할 수가."

라리나가 웃으니 퉁퉁 부은 눈꺼풀 덕에 눈이 아예 사라졌다.

"그럼 준비가 되면 말해줘요."

"내일까지 준비하겠습니다. 시벨로프에 전언도 넣어두고요."

"좋아요."

라리나가 씩씩하게 대답했다. 마음은 여전히 복잡했지만, 자신이 무슨 일이든 보탤 수 있다는 사실이 기뻤다…….

'……기쁜 게 맞는 건가.'

아마도 이 일이 잘된다면, 라리나는 가족을 한 번에 잃게 될 것이다. 더 이상 돌아갈 집도 없이 세상에 혼자가 된다. 생각이 거기에 다다른 라리나의 입술이 바르르 떨렸다.

"반에이크."

다시 라리나의 눈 위에 얼음주머니를 조용히 얹어주던 반에이크가 침묵으로 대답을 대신했다.

"시벨로프는 전부 죽게 되겠죠? 반역이잖아요."

"……오랜 세월 황실과 연을 맺어온 가문입니다. 게다가 라리나의 공적을 분명 황제 폐하께서도 참작해주시겠지요. 유배 정도로 마무리되지 않을까 싶습니다."

"유배……."

라리나가 마음속으로 지니고 있던 짐이 한결 덜어졌다. 가족들을 제 손으로 죽음에 밀어 넣어야 한다는 죄책감이 옅어진 것이다.

"……나라도 옳은 일을 해야죠."

"……."

"그럼요……."

황실의 핏줄을 잇지도 못한 이들이 탐내서는 안 되는 것을 탐냈다. 그 탐욕이 제국을 위험으로 밀어 넣었고 시벨로프는 이제 대가를 치러야 한다.

그 참담한 사실이 라리나를 슬프게 했다.

"……또 우십니까?"

반에이크의 물음에도 라리나는 아무 말도 하지 않았다.

"원만큼 우십시오. 마음이 가벼워지실 때까지."

여태까지 그녀를 가만히 방치했던 반에이크는 라리나의 눈물이 멎을 때까지 함께했다. 라리나의 곁에서.

-3권에서 계속-